Curas Para Sus Deudas!

Que "Ellos" no quieren que usted sepa

Curas Para Sus Deudas!

Que "Ellos" no quieren que usted sepa

Kevin Trudeau

Índice

Aclaración preliminar

Yo no soy abogado. Ése no es ningún secreto. Tampoco soy idiota. Tal vez algunos quieran discutirlo conmigo, pero yo sé cuando alguien se está aprovechando de las personas. Cuando las personas que se aprovechan son personas confiables — personas cercanas a ellas — es cuando hay que hacer algo al respecto.

Gracias al éxito que tuvieron mis libros anteriores fui objeto de análisis minuciosos. Me llamaron "arquetipo del estafador", "impostor" y "mentiroso". En un boletín electrónico publicado en Internet, una persona me llamó "Satán". Tal vez ese es el motivo por el cual puedo soportar las críticas.

Piense lo que quiera de mí, pero los hechos expuestos aquí representan lo que para mí es la pura verdad. Las soluciones son conceptos genuinos que pueden sacarlo de la deuda y encaminarlo hacia la riqueza. No existe ninguna palabra mágica. Éste no es un truco de magia. El gobierno federal y los bancos y las compañías de tarjetas de crédito le cobran en exceso al público estadounidense, simple y llanamente.

Le diré lo que me parece que sucede y le diré lo que puede hacer al respecto. Éstas son técnicas fáciles que cualquiera puede poner en práctica. No soy abogado, ni asesor financiero, ni contador. Debería consultar a esos profesionales antes de dar algunos de los pasos que se describen en este libro. Probablemente ellos también quieran una copia de este libro.

Igual que todo en la vida, ¡las cosas cambian! El gobierno, las agencias de crédito, los bancos, los emisores de tarjetas de crédito; parece que todos ellos siempre están modificando las leyes y las políticas. Usted tiene que saber que la información que contiene este libro puede cambiar. Por lo tanto, ¡necesitará verificar que no haya más actualizaciones!

Se utilizan ejemplos e historias para ilustrar los métodos que existen. Los nombres, los montos y las cifras son ficticios, pero los hechos no se modifican: usted puede salir de la deuda y crear su propia riqueza. Mi objetivo es ayudarle y ofrecerle un libro interesante para leer. ¡Disfrútelo!

Agradecimientos

Escribir un libro, corregirlo y publicarlo no es un trabajo sencillo. Quiero agradecer a todas las personas que me ayudaron a convertir una idea en las páginas impresas del libro que hoy usted tiene en las manos.

Sé que usted también estará agradecido por el trabajo intenso que hicieron cuando lea lo que sucede detrás de las puertas de la industria de los bancos y de las tarjetas de crédito. Los ejecutivos poderosos y sus compañeros de Washington tal vez están motivados por la codicia; pero a mí me motiva la necesidad: la necesidad de revelar qué está sucediendo para que usted pueda escapar de sus garras.

Los hechos y la información que se recopiló están destinados a usted. Mis más sinceros agradecimientos a todos aquellos que hicieron de este libro lo que es. El objetivo común de todos los que estuvieron involucrados es ofrecerle información para que usted tenga el poder; el poder de encontrar una solución a sus deudas, el poder para crear su riqueza y ¡el poder para recuperar el control de su vida! ¡Eso merece un aplauso!

CAPÍTULO I

Una licencia para robar

Abro mi buzón todos los días igual que usted y casi siempre, sin exagerar, al menos cuatro veces a la semana, recibo un ofrecimiento de una tarjeta de crédito que me atrae con frases como: "¡Está pre-aprobado!", "¡Tasa de interés del 0%!", "¡Transfiera todos sus saldos!". Muchas de estas empresas ahora se volvieron tan audaces que hasta imprimen en el sobre con letras rojas y brillantes: "¡URGENTE! ¡No se deshaga de mí!". Pero los arrojo a la basura de todos modos, y usted debería hacer lo mismo.

No soy el único a quien inundan con solicitudes de tarjetas de crédito. Usted las recibe. Su vecino las recibe. Su hijo que está de edad escolar las recibe. Todos las recibimos. Hasta a mi perra le enviaron una. Afortunadamente, Princesa tuvo el buen tino de comérsela. Las compañías de tarjetas de crédito envían cuatro mil millones de cartas como ésta al año. Así es: CUATRO MIL MILLONES.

Es una locura.

Y, ¿por qué se toman el tiempo y afrontan los gastos para enviar todas esas cartas? ¡Porque están ganando miles de millones de dólares al estafar a los ciudadanos estadounidenses! Las compañías de tarjetas de créditos, los bancos, los prestamistas hipotecarios, las compañías que otorgan préstamos hasta el día del pago del próximo salario, las agencias de consolidación de la deuda, los cobradores de deudas, es decir, toda la industria de los créditos de consumo está diseñada para arruinar al consumidor estadounidense. Ése soy yo, ése es usted, son sus amigos y

1

su familia. Y, ¿sabe qué? No encuentro un modo mejor de decirlo, pero estoy enojadísimo y no lo toleraré más. Y usted debería hacer lo mismo.

No fue siempre de este modo, pero hay un problema en Estados Unidos del cual no se habla, y el gobierno de este país, así es, el gobierno federal de este país, es en parte culpable. Durante las últimas tres décadas, la industria de los créditos de consumo perdió vertiginosamente el control. Y el gobierno federal de los Estados Unidos permitió que eso sucediera. De hecho, él ayudo a crear el monstruo que hoy se está comiendo al ciudadano estadounidense común que aún está vivo. En realidad, está trabajando junto con la industria bancaria, está creando leyes y normas que permiten que las compañías de tarjetas de crédito le cobren sumas excesivas al ciudadano estadounidense.

> ¡El sistema está organizado para que usted siempre tenga deudas!

¿Usted está endeudado? Puedo verlo asentir con la cabeza. Una vez más, usted no es el único. Es el modo estadounidense. El sistema está hecho para mantener a los estadounidenses endeudados. Como nación, los consumidores tenemos un saldo acreedor de 2,4 billones de dólares. Yo no sé si puedo acarrear dicha suma y tampoco sé si sé escribir tantos ceros. Ese valor es aún más sorprendente cuando se tiene en cuenta que no se incluyeron las hipotecas. De acuerdo con las estadísticas del último censo, eso equivale a ocho mil dólares de deuda por cada hombre, mujer y niño que vive en los Estados Unidos. Reconocemos que los niños no pueden calificarse como consumidores que portan una tarjeta de crédito, al menos no por ahora, entonces eso significa que la cifra por adulto es aún mayor. El total no está expresado por dueños de casa, sino por persona. Es una carga muy pesada para soportar. Es demasiado para tolerar y la balanza no está nivelada, está completamente desequilibrada. De hecho, la balanza está fuera de control y se está inclinando hacia el lado de las compañías de tarjetas de crédito.

Las personas comunes

Echemos un vistazo en la vida de una pareja común. Eduardo y Susana hace ya varios años que están casados. Tienen dos hijos, un perro, una minivan y una casa pequeña, pero no viven en la ciudad ideal del pasado. Eduardo y Susana trabajan para llegar a fin de mes y no tienen un estilo de vida derrochador. Gastan el dinero en comestibles, guardería y pagan las cuentas de su tarjeta de crédito. Como en toda familia promedio, el saldo de la tarjeta de crédito asciende a casi diez mil dólares. Eduardo y Susana se sentaron a mirar las cuentas juntos. Sabían que tenían que hacer algo. Todos los meses hacen pagos, pero parece que los saldos nunca se reducen. Conoceremos mucho más sobre Eduardo y Susana en las páginas siguientes.

Todos tenemos alguna deuda, pero algunos de nosotros estamos hasta el cuello. Les puedo asegurar una cosa: ¡No es nuestra culpa! En mi opinión, las prácticas agresivas de las compañías de tarjetas de crédito, de los bancos, de los prestamistas bancarios, de las tiendas por departamentos, de las corporaciones, de las instituciones prestamistas —de toda la industria de los créditos de consumo— son criminales y deberían ser ilegales, pero, de hecho, el gobierno federal las autoriza. Estas compañías se aprovechan del ciudadano estadounidense, y nuestro gobierno ya puso el sello para aprobar sus prácticas desleales. Este abuso fraudulento de los habitantes de nuestro país es el mayor robo que ocurrió en la historia de nuestra nación.

Pero, ¿cuáles son estas prácticas agresivas y turbias? En pocas palabras, ¡el sistema está organizado para que usted siempre tenga deudas! Las prácticas de la industria están diseñadas para asegurarse de que usted siempre esté retrasado en sus pagos mensuales, para asegurarse de que usted supere el límite de sus tarjetas de crédito y para asegurarse de que las comisiones sean altísimas y las tasas de interés no dejen de subir. Quédese ahí y se lo explicaré en detalle, pero primero, observe el título del libro: *Curas Para Sus Deudas: Que "Ellos" no quieren que usted sepa.* ¿Quiénes son "ellos"? Las compañías de tarjetas de crédito, los prestamistas hipotecarios y los bancos, por supuesto. Y el gobierno federal de los Estados Unidos.

Ganancias obscenas

¿Por qué debería preocuparles a ellos lo que les estoy diciendo? Por el dólar todopoderoso, por supuesto. Ellos lo quieren, y ellos quieren que venga de usted. Todas las compañías buscan obtener una ganancia, y no tengo problemas con eso. Pero sí tengo un problema con las personas que están dentro de la industria que cuentan en confianza que

4 | CAPÍTULO 1

las ganancias que estas compañías hacen no sólo son astronómicas, sino que también se las conoce como *"ganancias obscenas"* similares a aquellas que obtienen las personas involucradas en los cárteles de petróleo. Ellos —estas instituciones prestamistas— son depredadores y su presa es el estadounidense trabajador e inocente que paga sus cuentas. Es como si el ciudadano estadounidense no tuviera la más mínima posibilidad. Y no soy yo quien lo dice. Los funcionarios del gobierno y quienes están dentro de la industria dicen que las ganancias que obtienen los bancos y las compañías de tarjetas de crédito y los prestamistas hipotecarios son "obscenas".

Sólo la industria estadounidense de las tarjetas de crédito gana treinta mil millones de dólares por año. No treinta millones; treinta mil millones. Y todavía quieren más.

En mi primera serie de libros, *Alternativas naturales al gran negocio de la salud*, que vendió más de diez millones de copias, dejé al descubierto a la industria farmacéutica. Gracias a lo que escribí, las compañías de medicamentos enfrentaron caídas en las ganancias y me atacaron duramente para vengarse. Fui objeto de acusaciones falsas, juicios y hasta de amenazas de muerte. No me importa. No me retractaré. En mi corazón sé lo que está bien. Si usted no leyó ninguno de mis libros anteriores, necesita saber quién soy yo.

¡Las compañías de tarjetas de crédito ganan treinta mil millones de dólares por año!

Veinte años atrás, yo era un joven demasiado ambicioso, no deseaba nada más que riqueza. Y, ¿sabe una cosa? La conseguí. Gracias a todo lo que atravesé en mi vida y por las cartas y testimonios de miles de lectores que me ayudaron, ahora estoy en una misión que no tiene nada que ver con ganar dinero. Siempre es más fácil para alguien que ya tiene dinero decirlo, lo sé, pero la riqueza no es mi objetivo. Ya llegué a un punto en mi vida en el que necesito hacer cosas que crea que van a tener un efecto positivo en las personas y en la sociedad. La misión de mis libros, boletines informativos y de mi sitio de Internet —toda mi empresa— es sencilla: causar un efecto positivo en toda la persona. Eso incluye hacer cosas que creo que son beneficiosas para la salud física, el bienestar mental, los esfuerzos intelectuales, la realización personal y el bienestar financiero. Todos los aspectos de su salud están relacionados. Pasé años de mi vida refiriéndome a la salud física y ahora me siento obligado a centrarme en otro aspecto de la sociedad que necesita esclarecimiento. Además de la salud física de una persona, ¿cuál es nuestra principal preocupación? Así es. El dinero. Nuestro bienestar económico.

Devolvámosle la felicidad a mamá

Todos los que alguna vez tuvieron problemas económicos saben de qué estoy hablando. El viejo refrán "si mamá no es feliz, nadie es feliz" puede modificarse del siguiente modo: "Si el dinero es un problema, todo es un problema". El estrés constante se devora todas las áreas de nuestra vida. No podemos dormir. Nos distraemos en el trabajo, lo que nos puede traer problemas con nuestros empleadores. No podemos comer o comemos demasiado y dañamos nuestros cuerpos. Somos agresivos con nuestros hijos y discutimos con nuestras parejas. Debido a la situación económica, la familia y el trabajo se ven afectados, y todos sufren. Las presiones se acumulan hasta que sentimos que toda nuestra vida es una casa hecha con naipes que se derrumbará en cualquier momento. Aquellos que tienen una deuda sobre la cabeza saben exactamente de qué estoy hablando.

Las deudas de los consumidores son una epidemia en nuestro país. Nos afectan a todos. Cualquiera que pidió un préstamo o habilitó una tarjeta de crédito se ve afectado. Si usted tiene este libro en las manos, me imagino que está dentro de esta categoría. La industria que les otorga préstamos a los consumidores se aprovecha del público estadounidense, y eso nos afecta a todos, independientemente del género, la raza, la edad, el estatus, la religión o los ingresos. Éste es uno de los casos en los que el Tío David nos está señalando con el dedo a todos y nos dice: "Te quiero para mí". Los bancos y los prestamistas están detrás de él, frotándose las manos con codicia.

El gobierno y las empresas están juntos en esto, y ésta es la gran estafa que afecta a cada uno de los individuos, a cada uno de nosotros. No importa si usted tiene ingresos bajos, si pertenece a la clase media o si tiene mucho dinero. No importa si usted es negro, blanco o morado con motas rosas. No importa si usted es un hombre, una mujer o un perro —teniendo en cuenta que mi perra también recibe ofertas de tarjetas de crédito. Independientemente de estas cuestiones, las reglas son las mismas para todos. Ellos, por supuesto, no quieren que usted las conozca. Ése es el motivo por el cual odian que yo escriba libros. Por lo tanto, ¡prestamistas, tengan cuidado! La buena noticia para usted es que básicamente todo lo que necesita saber para salir del círculo de las estafas de las tarjetas de crédito y del abuso de la industria de los créditos está aquí, en este libro. Este libro ayudará a millones de personas a disminuir sus pagos y no tener más deudas muy, muy rápidamente.

Los bancos están unidos a los funcionarios del gobierno, y ya todos sabemos que la política y el amor por el dinero crean parejas extrañas. Si nos quedamos dormidos, se puede crear una interesante serie de televisión dramática, pero cuando se trata de su vida o de su cartera o de su futuro, es hora de cambiar de canal.

Los viejos tiempos

Recuerdo cómo se manejaban los negocios en los "viejos tiempos". Los días en los que una sonrisa y un simple apretón de manos eran suficientes. El acuerdo de un caballero pertenece al pasado, ya que sin lugar a dudas los prestamistas de hoy no se comportan como caballeros. Se parecen más a barracudas que están al acecho y confían en el factor sorpresa. O tal vez al Conde Drácula que gustosamente te chupará toda la sangre sin mirar hacia atrás ni mostrar vestigios de arrepentimiento. Los días de la confianza ya no existen, pero nosotros, los ciudadanos, somos los que tenemos que quitar la estaca clavada en nuestros corazones.

No siempre fue así. Poco tiempo atrás, en la década de los setenta, se trataba con respeto al ciudadano trabajador estadounidense. Existían prácticas decentes de préstamos, y el banquero era un compañero confiable. Una persona podía recibir una cobertura por sobregiro en una cuenta corriente, simplemente pidiéndolo. Era una cortesía gratuita que se otorgaba a los buenos clientes. Un período de gracia de treinta días para cancelar el saldo era lo habitual. Pero en algún momento del camino, la decencia pasó de moda. Los términos "gratuito" y "cortesía" desaparecieron del léxico de los prestamistas. A continuación llegaron los ochenta, y la famosa línea cinematográfica de Gordon Gekko en *Wall Street,* "la codicia es buena" anunció el modo de pensar de bancos, corporaciones e instituciones prestamistas. La codicia se descontroló y, una vez que surgió de manera amenazante, se convirtió en una bestia difícil de domar.

En los comienzos de los préstamos y los créditos, los bancos o los prestamistas hipotecarios daban dinero a cambio de un interés simple. Aquí está mi garantía; aquí está mi firma; y recibía el préstamo. Lo pagaba dentro de determinado período junto con una determinada suma de intereses ya establecida. No había sorpresas ocultas ni gastos de nombres creativos. Entonces, la tasa de porcentaje anual ingresó en la historia. La escena después dio lugar a los usureros y los Shylocks que salieron del *Mercader de Venecia* de Shakespeare para obtener un trozo de carne y cobrar intereses de tasas exorbitantemente altas. Si pensamos en el modo en el que algunas instituciones hoy en día lidian con los clientes, un usurero es mucho mejor.

El método actual de comisiones sobre comisiones para mantener a una persona atada a una deuda durante toda la vida, para convertirla en prisionera de esa deuda, nos trae a la memoria la época de los encarcelados por deudas de la era de Dickens. Sin embargo, los prestamistas de hoy no quieren que nosotros vayamos a la cárcel por no pagar nuestras cuentas. Quieren que sigamos trabajando y que sigamos pagándoles mes tras mes tras mes, mientras no reducimos para nada nuestra deuda. Es verdaderamente un delito.

Algunos estados fijaron límites al valor de los intereses que los prestamistas podían cobrar, pero los bancos y las compañías de tarjetas de crédito no perdieron el ritmo. Nació un mundo nuevo lleno de posibilidades; para el resto de nosotros, llegó una nueva palabra de ocho letras: comisión.

Comisiones, comisiones, comisiones

Las comisiones y los puntos no tienen límites. Son la letra pequeña, los aspectos fundamentales, el nombre del juego, el punto esencial de la industria de los créditos de consumo. Básicamente, las tasas de interés pueden limitarse, pero las comisiones son una carta blanca, y las

Un banquero dijo: "El secreto es cobrar mucho, una y otra vez..."

compañías de las tarjetas de crédito se aprovechan de ello de todas las maneras posibles. Llamemos a las cosas por su nombre y denominemos a estas comisiones lo que realmente son: intereses.

Los bancos y las compañías de tarjetas de crédito pueden cobrar todo tipo de comisiones, de cualquier monto y llamarlas como quieran —comisión por activación, comisión anual, comisión de mantenimiento mensual, comisión de solicitud, comisión de cobertura de crédito, comisión por pago fuera de término, comisión por exceder el límite de crédito, comisión porque-somos-codiciosos— y el efecto neto es que nosotros, los "consumidores", podemos terminar pagando el cincuenta, el sesenta o el setenta por ciento de "interés". A los bancos se les permite ser usureros legales.

La codicia los volvió locos. Nosotros, las personas, ya no somos seres humanos, compatriotas estadounidenses; estas compañías nos ven sólo como números que consumen productos. Ante sus miradas sólo somos "consumidores". Si no vamos a consumir, no somos importantes. Simplemente somos un país de consumidores, no de individuos, no de seres humanos que viven y respiran. Éste es un elemento que hay que cambiar en nuestra sociedad. ¿Quién se resiste más al cambio? Los que ganan dinero a costas de aquellos que alguna vez estuvimos ciegos. Pero ¡ahora podemos ver! Es mi trabajo abrirles los ojos para que puedan ver las estafas que están teniendo lugar en la industria de las tarjetas de crédito, la industria de préstamos estudiantiles y la industria del cobro de deudas. Una vez que usted lo sepa, nunca más volverá a caer en sus trampas. Sólo porque le presten dinero no son los dueños de usted para siempre. Usted no tiene que ser su esclavo. Deje de pensar que no tiene opciones. ¡Las tiene!

Una red complicada

Las historias de su poder y corrupción son infinitas. Las páginas siguientes están repletas de ellas. Tal vez el nombre Providian no le resulte familiar, pero esta compañía fue una de las emisoras de tarjetas de crédito más importante del país, y probablemente usted recibió un ofrecimiento de ellos en su buzón igual que yo. Enviaron más de mil millones de ofrecimientos por correo, por lo tanto casi con seguridad puedo afirmar que usted también estuvo en su mira.

Lo que la mayoría de las personas no sabe es que esta compañía estuvo investigada por fraude y terminó pagando trescientos millones de dólares para llegar a acuerdos en las acusaciones por prácticas empresarias desleales y engañosas. Trescientos millones de dólares. Seis meses después, Providian pagó un adicional de 105 millones de dólares para llegar a un acuerdo por las mismas acusaciones en una acción judicial colectiva presentada en representación de los clientes. El abogado del distrito de California involucrado en el caso afirmó que la forma que tenía Providian de tratar a sus clientes formaba una "red de prácticas empresarias engañosas y falsas".

El periódico *The San Francisco Chronicle* informó que el fundador de Providian, Andrew Kahr, escribió en un memorándum interno sobre sus clientes que "el objetivo es conseguir los ingresos suficientes exprimiendo a nuestros clientes y que ellos se queden de brazos cruzados". *The Chronicle* también obtuvo otro memorándum que escribió Kahr para el vicepresidente ejecutivo en el que expresaba: "Hacer que las personas paguen para acceder a un crédito es un negocio lucrativo en cualquier lugar en donde se lo practique. [...] El secreto es cobrar mucho, una y otra vez, por los pequeños aumentos graduales del crédito".

> Es una red de prácticas engañosas y falsas

Lo que me da vuelta la cabeza aún más es que el director de este banco fue contratado en su momento por el gobierno federal para ser ¡el nuevo emperador de la ética de los negocios! "El hombre que El Presidente Bush escogió para liderar su órgano fiscalizador de los delitos empresariales fue el director de una compañía de tarjetas de crédito de San Francisco que sólo dos años antes había pagado más de cuatrocientos millones de dólares para llegar a un acuerdo por las acusaciones que afirmaban que había engañado a los consumidores." Esa frase extraída del periódico *The San Francisco Chronicle* se parece más a los informativos televisivos falsos de *Saturday Night Live*.

Se alegó que un emisor de tarjetas de crédito, que no tiene relación con Providian, cometió prácticas engañosas aún más terribles. Los empleados de este emisor de tarjetas de crédito se presentaron anónimamente ocultos en la oscuridad por miedo a perder sus empleos para confesar que les pidieron que retuvieran los cheques de pago de sus clientes por unos días y que no los depositaran en las cuentas para que los pagos sean considerados atrasados y entonces pudieran cobrar una comisión por pago fuera de término. Las personas pagaban en término y después ¡les cobraban 25, 35 o 45 dólares por la comisión de pago fuera de término! ¡Porque la compañía no acreditaba los pagos! Esta compañía supuestamente hasta les pedía a sus empleados que rompieran los cheques ¡para que no se registrara pago alguno! Esas no eran noticias de primera plana, ¿no es cierto? Es como si todavía existiera algún tipo de sociedad secreta de las épocas oscuras.

Las estafas legales en la industria de los créditos ocurren todos los días y le roban al ciudadano estadounidense. Usted firma la solicitud de una tarjeta que tiene un límite de crédito de mil dólares. La compañía de la tarjeta de crédito le permite exceder ese límite, no le avisan que usted ya superó el límite porque quieren que lo haga para poder darle una bofetada con la comisión que le cobran por exceder el límite. Usted puede pagar en término todos los meses, pero si una vez, cualquiera sea la circunstancia, usted paga un día tarde, le cobrarán 29, 39 o 49 dólares por la comisión por pago fuera de término. Las compañías de tarjetas de crédito calculan un pago mínimo de modo tal que si eso es lo único que usted paga, entonces pagará para siempre. Ellos no quieren que usted salde su deuda. Quieren que usted pague un poquito todos los meses para poder mantener su mano dentro de las carteras de los clientes. El interés seguirá acumulándose más rápido de lo que usted pueda reducir el saldo. Usted paga el monto mínimo mensual, mes tras mes, y aún así el saldo nunca se reduce. Usted comienza a sentirse como el legendario hámster en la rueda, empieza a sudar por el esfuerzo, pero no llega a ningún lado.

Me gusta este hombre

Permítame contarle una historia, una historia de verdad que se imprimió en the *Houston Chronicle* sobre un hombre común, como usted y como yo, quien un día utilizó la tarjeta de crédito para pagar el almuerzo. Hale Hilsabeck es dueño de una escuela de karate en Denver. Es un ciudadano común que paga sus impuestos y cuentas en término. En marzo de 2005, los doce dólares de su almuerzo hicieron que superara involuntariamente el límite de su tarjeta de crédito MasterCard por 1,91 dólares. Unas semanas más tarde llegó su resumen de cuenta, y le habían cobrado 35 dólares de recargo por haber excedido el límite de crédito. Hizo el pago mínimo y no volvió a utilizar la tarjeta de crédito. Sin embargo, el pago mínimo no hizo que el saldo de su cuenta fuera inferior al límite de crédito, por lo tanto, al mes siguiente le volvieron a cobrar la comisión por exceder el límite.

Él llamó al emisor de la tarjeta de crédito para quejarse por la segunda comisión, y le dijeron que no se podía hacer nada y que debía solicitar un límite de crédito más alto. Cuando llegó el tercero recibo, le cobraron una tercera comisión por haber excedido el límite debido a que no había pagado la segunda comisión, lo que lo mantenía todavía por encima del límite de crédito. Cansado del jueguito y de los 105 dólares que le habían cobrado como comisión por haber excedido el límite, canceló todo el saldo, 799,19 dólares, con un cheque de ochocientos dólares y cerró la cuenta.

Pero realmente me gusta este hombre por lo que hizo después. Los trató como ellos nos tratan a nosotros. Le escribió a la compañía de tarjetas de crédito una carta en la que solicitaba que le reintegraran los 81 centavos que había pagado de más. "Prefiero que me envíen un cheque certificado o un giro postal ya que ustedes no tienen ningún historial crediticio conmigo y yo no tengo información sobre sus referencias", escribió.

Si no le pagaban dentro de los 25 días, les dijo que estarían sujetos a una comisión de 105 dólares por pago fuera de término. Se le informó que le devolverían el exceso del pago y setenta dólares de las comisiones que había pagado por haber excedido el límite del crédito. Sin embargo, no le pagaron dentro de los 25 días que ellos les dan a sus clientes para pagar las cuentas, y el señor Hilsabeck expresó que fijaría comisiones por pago fuera de término y cargos financieros adicionales del veinte por ciento cada mes que ellos permanecieran en mora. Él sostuvo que les seguiría enviando resúmenes de cuenta todos los meses aunque ellos dijeran que no pagarían. Este artículo fue publicado en octubre de 2005. No sé si todavía está insistiendo, pero me gustan sus agallas. Sólo los trata de la misma manera en la que ellos tratan a sus clientes.

Es el lugar en el que vives

Sucede todos los días, en cada ciudad, pueblo y distrito. Los hombres y las mujeres, de ingresos altos o bajos, que recibieron una educación superior o no, de todos los colores y credos, cada "consumidor" está en riesgo de sufrir estos engaños. Se le atribuye a Albert Einstein decir algo similar a "el interés compuesto es la fuerza más poderosa del universo". Estoy de acuerdo. Pero también creo que el conocimiento es la fuerza más poderosa del universo.

Igual que en todos mis libros, le digo a usted que el conocimiento es poder y que al leer este libro del principio al final adquirirá las armas que necesita para que los bancos y las compañías de tarjetas de crédito no vuelvan a aprovecharse de usted.

Tómese el tiempo para leer todo el libro, capítulo por capítulo, en orden. No utilizo la jerga económica o legal para expresarme. Digo la mera verdad en un español claro. Usted comprenderá cada palabra, y las técnicas descriptas y los pasos a seguir no son difíciles. Yo los guío paso a paso por el camino.

El conocimiento es poder. ¡Úselo! Es exorbitante y ridículo lo que consiguen los prestamistas y los bancos y las corporaciones, y es abrumador que el gobierno de los Estados Unidos los palmee sinceramente en la espalda y permita que ganen dinero a cambio de arruinar al ciudadano estadounidense. Los bancos y los prestamistas y las compañías de tarjetas de crédito están aprovechándose de las personas. Para mí, ya es suficiente. Dejemos al descubierto a la industria y tomemos el control de nuestra deuda y de nuestras vidas una vez más.

Los emisores de tarjetas de crédito juegan una lotería clandestina. Ellos podrían emitir una tarjeta de crédito con un límite de diez mil dólares, pero no lo hacen. Ellos no ganan dinero de ese modo. El mismo banco le ofrecerá diez tarjetas con un límite de mil dólares cada una para poder cobrarle comisiones en cada una. Odian a las personas que tienen sólo una tarjeta de crédito y odian a las personas que pagan su cuenta todos los meses. Claro, la compañía de tarjetas de crédito obtiene una pequeña comisión por cada compra que usted paga con la tarjeta de crédito, pero eso no es suficiente para ellos. Ellos sucumbieron ante el monstruo verde llamado codicia.

No es un invento que una persona con un saldo de mil dólares puede excederse un dólar del límite o pagar con un día de retraso su cuenta y, de este modo, se ve superada por las comisiones. Al hacer sólo el pago mínimo mensual, el saldo seguirá creciendo como una bola de nieve que cae por la ladera de la montaña, y el individuo se encuentra con una avalancha de una gran cuenta que tiene que pagar. Mil dólares se pueden convertir en dos mil, tres mil, cuatro mil o hasta cinco mil. Pero, aguarde un momento, todo lo que esa persona realmente debe es mil dólares. ¡El resto son COMISIONES creadas por la industria!

Nos sucede a todos. Mi amiga Kelly sólo usa una tarjeta de crédito Visa y paga el saldo de su cuenta todos los meses. Una tarde, estaba comprando en el centro comercial y la tentaron a solicitar una tarjeta de crédito de una tienda por departamentos con el fin de ahorrar el quince por ciento ese día. Ella gastó 65 dólares. Kelly no recibió el primer resumen a tiempo en su buzón y pagó un día tarde, pero eso no importa. A ella le fijaron una cuota por pago fuera de término de 29 dólares. Eso equivale al 45 por ciento del saldo que debía. Un banco o un emisor de tarjetas de crédito no está autorizado a cobrar un 45 por ciento de interés, pero al llamarlo "comisión" es una jugada legítima. Una llamada de teléfono a la compañía no dio resultado, ninguna "disculpa" y ninguna solución. Una comisión del 45 por ciento seguramente supera el ahorro del quince por ciento sobre los 65 dólares de la compra. Solicitar una nueva tarjeta de crédito para ahorrar dinero obviamente no resultó del modo esperado. Así es cómo hacen su dinero. Tienen la posibilidad de cobrarle a usted comisiones. Obtener 29 dólares de los clientes todos los meses suma una gran cantidad de dinero.

Esclavos personales

Igual que los casinos son un negocio para hacer dinero, las compañías de tarjetas de crédito son un negocio para hacer dinero. No ofrecen un servicio sólo porque son bondadosos. Son chupa-sangres que buscan sus chivos expiatorios. Un funcionario destacado de uno de los grupos bancarios más importantes del mundo supuestamente dijo que ganaban la mayoría de su dinero gracias a las clases sociales bajas y medias porque son, y lo cito, las "más fáciles de robar". No tienen vergüenza de afirmar que obtienen sus ganancias a costa de aquellas personas que necesitan desesperadamente tarjetas de crédito y préstamos. Una vez me senté en una reunión con banqueros de alto nivel y me dijeron:

Otro banquero dijo: "La esclavitud está sana y salva en Estados Unidos".

"A nosotros nos encantan los créditos de consumo. Queremos que los clientes paguen fuera de término; queremos que hagan los pagos mínimos mensuales. Virtualmente estamos dentro de sus carteras por el resto de sus vidas."

Horrorizado, declaré: "Parece que todos ellos son sus esclavos personales."

Sin perder el ritmo, este banquero me contestó con una sonrisa: "La esclavitud está sana y salva en los Estados Unidos."

Bueno, no estoy de acuerdo. Estos banqueros y ejecutivos de las corporaciones pueden pensar que son los Goliats, pero se olvidaron de que David triunfó, y Goliat cayó y se dio un golpe muy duro. Es tiempo de que revoquemos su licencia para robar.

Si usted es uno de los millones de estadounidenses que tienen alguna deuda, y no hablo necesariamente de una hipoteca, sino de un préstamo automotor, un préstamo estudiantil o un préstamo personal para comprar un barco o irse de vacaciones, una deuda de una tarjeta de crédito, cualquiera sea el caso, no piense que está atrancado para siempre. Ellos quieren que usted sienta que no tiene opciones, pero las tiene. Ellos no tienen que ser sus dueños para siempre. No tienen que ser sus dueños para nada. Usted puede tomar el control de sus deudas y usted puede tomar el control de su vida.

Muchos comerciales de televisión y avisos publicitarios de Internet pregonan que la consolidación de la deuda es el camino a seguir o que hasta la bancarrota es una buena alternativa. No les haga caso. Yo tengo los secretos de quienes están dentro de la industria y estoy listo para compartirlos con usted. Los bancos y los emisores de tarjetas de crédito y las compañías prestamistas ya no obtendrán ganancias obscenas a costa del ciudadano estadounidense. La industria de los créditos de consumo realmente se convirtió en el Lejano Oeste en el que todo vale. Actúan como si estuvieran por encima de la ley. Soy el hombre más odiado por las empresas estadounidenses y por una buena razón. Perjudico sus ganancias. No estoy en contra de las ganancias, pero el saqueo está en contra de la ley. Ellos no están conformes con las ganancias saludables.

Ellos alcanzaron un nivel en el que cobran comisiones extravagantes y excesivas, y nosotros podemos defendernos.

La liberación de la esclavitud

Las personas como Eduardo y Susana, y como usted y como yo, pueden defenderse y tomar el control. Tomar el control de su deuda y tomar el control de su vida. Realmente es así de sencillo. Le voy a mostrar cómo. No piense que ellos ejercen un poder invisible sobre usted. Y no piense que "deuda" es una palabra de cinco letras. Una vez que usted cancele sus deudas malas, aprenderá la manera de utilizar sus deudas buenas para crear riqueza. Una vez que los secretos de quienes están adentro de la industria sean revelados, usted aprenderá la manera de jugar sus juegos y reducir su deuda "mala" muy, muy rápidamente. Todos los millonarios de este país le dirán que utilizar créditos, las deudas buenas, los ayudaron a volverse ricos. No sólo yo quiero darle Curas Para Sus Deudas, sino que también quiero que usted aprenda los secretos de la deuda buena. Usted puede ser el próximo millonario que cuente su historia.

El gobierno federal permite que las compañías de tarjetas de crédito y los grandes bancos esclavicen a las personas, pero nosotros no tenemos que vivir en la esclavitud. Ahora somos conscientes de que la confianza pertenece al pasado. El escándalo Enron, sin lugar a dudas, nos dejó esa enseñanza. Las grandes empresas sólo buscan grandes negocios. La codicia empresarial y los juegos contables parecen ser la norma en vez de la excepción. Providian, la compañía de tarjetas de crédito que pagó millones para llegar a acuerdos en las acusaciones de fraude, ni siquiera estuvo en los titulares de las noticias. No estoy seguro de cómo huelen exactamente las *coaliciones*, pero cuando el gobierno y la industria de los créditos de consumo crean una *coalición,* sé que apesta. Hay mucho para incluir en este libro, pero quédese tranquilo: encontrar la solución para sus deudas le solucionará la vida. Permítame mostrarle el camino para salir de esta trampa y ser libre. Las páginas siguientes le mostrarán la manera de eliminar las comisiones, las penalizaciones, los intereses y el dinero excesivamente costoso. Yo puedo mostrarle de qué manera usted puede, prácticamente de la noche a la mañana, tomar sus pagos mensuales (recibos de las tarjetas de crédito, préstamos personales, etcétera) y, con las técnicas que se describirán en los capítulos siguientes, reducir el total a la mitad o hasta un tercio. Se hablará sobre puntaje de crédito y reporte de crédito y sobre la manera de obtener el suyo y cómo repararlo en treinta días. Esto es fundamental. Su puntaje es el modo en el cual lo juzgarán y determina la tasa de interés que le cobrarán.

¡Deshágase de las deudas "malas" y obtenga créditos "buenos"!

Le mostraré de qué manera usted puede reducir el valor que debe, ya sean cinco mil, diez mil, veinte mil o hasta treinta mil dólares, en treinta días, o tal vez hasta cancelarlo por completo, sólo siguiendo algunos pasos sencillos. ¿Puede imaginarlo? ¡Cancelar totalmente su deuda! ¡Usted puede hacerlo, y la industria de los créditos de consumo no quiere que usted lo sepa! Este libro le mostrará de qué manera usted puede reducir el valor de sus préstamos estudiantiles y cancelarlos. Toda la industria de los préstamos estudiantiles es un escándalo en sí misma y ¡es el robo más grande de la ciudad!

¿Dinero gratis?

Lo mejor de todo, ¡le haré ganar a usted dinero gratis! Hay un capítulo entero sobre programas de dinero gratis que casi todos pueden implementar con sólo hacer unas llamadas telefónicas, completar algunas solicitudes y seguir los requisitos. Usted puede obtener cinco mil, diez mil, treinta mil y en algunos casos cincuenta mil dólares y más. La belleza de estos programas es que son becas y ¡usted no tiene que devolver el dinero!

Explicaré la diferencia entre un crédito bueno y uno malo, y la manera en la que se puede utilizar el crédito para generar riqueza. Le contaré cómo, sin importar su situación crediticia actual, aunque tenga un crédito mediocre, malo o ningún crédito, usted puede mejorar y comenzar de nuevo. Le contaré cómo obtener un crédito corporativo de hasta un millón de dólares, el cual lo pondría en el camino para lograr su fortuna y no para endeudarse. También expondré los engaños del cobro de las deudas y la manera en la cual los cobradores de deudas están entrenados para mentir y hostigar. Aparentemente, ellos hasta le dijeron a una niña de nueve años que le podrían quitar a su madre para siempre. Usted aprenderá de qué manera puede detener rápidamente a los cobradores, y le contaré cómo tres palabras màgicas convirtieron la pesadilla de una persona en una tarjeta platino.

La ignorancia no es felicidad absoluta. De hecho, puede ser una pesadilla. No quiero terminar como Ana, quien fue acosada por el mercadeo de las compañías de tarjetas de crédito a los dieciocho años. Cuando llegó a los 21, ya le habían expropiado el coche, tenía ocho tarjetas de crédito, dejó de pagar dos préstamos y era incapaz hasta de abrir una cuenta de ahorros sólo a su nombre. A ella le dieron todo este crédito cuando todavía ganaba el salario mínimo en un empleo de medio tiempo. En esta instancia, ya no deberían quedar dudas de que quienes otorgan créditos no tienen buenas intenciones en el fondo del corazón. No tienen corazón.

Léalo y será recompensado

Igual que con el resto de los libros, le pido que lea todos los capítulos en orden y que no omita ninguno en busca de un tema en particular. Los temas se explican a medida que avanza el texto, y quiero que usted comprenda todo el panorama. Estoy realmente orgulloso de que usted realice este viaje y se libere de las ataduras invisibles que lo tienen prisionero. ¡Usted ya no es un esclavo!

Este libro explica de qué manera funcionan todas estas estafas legales en las denominadas prestigiosas compañías de créditos de consumo y de qué manera el gobierno les permite hacerlas. Podemos revertir completamente la situación. En lugar de pagarles miles de millones de dólares, este libro explica dónde encontrar los miles de millones de dólares que están a su disposición.

La ruin acumulación de ganancias en manos de la industria de créditos de consumo quedará al descubierto. Cuando usted conozca los aspectos fundamentales de la industria, ya no podrán aprovecharse de usted. Conozco las reglas, y ahora usted también las conocerá. Juntos podemos detener la irracionalidad. Para todos aquellos que están cansados de los juegos de dinero y quieren un respiro, *Curas Para Sus Deudas* es la respuesta. Las ganancias de la industria de los créditos de consumo son obscenas, y básicamente casi todas las personas están pagando demasiado. Ése es el punto principal del libro. Ya no queremos que las grandes corporaciones y el gobierno nos victimicen. Podemos dejar de ser los esclavos de los bancos. Podemos dejar de ser propiedad de las compañías de tarjetas de crédito. Su licencia para robar está por pasar por el triturador de papeles. Es hora de decir, simplemente: "Nunca más". Es hora de que seamos libres una vez más.

CAPÍTULO 2

La estafa de los créditos

"Ella trabaja arduamente para ganar dinero, tan arduamente para conseguirlo, cariño. Ella trabaja arduamente para conseguir dinero, por lo tanto, es mejor que la trates bien."

Donna Summer

Permítame mostrarle algunas estadísticas interesantes de números altos para que se las cuente a su vecino en la próxima barbacoa:

- ✔ A finales de 2003 había en los Estados Unidos casi 1,3 mil millones de tarjetas de crédito en circulación.

- ✔ Nosotros, los estadounidenses, gastamos 1,5 billones de dólares al pagar con tarjetas de crédito.

- ✔ El uso de las tarjetas de crédito es mayor en Estados Unidos que en todos los demás países del mundo juntos.

- ✔ De las industrias estadounidenses, ninguna obtiene ganancias tan altas como la industria de las tarjetas de crédito.

- ✔ Los bancos que emiten tarjetas de crédito fueron los principales contribuyentes de la campaña del presidente Bush para la elección del año 2000. MBNA fue la número uno, la principal donante; Citigroup, la número diez y Bank of America, la número trece.

✔ El presidente de MBNA personalmente le entregó cien mil dólares al fondo de Bush.

✔ La posición de MBNA en la campaña de Bush del año 2004 descendió al puesto número seis, pero donaron aún más dinero —más de 350 mil dólares.

Ganancias de miles de millones de dólares

Aquí, en la tierra del rojo, el blanco y el azul, las compañías de tarjetas de crédito gastan cinco mil millones de dólares al año para vendernos sus tarjetas de crédito. Ésos son muchos verdes. Si no ganaran dinero, no podrían invertir tanto en las ofertas y las publicidades. Por lo tanto, es obvio que la industria de las tarjetas de crédito es una tarea lucrativa. Y obtienen ganancias a costa del ciudadano estadounidense. El estadounidense promedio tiene una deuda en tarjetas de crédito de ocho mil dólares, y las compañías de tarjetas de crédito obtienen ganancias nunca antes vistas, aproximadamente unos treinta mil millones de dólares antes de impuestos. Hay nueve ceros en mil millones. Permítanme mostrarles: US 30 000 000 000.

¿Está sumergido en las deudas? ¡No es su culpa!

Ahora ya comprendemos por qué quienes están adentro de la industria dicen que las ganancias son obscenas.

Las ofertas que aparecen diariamente en nuestros buzones nos prometen: ¡Recompensas! ¡Privilegios! ¡Devolución de dinero en efectivo! Unos años atrás, ¡una compañía de tarjetas de crédito importante hasta tenía una promoción que ofrecía la posibilidad de ganar una isla tropical privada! Uno de estos días, los representantes de las tarjetas de crédito pueden tocar a la puerta de su casa con un poni para sus hijos y un gran circo si usted abre una cuenta de una tarjeta de crédito.

Todas las tarjetas de crédito más importantes tienen campañas publicitarias costosas. La mayoría de ellas son inteligentes y pegadizas. La frase "no tiene precio" seguramente le hace pensar en un comercial televisivo y hasta es posible que usted tenga un favorito en esa serie de comerciales. Los vendedores son agresivos porque la industria de las tarjetas de crédito es muy competitiva. Las compañías de tarjetas de crédito que compiten se están volviendo cada vez más creativas en sus esquemas de descuentos y recompensas. También se están volviendo cada vez más creativas en las comisiones y costos ocultos.

Las compañías de tarjetas de crédito me atacarán por decir eso, y en algo tienen razón. Los costos no están precisamente ocultos; están manifestados en la letra pequeña. Las declaraciones de divulgación que acompañan nuestras tarjetas de crédito requieren un título en leyes y una lupa para leerlas. Igual que muchos de ustedes, no tengo ninguno de los dos.

Historias

Las compañías de las tarjetas de crédito representan los "grandes negocios" y le dan a los grandes negocios una connotación negativa. Intentan convencer al mundo de que los estadounidenses gastan de manera imprudente y que ése es el motivo por el cual los saldos acreedores están fuera de control y muchos necesitan Curas Para Sus Deudas. Ése no es el caso. La mayoría de las personas utilizan sus tarjetas de crédito para achicar la brecha que hay entre las nóminas. No compran autos costosos, muchas joyas ni organizan fiestas fabulosas como las celebridades que vemos en *Lifestyles of the Rich and Famous*. Compran comestibles, gasolina y pagan el dentista para las caries de sus hijos.

Antonio se las arreglaba, cheque a cheque, con un trabajo en una empresa pequeña. Después la compañía quebró, y Antonio perdió el empleo. Se vio obligado a pagar los gastos del auto, la renta y otros gastos básicos con las tarjetas de crédito. Antonio encontró un empleo cuatro semanas más tarde, pero durante ese breve período había acumulado casi cinco mil dólares en su cuenta de la tarjeta de crédito.

José tiene cuatro hijos y en la actualidad su deuda con las tarjetas de crédito asciende a cien mil dólares. Él no puede pagar la renta ni las necesidades básicas. Ni hablar de la enseñanza. Le pidió dinero prestado a sus amigos y lucha por saldar todas sus deudas. Los acreedores lo están acosando. Durante todo el día, la esposa de José recibe llamadas de las compañías de las tarjetas de crédito, de las agencias de cobro de deudas y del arrendador. Constantemente hacen malabares con los saldos, cambian de tarjeta de crédito a tarjeta de crédito para tratar de minimizar las comisiones y las penalidades. La tensión económica está ejerciendo una presión seria en el matrimonio. Toda la familia está bajo presión día y noche. El médico de José le advirtió que podía sufrir un ataque cardíaco en el futuro cercano a menos que redujera el estrés.

Jorge, un pintor que es hábil para todo, celebraba su reciente compromiso con unas vacaciones con su futura esposa. Mientras estuvo afuera, no recibió la cuenta de su cobertura médica y no cumplió con el pago. Inesperadamente, necesitó una cirugía de emergencia por apendicitis, pero la cobertura médica había caducado. Ahora Jorge tiene una cuenta de 18 mil dólares por la cirugía y no tiene modo de pagarla.

Si su historia no es similar, es probable que inmediatamente pueda pensar en la historia de alguien que conoce que sí lo sea.

Toma de conciencia

Hay millones de historias como ésta en la ciudad grande, en la ciudad pequeña y en su vecindario. La imagen de que todos los usuarios de tarjetas de crédito compran en Rodeo Drive bolsos de diseño con diamantes incrustados para sus perros no es la historia real. Sin lugar a dudas existe alguna situación en la que las personas se endeudan ocasionalmente por comprar ropa o zapatos o tomarse vacaciones que son innecesarias, pero observe los resúmenes de las tarjetas de crédito de la mayoría de los estadounidenses. Usted verá gastos de materiales escolares, jarabe para la tos y papel higiénico.

La mayoría de la deuda de las tarjetas de crédito se acumula porque se perdió el empleo, hay una enfermedad, un divorcio o una muerte en la familia. Las personas se vuelcan a sus tarjetas de crédito cuando están en crisis, simplemente las utilizan como una ayuda para seguir adelante. Cuando la crisis pasa y quieren cancelar sus deudas, se dan cuenta de que el saldo que tienen aumentó exponencialmente por encima de lo que se cargó en un principio. Nadie discute que un interés razonable es inherente al uso de un crédito. Lo que es una atrocidad son las comisiones, las penalidades y los aumentos de las tasas de interés que son sorprendentes y la insinuación de que el error fue de quien posee la tarjeta de crédito.

La industria de créditos de consumo quiere evitar la realidad y su culpabilidad y acusar al ciudadano que está en la lucha. Escuchará a los portavoces de las grandes corporaciones decir cosas como que si la persona que posee una tarjeta de crédito no puede ser lo "suficientemente responsable" para cancelar su cuenta, entonces no debería utilizar tarjetas de crédito.

Si quieren debatir sobre responsabilidad, permítame subirme al podio.

¿Quién estafa a quién?

¿Por dónde debo comenzar? La industria de las tarjetas de crédito tiene un sentido descontrolado del concepto de derecho. Reciben un pequeño porcentaje como comisión por cada una de las transacciones que se hagan con una tarjeta de crédito, y hoy en día casi todo puede pagarse con plástico. Hasta hace poco tiempo, las tiendas de comestibles, los restaurantes de comida rápida y algunas empresas familiares no aceptaban tarjetas de crédito. Ahora, todo, en cualquier lado, puede pagarse con la tarjeta de crédito. Ya pasaron los días en los que usted podía decirles a sus hijos: "No, no podemos detenernos en McDonald's. No tengo dinero en efectivo". Hasta un niño de cuatro años hoy en día sabe que todo lo que necesitamos para comprar algo es un objeto rectangular pequeño, pero poderoso, que entra en el bolsillo de los pantalones.

En escasas oportunidades necesitamos llevar dinero en efectivo, si es que lo necesitamos para algo. Compre la gasolina y pague en el surtidor con una tarjeta de crédito. ¿Olvidó la chequera y quiere comprar frutas en el mercado? No hay problema. Ahora se aceptan las principales tarjetas de crédito. Y, ¿en McDonald's? Le permiten pasar su tarjeta de crédito hasta para comprar un refresco de 86 centavos. Los juegos para niños de hoy pueden incluir dinero de juguete o no, pero siempre incluyen una lectora de precios y un lector electrónico de tarjetas de crédito. Tal vez los créditos no sean el modo en el que camina el mundo, pero sí es el modo en el que camina los Estados Unidos. Somos una sociedad orientada hacia la comodidad, y las tarjetas de crédito son cómodas. Es muy apropiado que el Servicio de Impuestos Internos de nuestro gobierno les permita a las personas aprovechar la "comodidad" de pagar sus impuestos con tarjeta de crédito.

Las compañías de tarjetas de crédito nos bombardean con publicidades, ofertas y términos competitivos. Se pueden personalizar las tarjetas de crédito elegidas con el logo de nuestra organización benéfica favorita, un paisaje o, si lo deseamos, con la sonrisa de nuestro bebé en su primer cumpleaños. Y si tenemos una tarjeta de crédito común, ahora le podemos comprar una "cubierta para tarjeta de crédito" para decorarla y hacer que refleje nuestra personalidad del mismo modo del que se puede comprar una cubierta original para el teléfono móvil o para el iPod. Un empresario joven creó una compañía que vendía "cubiertas" para tarjetas de crédito a cinco dólares, y el negocio está en auge. Entonces cuando se está cansado de determinado diseño, por otros cinco dólares se puede embellecer el guardarropa de su compañera inseparable. Y, ¿de qué manera paga esos cinco dólares? Con la tarjeta de crédito, por supuesto.

La industria de los créditos de consumo desea que las compras a crédito sean fáciles para que en algún momento se conviertan en un hábito. Quieren que usted haga esa primera compra y después ellos activan la rueda que lo arrastra con el gancho sujeto a la cartera. Las prácticas agresivas de las compañías de tarjetas de crédito, los bancos y los prestamistas se aprovechan del público estadounidense. Es el robo más grande que sufrieron los ciudadanos estadounidenses en la historia de nuestra nación. Nos roban y después levantan las cabezas y dicen que los portadores de tarjetas de crédito necesitan ser más "responsables". Veamos quién es la parte concienzuda en el mundo de las tarjetas de crédito.

Acumulación

Las tácticas que utilizan los bancos y las compañías de tarjetas de crédito afectan a cada uno de los habitantes de Estados Unidos, independientemente de los ingresos o la educación. Lo que usted no conoce, lo perjudica. Las compañías de tarjetas de crédito pueden robarle absolutamente todo, y el gobierno lo permite.

Por ejemplo, Sharon canceló el saldo total de su resumen de la tarjeta de crédito todos los meses durante dos años. Tuvo una emergencia médica, perdió el empleo e incurrió en algunos gastos inesperados. Sharon, incapaz de cancelar el saldo total, realizó los pagos mensuales mínimos, pero pagó un día tarde. Le cobraron 45 dólares de comisión por pago fuera de término. A Sharon también le cobraron una comisión por excederse del límite porque gracias a la comisión por el pago fuera de término y los gastos médicos, superó el límite de crédito. La compañía de tarjetas de crédito aumentó la tasa de interés porque ella pagó fuera de término y se excedió del límite. La mayoría de las personas no son conscientes de esto, pero algunas instituciones que emiten tarjetas de crédito pueden aumentar las comisiones y las tasas de interés básicamente cuando quieren. Una única deuda de una persona que está atravesando una situación difícil puede duplicarse o triplicarse gracias a las comisiones y penalidades que pueden acumularse. Bastante a menudo, las compañías de tarjetas de crédito envían cheques que les indican a los portadores de las tarjetas "sólo deposítelo" ante cualquier necesidad y, al hacerlo, podría hacer que el consumidor se exceda del límite de su tarjeta de crédito. ¿El resultado? Más comisiones.

¿Por qué las compañías de tarjetas de crédito gastan tanto dinero en publicidades y envíos postales? Para que usted abra una cuenta con ellos, para que ellos puedan ser sus "compañeros" para toda la vida. Son sanguijuelas. Pretenden que están brindando un servicio cuando, en realidad, están creando constantemente nuevas maneras de obtener más comisiones. Generalmente, no hay normas gubernamentales que regulen las comisiones. "Gaste poco, débanos mucho" debería ser el nuevo eslogan de la industria. El estadounidense común tiene ocho tarjetas de crédito. Eduardo y Susana tienen nueve cada uno. ¿Cuántas tiene usted?

> "Gaste poco, débanos mucho..."

Sí, es legal

Las compañías de tarjetas de crédito tienen el derecho legal de revisar su reporte de crédito. Quieren saber sus gastos y pagos habituales. Ésa es una práctica empresarial legítima. Pero aquí viene la parte injustificable...

Aún si usted paga el saldo de su tarjeta de crédito en término, la Compañía de Tarjetas de Crédito #1 podría aumentar la tasa de interés, solamente porque usted se involucró con la Compañía de Tarjetas de Crédito #2. Con involucrarse, lo único que quiero decir es que usted pagó fuera de término o se olvidó de hacer el pago una sola vez. Si usted paga fuera de término la cuota del préstamo automotor, del crédito hipotecario, el saldo de otras tarjetas de crédito o la deuda que tiene con cualquier otro acreedor, sólo uno de ellos, sólo una vez, ellos podrían hacer uso del derecho que tienen a elevar la tasa de interés. Lo hacen en silencio y con la esperanza de que usted no lo note. La mayoría de las veces, usted no lo nota.

Pero cada deuda que usted tiene ahora es más alta. El aumento en las tasas de interés representa miles de dólares durante el plazo de los préstamos. ¡Miles de dólares que usted originalmente no debía! Los acreedores pueden ejercer el derecho legal, que les otorgaron sus compañeros del Congreso, para elevar la tasa de interés sólo porque les parece que está bien. El acto de abrir una nueva cuenta puede hacer que ellos decidan que usted adquirió demasiadas deudas, entonces ¡BUM! —con tan sólo revisar su reporte de crédito, ellos decidieron que es el momento de elevar la tasa de interés que usted paga. Ésta es la única instancia en la industria de créditos de consumo en la que se ve la frase "todos para uno, y uno para todos".

Recuerde el término que les estoy por mencionar: incumplimiento de pago universal. No todos los bancos y las compañías de tarjetas de crédito utilizan el *incumplimiento de pago universal*, ¡pero unas cuantas sí lo hacen! Cuando se aplica este concepto —y créame, se aplica a menudo— el banco básicamente está diciendo: "Tenemos el derecho de elevar nuestras tasas porque *existe la posibilidad* de que el cliente no nos devuelva el dinero".

Ésa es su lógica infalible. Aunque revisen su reporte de crédito y su puntaje de crédito en el momento en el que abrió su cuenta de la tarjeta de crédito, siguen observando su reporte de crédito, siguen buscando las maneras de quitarle más dinero a usted.

Gracias al "incumplimiento de pago universal" (del que usted escuchará hablar mucho), a usted le pueden cobrar la tasa de interés más alta, que asciende hasta el 29 por ciento, aunque nunca haya pagado fuera de término en esa compañía de tarjeta de crédito o en cualquier otra compañía de tarjeta de crédito. ¡Es indignante! Un pago fuera de término a otro tipo de acreedor, ya se trate de un préstamo personal, automotor o hipotecario, pone en movimiento la guillotina.

Además de poder elevar la tasa de interés, el emisor de la tarjeta de crédito puede reducir o cancelar su límite de crédito en cualquier momento. Sin advertencia previa. Lea la letra pequeña de la declaración de divulgación de su cuenta de la tarjeta de crédito; le abrirá los ojos.

Cualquier gasto puede ser rechazado *por cualquier motivo*, incluso por incumplimiento de pago. Tal vez está en la fila para pagar, comprando pañales y preparado para lactantes, sólo para que lo envíen de regreso a su casa con las manos vacías porque rechazaron su tarjeta de crédito. Cuando usted llama a la compañía de la tarjeta de crédito para preguntar el motivo por el cual rechazaron la tarjeta, ellos pueden ofrecer cualquier razón, y la parte triste del asunto es que ellos están autorizados a hacerlo.

Ciudad giratoria

Les gusta interpretar el tema a su modo. Tengo en mis manos un envío postal que acabo de recibir en el que me ofrecen otra tarjeta de crédito. La letra pequeña que aparece en la página cuatro de la solicitud me brinda, "información importante sobre los procedimientos para solicitar una nueva cuenta". La compañía de tarjetas de crédito tiene todo el derecho de revisar mi historial crediticio antes de otorgarme la tarjeta de crédito, pero ahora quieren que caiga en el hechizo de que ellos también son patriotas. Éste es el primer párrafo de la declaración de divulgación.

> "Para ayudar al gobierno a luchar contra la financiación del terrorismo y el lavado de dinero, la ley federal exige que todas las instituciones financieras obtengan, verifiquen y registren la información que identifica a cada persona que abra una cuenta. ¿Qué significa esto?: Cuando usted solicite la apertura de una cuenta, le pediremos su nombre, domicilio, fecha de nacimiento y otra información que nos permitirá identificarlo."

Las aguas se vuelven cada vez más turbias. Lo registrarán para determinar si usted es un terrorista y, mientras lo hacen, observarán si usted pagó fuera de término a alguno de sus otros acreedores en el último tiempo. Una vez que usted tenga una cuenta de tarjeta de crédito en una compañía, seguirán monitorizando su reporte de crédito, aún si usted es un cliente de excelencia. De hecho, si usted es un cliente de excelencia que paga en término, el incumplimiento de pago universal puede ser el único camino que tienen para exprimirlo y quitarle más dinero.

Póngase los anteojos de leer

Estudie la letra pequeña. Si hay más de una tasa de interés en la cuenta, por ejemplo, debido a una oferta limitada sobre las compras o las transferencias de saldos, todos los pagos hechos serán incluidos primero en saldos con la tasa de interés menor. Mientras tanto, el interés se vuelve compuesto en el saldo al que se aplica la tasa mayor. Un verdadero ardid legal. Paga para que los amigos estén en posiciones altas. Las compañías de tarjetas de crédito y sus amigos del gobierno tienen todo planeado.

Los saldos eternos son otro truco oculto que les encanta a los gurús de las tarjetas de crédito. Si usted comienza con un saldo cero, hace compras durante el mes y cancela el saldo total en término cada mes, no hay cargos financieros. Esto es lo que sucede en un mundo perfecto. La mayoría de nosotros no puede cancelar el saldo total todos los meses. Si usted no cancela el saldo total y una parte del saldo se incluye en el resumen siguiente, cualquier compra que haga durante el mes siguiente se verá afectada por un interés acumulado desde la fecha de compra. En el instante golpea su estado de cuenta. No hay período de gracia. Usted no tiene treinta días sin interés para sus nuevas compras. Ése es un secreto que muy pocos conocen y que los prestamistas no señalan en letras grandes.

> **Los términos pueden cambiar en cualquier momento, por cualquier motivo.**

Carla comenzó con una tarjeta de crédito nueva y brillante y un hermoso saldo cero. Los primeros dos meses, canceló el saldo total de su cuenta. Al mes siguiente, sólo canceló el pago mínimo y realizó varias compras. Esas compras afectaron la cuenta de su tarjeta y generaron un aumento en el interés inmediatamente. Ella no pudo cancelar el saldo completo al mes siguiente, y los saldos siguieron en aumento. Cuando se le averió el auto al mes siguiente tuvo que usar su tarjeta de crédito, por lo tanto, el gasto comenzó a elevar el interés en el mismo minuto en el que ingresó en su cuenta. Ella pasó de poder cancelar el saldo de su cuenta a estar enterrada bajo las deudas en tres cortos meses.

En busca del número uno

Tal como lo dije una y otra vez, las comisiones son el latido de la industria de los créditos de consumo que está al acecho en busca de más víctimas. Además de la "comisión anual", a usted le pueden cobrar una comisión por pago fuera de término que generalmente es de unos 35 dólares. Si usted sabe que su pago no llegará a tiempo por correo y quiere evitar una comisión por pago fuera de término, usted puede hacer un pago telefónico, pero algunos bancos le podrían cobrar otra comisión de 14,95 dólares o más. Si usted quiere una copia de su estado de cuenta, no existen las gentilezas; es muy probable que le cobren otra comisión. Si le rechazan el cheque de pago, le pueden cobrar una comisión de 35 dólares. Los acreedores y los prestamistas no hacen apología de sus prácticas empresariales de cobrar comisiones, comisiones, comisiones. Ellos dicen que revelan sus comisiones y que es *responsabilidad del comprador.*

A María le gusta pagar sus cuentas en línea para ahorrar tiempo y gastos de correo. A menudo, su compañía de tarjeta de crédito dice que el pago en línea está "fuera de servicio". Puede estar fuera de servicio por varios días. ¡Ajá! Una comodidad para los clientes que no es cómoda para nada si no funciona. Pero si no funciona, ellos pagarán fuera de término. ¿Alguien huele algo sospechoso? Hace poco a María le quedaban 48 horas antes de que venciera el pago. Ya era demasiado tarde para enviar un cheque por correo y que llegara a tiempo. Esperó a que la opción de pago en línea comenzara a funcionar nuevamente. Tenía la opción de pagar por teléfono, pero le cobrarían otra comisión de 14,95 dólares y, francamente, eso era una estupidez. Por lo tanto, siguió aguardando con la esperanza de que el servicio de pago en línea mágicamente se arreglara. De lo contrario, podía enviar el pago por correo y recibir una comisión por pago fuera de término o podía pagar por teléfono y recibir una comisión "mínima". ¿Éste es el servicio de atención al cliente moderno?

Probablemente es verdad que la mayoría de nosotros no leemos las declaraciones de divulgación que vienen con nuestras tarjetas de crédito. La letra es demasiado pequeña a propósito, y el lenguaje es confuso a propósito. En algún lugar de la declaración, afirma que el simple uso de la tarjeta de crédito indica que usted aceptó los términos. El verdadero problema es que los términos pueden cambiar en cualquier momento, por cualquier motivo y, de este modo, afectar los saldos que están en proceso en la actualidad. De vez en cuando, usted recibirá por correo una nueva declaración de divulgación sin explicación alguna. Eso significa que los términos cambiaron.

Ellos pueden hacerlo. Cuando quieran.

Nadie más está autorizado a hacerlo. Las compañías de tarjetas de crédito son las únicas que pueden dar un giro inesperado. Imaginen esta escena en la cena de un matrimonio: el esposo llega al hogar con una rubia de un lado y una pelirroja del otro. Como corresponde, la esposa se sorprende. El esposo dice inocentemente:

—Querida, los términos de nuestro acuerdo cambiaron. ¿No leíste la letra pequeña de la nota que te dejé sobre la almohada?

Los bancos que emiten tarjetas de crédito son un mundo en sí mismos. Cuantas más tarjetas usted tiene, más pueden hacer los bancos. Y más son las oportunidades que tienen de modificar las tasas y condiciones. Ése es exactamente el motivo por el cual usted recibirá diez ofertas de tarjetas de crédito con límites bajos emitidas por el mismo banco, en lugar de una sola tarjeta con un límite más alto. En mi mente, eso recrea la imagen del gran lobo malo disfrazado de abuelita que dice:

—Son para comerte mejor.

Estoy listo para cambiar los cuentos de hadas, pero todavía quiero uno en el que haya un gran lobo malo. Sólo que, en esta versión, nosotros somos quienes tenemos las herramientas para quejarnos y derribar su casa.

CAPÍTULO 3

Nada por aquí, nada por allá

"Aún no comencé a luchar."
John Paul Jones

No todas las afirmaciones son verdaderas en forma universal, pero creo que hay una que sí lo es: la mayoría de los estadounidenses deseamos una verdadera independencia económica. No queremos ser esclavos de nuestras deudas y además deseamos ser ricos. Esos dos objetivos pueden ir de la mano. Lo bueno de los métodos de *Curas Para Sus Deudas* es que éstos le indicarán la manera de conseguir exactamente eso.

Otra afirmación que en mi opinión es justa es la siguiente: la mayoría de las personas que habitan la magnífica tierra de los Estados Unidos de América no tienen ninguna idea de que el gobierno federal se está entrometiendo en su independencia económica.

El fin de la confianza

Por lo general, nosotros, los estadounidenses, somos demasiado confiados. La gente de otros países suele considerar que los estadounidenses somos ingenuos e infantiles. Ya es hora de que maduremos. ¡Estamos enterrados hasta el cuello en deudas y nuestro camino hacia la riqueza está lleno de obstáculos porque el gobierno lo permite! Los trabajadores del gobierno son conscientes de los juegos de la industria bancaria y de las compañías de tarjetas de crédito. Los muchachos de Washington no hacen nada para detener las prácticas viles de los poderosos operadores financieros porque quienes tienen mucho dinero aportan grandes sumas a la campaña electoral. Es política, es un gran juego, y el único que pierde es el ciudadano estadounidense.

La epidemia de la deuda

Los Estados Unidos se enorgullecen al batir récords. He aquí una marca de la que no deberíamos ufanarnos: la deuda doméstica de los Estados Unidos —las tarjetas de crédito, los préstamos hipotecarios, los préstamos estudiantiles y los préstamos automotores— batió el récord máximo de todos los tiempos. ¡Debemos 6,7 billones de dólares y la deuda aumenta dos mil millones por día! ¡Estos números por sí solos deberían ser suficientes para que alguien en Washington preste atención!

¡La deuda es una epidemia, pero al gobierno no le importa!

Los emisores de tarjetas de crédito, los bancos y las compañías hipotecarias duermen muy tranquilos de noche mientras el ciudadano estadounidense común permanece en vela, preocupado por las cuentas. Hoy en día, el universitario promedio que ingresa a la fuerza de trabajo comienza con desventaja porque adeuda más de dos mil dólares sólo a la tarjeta de crédito, sin mencionar el préstamo estudiantil. He oído que un trabajador promedio destina el noventa por ciento de sus ingresos disponibles al pago de deudas. El ejecutivo bancario promedio conduce un Mercedes y gasta mil dólares por cubierto para ofrecer una cena destinada a reunir fondos para la campaña electoral.

La deuda en este país es una epidemia; es como una enfermedad fuera de control que se propaga y que incluso se cobra las vidas de las personas inocentes. En lugar de buscar una cura, el gobierno mira para otro lado y hace caso omiso de los problemas del trabajador común. La gente de Washington pone excusas para defender a sus amigos banqueros, cuyos bancos, a propósito, están arrojando ganancias récord. Aún peor es que intentan culparnos a usted y a mí.

Muchas de las enfermedades que padecemos son el resultado del peso de nuestras deudas. La deuda nos pesa mucho más de lo que nos damos cuenta. Vivimos con la horrible sensación de que estamos indefensos, nos sentimos tensionados todo el tiempo y nos preocupamos por cualquier cosa sin importancia. Nos cuesta conciliar el sueño o no queremos salir de la cama; tal vez estamos atravesando todo tipo de problemas personales. Eso no debería ocurrir. No deberíamos vivir bajo semejante opresión. El pueblo recurre al gobierno en tiempos de crisis. En este caso, el gobierno es una de las causas de la crisis.

Como ha dicho Abraham Lincoln, "Un gobierno del pueblo, por el pueblo, para el pueblo." Esto ya no existe, a menos que, por supuesto, el pueblo al que se hace referencia pertenezca a la industria de los créditos de consumo. Todo tiene que ver con ellos. Quizás Abe Lincoln se está revolcando en la tumba, pero nosotros no tenemos que hacerlo. Necesitamos recordarle al gobierno para quién trabaja realmente.

Socios en el crimen

Hay muchos ejemplos exasperantes que ilustran de qué manera las grandes empresas y el gran gobierno se hacen cómplices para aprovecharse de los ciudadanos estadounidenses. Explicaré algunas de estas prácticas engañosas con mayor profundidad a medida que avancemos, pero de todas formas mencionaré sólo algunos de estos actos ofensivos que se me ocurren sin pensarlo demasiado:

1. Las quiebras baten su récord máximo. Esto tiene sentido. La deuda es galopante. La gente está desempleada, tiene emergencias médicas o fallece alguien de la familia y no pueden pagar sus deudas; entonces suponen que declararse en quiebra es la mejor salida. Aproximadamente uno de cada cincuenta hogares en los Estados Unidos se declara en quiebra. En lugar de tratar la causa del problema y ocuparse del verdadero asunto —por qué la deuda es tan grande como para que las personas se vean obligadas a tomar semejantes medidas extremas— el gobierno hizo que las leyes de quiebras sean aún más estrictas.

    En 2005, los trabajadores del gobierno hicieron que fuera más difícil para la gente declararse en bancarrota. ¿Acaso esto ayuda a los ciudadanos comunes? En absoluto. ¿A quién ayuda entonces? A los bancos y a las compañías emisoras de tarjetas de crédito. Si una persona presenta la quiebra, los muchachos del banco no cobran. Por lo tanto, los banqueros acudieron a sus amigos de Washington y consiguieron que éstos cambiaran la ley. Presentar la quiebra era lo único que protegía a algunas personas de las prácticas depredadoras de los prestamistas, y ahora esa protección es mucho menor. Yo lo veo de este modo: le doy dinero a un tipo y él me hace un favor. En algunos ambientes, esto podría llamarse soborno.

2. ¿Quién tiene el control? Tiene que enterarse de una vez por todas que la razón principal por la que la deuda está fuera de control en los Estados Unidos es que los prestamistas están fuera de control, NO los consumidores. ¿Usted tiene una deuda importante con la tarjeta de crédito? La mayoría de nosotros tiene alguna deuda. Si usted es uno más entre los millones de personas que trabajan arduamente para pagar las cuentas y no pueden cancelar el saldo mensual, así es como lo atrapan. Su estratagema diabólica consiste en mantenerlo atrapado para que *no pueda* cancelar la deuda en su totalidad. Cuando se tiene un saldo deudor las comisiones se incrementan y eso es música para sus oídos.

Ése es el verdadero golpe; los bancos argumentan que no hacen nada incorrecto al cobrar todas esas comisiones exorbitantes y al aplicar aumentos secretos a las tasas de interés. Cumplen con las regulaciones sancionadas por el gobierno actual. Esto debería informarle que las regulaciones son bastante endebles. Es muy fácil respetar los límites cuando no hay límites. Y si hay alguna ley que las compañías de tarjetas de crédito y la industria bancaria no quieren cumplir, ¡simplemente les piden a sus amigos del Congreso que la cambien!

3. Las hipotecas de alto riesgo impagas y las ejecuciones hipotecarias baten su máximo récord. Una hipoteca de alto riesgo o "basura" es un préstamo hipotecario que se otorga a personas con malos historiales crediticios. A menudo, los prestamistas intentan dar a entender que le hacen un favor a alguien por el sólo hecho de otorgarle un crédito. Es un favor que se hacen a ellos mismos y ahora se transformó en una pesadilla.

Varios años atrás, el gobierno y los bancos realizaron un esfuerzo conjunto para "facilitar" la compra de casas. Aparecieron préstamos con tasas de interés bajas y plazos más prolongados. Los bancos y el gobierno lo consideraron un éxito rotundo. Muchas personas lograron convertirse en dueños. Después, tras el primer o el segundo año, las tasas de interés bajas se fueron a las nubes, una táctica fácil para hacer que el titular de la hipoteca necesite una refinanciación. Esto supone que el banco cobrará más costos de cierre y tendrá la posibilidad de incrementar la tasa de interés nuevamente.

A menudo, también se persuadía a los prestatarios para que pidieran préstamos hipotecarios más altos y, debido a la depreciación de las casas en algunas áreas, estos últimos terminan adeudando más de lo que sus casas valen hoy en día. Recientemente, hubo una cantidad sin precedentes de casas que se refinanciaron de acuerdo con la tasa más alta de su hipoteca con tasa ajustable y la gente simplemente no pudo pagar esas cuotas más elevadas. Debían más de lo que valían sus casas, entonces pidieron un plan de rescate. Un número récord de ejecuciones hipotecarias sacudió al mundo financiero. En pocas palabras, las compañías hipotecarias otorgaron créditos a personas a las que nunca deberían habérselos otorgado y después fingieron sorpresa cuando el mercado se derrumbó. Los ciudadanos estadounidenses que trabajan arduamente pierden sus casas día a día mientras los peces gordos se compran casas de verano. Se ahondará en este tema más adelante.

4. Sólo seis palabras: el escándalo de los préstamos estudiantiles. La industria de los préstamos estudiantiles es gigantesca. Mueve 85 mil millones de dólares. Supongo que los prestamistas tenían suficiente dinero que les permitía pagarles a los directivos de las universidades para que éstos enviaran a los estudiantes a sus compañías de préstamo. El director de asistencia financiera de la Universidad John Hopkins está acusado de haber recibido sesenta mil dólares por enviar a algunos estudiantes que necesitaban préstamos a un prestamista llamado Student Loan Express. El director de asistencia financiera de la Universidad de Columbia también fue acusado de recibir cien mil dólares

en acciones de la misma compañía. Adivinen a dónde dirigía a los estudiantes.

El procurador general de Nueva York encabezó la investigación de esas prácticas abusivas. Según un artículo publicado el 7 de mayo de 2007 en el periódico *New York Times*, la secretaria de educación intentó defender al gobierno al afirmar que ella "carecía de autoridad legal para tomar medidas drásticas contra todos esos abusos". Carecía de integridad, tal vez. ¿Carecía de autoridad? ¡Ahora el gobierno federal dice que no tiene autoridad! ¡Pero por favor!

Me enfurece pensar en todas las prácticas vergonzosas, abusivas y rapaces mediante las que estas grandes corporaciones y las instituciones prestamistas se salen con la suya. No se trata del banquero local de la esquina de su casa, son los bancos y las compañías de tarjetas de crédito más importantes de nuestro país los que llevan a cabo estas proezas. Hay que detenerlos; es tiempo de revelar cómo hacen sus negocios. El funcionamiento interno de la industria de los créditos de consumo es una de las mayores aberraciones que vio nuestro país. La forma en la que ganan dinero a costa suya y mía y de cada una de las personas que tenga un préstamo automotor, un préstamo estudiantil, un préstamo hipotecario, una tarjeta de crédito o cualquier clase de préstamo bancario es un delito. En mi opinión, sus métodos deberían considerarse ilegales. Logran llevar a cabo sus transgresiones porque son los que manejan —como si se tratara de títeres— a los hombres que controlan la ley.

El gobierno expide la licencia para robar

Los prestamistas de créditos estudiantiles sobornaron e hicieron regalos a los directores de asistencia financiera de distintas universidades e institutos. A cambio, ellos aconsejaron a los estudiantes para que utilizaran los servicios de crédito de esos prestamistas. Uno de los directores fue acusado de poseer una gran cantidad de acciones de la compañía de préstamos estudiantiles a la que enviaba a los alumnos. A propósito de cuidando los intereses de número uno.

Peor aún. También descubrieron que un trabajador del Departamento de Educación tenía una importante cantidad de acciones en la misma compañía de préstamos estudiantiles y, por algún motivo, se había olvidado de revelar este dato a su empleador, el gobierno federal. ¿Cuál era su cargo? ¡Gerente general de asistencia estudiantil gubernamental! Cuando las acusaciones salieron a la luz, le dieron licencia administrativa, por consiguiente, seguía cobrando su sueldo. El boletín electrónico *Chronicle of Higher Education* publicado en abril de 2007 afirmó que este hallazgo era sólo uno más entre "una cantidad de descubrimientos alarmantes sobre relaciones deshonestas entre los prestamistas del programa de préstamos estudiantiles garantizados por el gobierno federal y los trabajadores del gobierno encargados de supervisarlos". Bien dicho.

En una conferencia de prensa que dio un senador para tratar el tema, dijo: "Debemos asegurarnos de que los encargados de administrar los programas federales de préstamos estudiantiles tengan como prioridad los intereses de los estudiantes. Es imperdonable que los alumnos tengan que pagar el precio de los negocios turbios que se hacen en la industria de los préstamos estudiantiles".

> Prestamistas
> + gobierno
> = ¡relaciones
> deshonestas!

Todos nosotros pagamos el precio de los negocios turbios entre la industria de los créditos de consumo y el gobierno federal. Esto es imperdonable. Más que imperdonable. Se cometió un terrible abuso de confianza. Los códigos morales parecen haber desaparecido. Si no podemos confiar en nuestro gobierno y en los grandes banqueros de nuestro país, entonces ¿en quién podemos confiar? En nosotros mismos.

Podemos aprender cómo sortear los problemas si sabemos a qué atenernos. La mejor defensa es un buen ataque. Podemos aprender cómo se mueven para poder ganarles.

Todos estos son ejemplos del gran problema de codicia que afecta a nuestro país. Muchas universidades e institutos dictan cursos de ética obligatorios pero, obviamente, esta materia no sumaba créditos cuando los ejecutivos de los bancos y las personas que ocupan altos cargos financieros en el presente iban a la universidad. Quizás ya se olvidaron lo que les enseñaron o tal vez la regla de oro "trata a los demás como a ti te gustaría que te traten" no formaba parte del plan de estudios cuando iban al jardín de infantes. Hay elementos básicos de nuestra sociedad que tenemos que recuperar: el sentido del honor y la integridad que nos mantienen de pie. Tenemos que enseñarles a las futuras generaciones que los seres humanos podemos triunfar sin codicia. Luchar para obtener riqueza y estabilidad no es lo mismo que actuar con gula e indecencia.

Mientras trabajemos para lograr ese objetivo, nos defenderemos.

CAPÍTULO 4

¡Deshágase de sus deudas!

"Para estar en una posición de ventaja frente a otra persona, nada mejor que permanecer siempre sereno e imperturbable en todas las circunstancias."
Thomas Jefferson

Thomas Jefferson fue un gran líder, un gran visionario y un gran presidente. Y nos legó un consejo maravilloso. Permanecer calmo e imperturbable en medio de la lucha contra la deuda sin duda le servirá.

No sé qué le sucede a usted, pero el sólo hecho de hablar de todas las injusticias que el gobierno federal, los grandes bancos y las compañías de tarjetas de crédito cometen con los estadounidenses hace que me hierva la sangre. Podría seguir y seguir, quizás lo haga más adelante, pero, por el momento, el mejor tónico para la ira es la acción.

Traeré a colación otros "pecados" que comete el gobierno contra los ciudadanos, hablaré del puntaje de crédito y daré estrategias sencillas para mejorar ese puntaje. Explicaré cómo puede obtener una línea de crédito y así comenzar a construir su riqueza. Tenemos mucho material por tratar y así lo haremos a su debido momento. Podría emplear las próximas trescientas páginas para desenmascarar al gobierno y sus mecanismos ilícitos. Pero, si bien es de vital importancia que tomemos consciencia de lo que pasa alrededor de nosotros, *Curas Para Sus Deudas* no tiene como único propósito denunciar al gobierno. El objetivo es saber. Saber qué hacen y cómo se aprovechan de la gente. Lo que hace el gobierno junto con las compañías de tarjetas de crédito es totalmente incorrecto. Tenemos que abordar ese problema.

¡Soluciones!

Debemos comprender que la información incluida en este libro también aporta soluciones. Brinda conocimientos. Si la gente sabe qué hacer puede invertir los roles, puede tomar el control. Como un bálsamo para una herida abierta, los métodos que explico aquí pueden calmar los dolores que le causa la deuda, alivianar el peso que carga y sostener sus pasos de algún modo. Si usted se siente fuerte y vital, sentirá que está en mejores condiciones para emplear los supuestos poderes que pueden controlarnos tanto a nosotros como a nuestra situación económica. Así que pongámonos de pie.

Lo que estoy por decirle puede alterarlo un poco, pero en el buen sentido, así que está bien.

Como está leyendo un libro, supongo que está sentado, pero si no es así, le pediré que por favor tome asiento. No quiero que se desmaye y caiga al suelo cuando lea lo que le diré a continuación.

Uno de los secretos mejor guardados de la industria de los créditos de consumo es el hecho de que —sí, dije *hecho*— usted —sí, dije *usted*— ¡puede eliminar el ciento por ciento de su deuda! ¡La suma completa, *zas*, ya no debe nada! Vale la pena emocionarse por esto. ¡Ahora usted puede dejar el libro unos instantes y saltar como lo hacen los que acaban de ganar un coche en el programa de entretenimientos "The Price is Right" (El precio justo)!

Mejor que un programa de entretenimientos

Deshacerse de su deuda por completo es mejor que ganar un coche. Es como recuperar las riendas de su vida. Por supuesto no todos podrán librarse del cien por ciento de la deuda, pero algunos de ustedes podrán. ¿Aún salta de alegría? ¡Yo lo haría! Si usted no califica para poner en práctica esta estrategia ultra secreta, ¡no se desespere! Pronto llegaremos al próximo capítulo; allí presento una técnica para que prácticamente todos los que tienen tarjetas de crédito puedan reducir la deuda a la mitad, ¡casi de la noche a la mañana! Reitero: *¡todos* pueden reducir con éxito su deuda a la mitad o incluso en un 75 por ciento!

Pero antes, sin más demora, analicemos los secretos y las *Curas Para Sus Deudas* que ellos no quieren que usted conozca. Para aplicar esta técnica las cantidades no tienen importancia. Así deba diez, veinte o treinta mil dólares por medio de la tarjeta de crédito, puede terminar con esa deuda por completo.

Ley de prescripción de las deudas

La técnica secreta para erradicar su deuda por completo

En el pasado, usted tenía una deuda que no pudo pagar. El acreedor la declaró incobrable. Ahora, cuando menos lo esperaba, se ve acosado por esa deuda. Que un cobrador lo moleste ya es suficientemente malo, pero que lo acosen por algo que para usted ya era historia es doblemente irritante. Si alguien lo está molestando por deudas antiguas, es muy probable que haya encontrado lo que se conoce como un cobrador carroñero. O mejor dicho, él lo encontró a usted.

Los cobradores carroñeros compran paquetes de deudas vencidas —casi imposibles de cobrar— a precios increíblemente bajos. Estos cobradores compran barato y esperan cobrar caro. Invierten muy poco, por lo tanto, tienen la posibilidad de obtener grandes ganancias. Simplemente harán lo que sea para conseguir esas ganancias. No les importa si sus métodos no son éticos o si sus actos los harían merecedores de los escobazos de la abuela. En el pantano repleto de escoria donde habitan los seres más bajos, estos hombres son aún peores que los cobradores normales. Pero, ¿quién lo sabía?

> ¡Puede mandar al diablo al cobrador de su deuda!

Preste atención a la siguiente frase: Usted NO está obligado a pagar las deudas que sean muy antiguas. ¿Cuál antigua es una deuda muy antigua? Eso varía según las leyes de prescripción del estado donde vive o de la "fecha de vencimiento". Los enumeraré más adelante en este capítulo para que sepa cuál es el plazo que se respeta en su Estado. Cada estado tiene leyes diferentes, ¡pero una deuda vieja puede tener tan sólo tres años de antigüedad!

Si contrajo una deuda hace seis años y no se registraron movimientos en su reporte de crédito desde entonces, es probable que se haya librado de esa deuda para siempre.

Usted puede buscar la ley de prescripción de su estado (consulte la lista que aparece en este capítulo) de manera tal que si un carroñero viene a verlo pueda mandarlo al diablo. Esos tipos se sorprenderán mucho al escucharlo porque creen que usted no sabe nada sobre esas leyes.

Reducción de la deuda

La ley de prescripción de deudas existe para protegerlo. Se me ocurre que es una de las únicas medidas que tomó el gobierno en pos de garantizar cierta justicia para los consumidores. Realmente, sería injusto que un prestamista o una compañía de tarjetas de crédito se quedara de brazos cruzados y no cobrara sus deudas en el momento que correspondía y después, treinta años más tarde, golpeara a su puerta con manoplas de acero. Nadie debería llevar una vida de tensión y ansiedad, retorciéndose las manos y cobijando una preocupación por una antigua deuda durante los siguientes sesenta o setenta años. Imagínese que aparece su mejor amigo de sexto grado y trata de sacarle dinero por los diez dólares que le prestó en el cine muchos años atrás. Mi reacción sería decirle: "¿Estás loco?" Permitir que los cobradores lo persigan eternamente también sería una locura, por eso existe la ley de prescripción, para fijar una fecha de caducidad.

¡Sus deudas tienen fecha de vencimiento!

A veces los acreedores hacen caso omiso de la fecha de vencimiento y deciden iniciar una acción legal por una antigua deuda aún cuando, según la ley, la deuda caducó. ¡No se preocupe! Lo único que tiene que hacer es acudir al juez y solicitarle que desestime el caso porque, de acuerdo con la ley, la deuda está caduca. Por esta razón, la industria de préstamos financieros no quiere que usted sepa lo que tiene entre manos. Si conoce sus secretos oscuros podrá escapar de sus sucias garras. De hecho, muy a menudo los acreedores o las agencias cobradoras se ponen en contacto con usted hacia el final del plazo legal para cobrar la deuda. Saben que el tiempo corre, por eso se muestran inflexibles con usted y lo amenazan con llevarlo a la corte si no les paga en ese instante. Esperan que el factor miedo haga efecto, quieren sacarle unos dólares antes de que se acabe el tiempo.

Su estrategia

Si éste es su caso y un acreedor o una agencia de cobranzas lo amenaza por antiguas deudas o deudas muy próximas a vencer, siéntese bien y cierre la boca. Puede eliminar el cien por ciento de la deuda si sigue el sabio consejo de Thomas Jefferson: permanece siempre sereno e imperturbable en todas las circunstancias.

Cuando suena el teléfono, muchas de las personas que sufren el acoso de los cobradores permanecen con la mirada fija en él, hay temor en su mirada y no quieren responder el llamado. No tiene por qué hacer lo mismo. Esto no es una película de terror. El hombre monstruo no saldrá del teléfono para estrangularlo.

El cobrador quiere que piense que tiene una especie de poder sobre usted, pero en verdad no lo tiene. Esto no es una película, ésta es su vida y usted es el protagonista. Al cobrador ni siquiera se lo mencionará en las notas al pie de su vida. No permita que las agencias de cobranzas manejen su vida. ¿Recuerda que cuando era pequeño, caminaba de un lado a otro y decía "Yo soy mi propio jefe"? Bueno, aún es su propio jefe, entonces cuando suene el teléfono, recuerde que es usted el que controla la situación.

No tema

Ring. La llamada. Suena el teléfono. Sin ningún rastro de miedo en la voz, pronuncia un fuerte "hola". Recuerde que el cobrador es sólo un carroñero que compró su deuda por un precio miserable, ¡a veces hasta la compran por tres centavos por dólar! Él sabe que su deuda es vieja. Espera que usted no sepa nada al respecto.

Sin embargo, usted sí sabe. Tiene un libro que le brinda conocimientos. Sabe que su deuda es antigua y que, según la ley de prescripciones, ya caducó, por lo tanto, lo único que debe hacer es decirle al cobrador que la cuenta ya no puede cobrarse. Clac. Cortó la comunicación.

Incluso si no está seguro de que la deuda haya vencido, es decir, que según la ley, la deuda esté caduca y no pueda cobrarse, debe recordar que los cobradores son aves de rapiña que sobrevuelan en busca de migajas; mienten, hacen trampa y roban para conseguirlas. Quizás intenten cobrar una cuenta que realmente es demasiado antigua. Ahora usted es lo suficientemente listo para saber que no debe admitir que tiene esa deuda, de lo contrario, la ley de prescripciones podría aplicarse en su contra. El silencio es oro y, en este caso, puede traerle un halo de esperanza.

No lo admita

No admita que debe ninguna deuda presunta y de ninguna manera envíe dinero al cobrador. Recuerde lo que le dijo su madre hace tiempo: si no tiene nada bueno para decir, mejor no diga nada.

Si el cobrador es insistente—ésa es una característica inherente a su trabajo—quizás siga llamándolo. No ceda. Diga que no puede cobrar la cuenta y corte la comunicación o diga que no recuerda nada sobre la deuda presunta y cuelgue el teléfono.

Después, envíe una carta para solicitarles que no lo llamen más. Puede usar como modelo la carta que se incluye en el apéndice de este libro.

Sea inteligente

Si admite que tiene una deuda, la ley de prescripciones puede entrar en vigencia nuevamente porque la deuda se "activó" y esto les da a los cobradores el derecho legal de exigir el pago o demandarlo. Está a punto de eliminar su deuda; si no quiere arruinarlo todo por hablar demasiado, entonces recuerde: lo único que debe hacer es decirles que la deuda expiró y que ya no puede cobrarse. Fin de la discusión.

Actúe con valentía y firmeza. Estos cobradores carroñeros se alimentan de los desperdicios de los comederos más bajos, así que pueden rebajarse muchísimo. Serán agresivos y probablemente se presenten como un estudio de abogados en un esfuerzo por intimidarlo. No se desvíe del camino. Manténgase firme y asevere con seguridad que la deuda ya excedió el plazo permitido por la ley de prescripción y no puede cobrarse.

Es una estrategia muy simple. ¡Hágalos esperar y la deuda desaparecerá! La compañía de su tarjeta de crédito declaró esa deuda incobrable hace mucho tiempo y ¡obtuvo una deducción de impuestos por ella! No hay derecho a que estos carroñeros intenten cobrar esa vieja deuda ahora.

Sin embargo, sus tácticas de terror funcionan y algunos pagan deudas vencidas. Pero, por supuesto, los carroñeros sinvergüenzas no se lo dirán. ¡Quieren su dinero! ¡Aún cuando no tienen derecho legal a cobrarlo!

¡Cuéntele a sus amigos! ¡Cuéntele a su familia! ¡Dígaselo a sus vecinos, tías, tíos, primos! ¡Dígaselo a la niñera y a sus compañeros de trabajo! ¡No se deje engañar! Estos cobradores carroñeros se hacen ricos a costa de los ciudadanos desprevenidos. ¡Compran deudas antiguas por centavos e intentan que la gente pague el monto total de la deuda más los intereses! Es un negocio muy rentable y está en alza. Incluso dos de estas "compañías de inversión" formaron parte de las quinientas compañías más exitosas mencionadas por la revista *Fortune*.

Lo que debe esperar

Araceli tenía una vieja deuda de tres mil dólares con su tarjeta de crédito. Atravesaba momentos difíciles y simplemente no tenía el dinero para pagarla. Su marido la había dejado. Por si eso fuera poco, Araceli tenía un bebé recién nacido y un trabajo de medio tiempo que no le alcanzaba para vivir. Eran tiempos complicados. No tenía los medios para pagar esos tres mil dólares que se acumularon gracias a las compras que su marido había dejado impagas. Su esposo había utilizado muchas de las tarjetas de crédito de Araceli sin que ella lo supiera, pero ésa es otra historia. La compañía de la tarjeta de crédito no pudo cobrar la deuda, entonces la remitió al departamento de cobranzas, que tampoco pudo cobrarla. La compañía de la tarjeta de crédito declaró la deuda incobrable. Ahora vayamos algunos años más adelante. Araceli había olvidado todo el asunto, sin embargo, la compañía de la tarjeta de crédito había vendido la deuda de tres mil dólares a un cobrador carroñero por aproximadamente doscientos dólares. Después de todo este tiempo, el bien llamado carroñero presiona a Araceli para sacarle, uno a uno, no sólo los tres mil dólares ¡sino también los intereses! Si la codicia se premiara, los cobradores carroñeros ganarían el primer premio.

¡Araceli no tuvo que pagar su deuda!

Afortunadamente, Araceli conocía los métodos que se exponen en este libro, sabía con exactitud qué debía esperar y qué hacer para no caer en la trampa. Los carroñeros saben que las deudas viejas son las más difíciles de cobrar, en consecuencia, actúan con dureza. ¡No permita que lo intimiden!

Si alguno de estos cobradores carroñeros se comunica con usted, intentará intimidarlo presentándose como si fuera un abogado o como si trabajara en un estudio de abogados. Suelen emplear el término "firma de litigios", a menudo le dicen que prepararán los documentos necesarios para llevarlo a juicio por tal y tal deuda. Ahora le hacen un "llamado de cortesía" y le ofrecen la posibilidad de pagar la deuda o de llegar a un acuerdo. Por supuesto, amenazan con iniciar una acción legal si no llega a un acuerdo con ellos ni acepta enviarles el dinero que tanto le costó reunir.

Si fingen ser abogados, usted puede fingir que es Thomas Jefferson, sereno e imperturbable. Que sepan que usted controla la situación. Las personas que están al otro lado del teléfono no están acostumbradas a que la gente les responda. Están acostumbradas a intimidar al otro y esperan que usted se lleve el susto de su vida. Pero ahora que sabe cuál es el resultado final, no se asustará.

"Yo no debo"

Si usted sabe que se trata de una deuda antigua y que ya caducó, recuerde lo que acabo de mencionar en los párrafos anteriores: usted no les debe una explicación. Usted no les debe ni un centavo. Usted no les debe nada.

Ésta es su película y su único parlamento es el siguiente: "Esa deuda es incobrable". El nivel de dramatismo que desee darle a la escena cuando corte el teléfono de golpe queda a su criterio.

Estos tipos mienten mejor que los jugadores de póquer de Las Vegas y pondrán en práctica todos los trucos intimidantes del libro para intentar cobrarle tanto como puedan. Quieren que les envíe tanto dinero como le sea posible y lo más rápido que pueda. Ésa es su tarea y estos "profesionales" sienten un orgullo perverso al hacer bien su trabajo. Dirán lo que sea porque saben que es muy posible que logren su cometido. La mayoría de las personas simplemente desconocen la existencia de las leyes de cobro de deudas.

Incluso a los que sabemos de la existencia de la ley nos resulta muy difícil ir tras ellos cuando se pasan de la raya, y ellos lo saben. Hay un ridículo vacío legal en la ley actual de defensa al consumidor que permite que estas estúpidas agencias de cobranza tengan un pase de "salida gratis de la cárcel" si se ven enredados en un causa contra ellas. Lo único que tienen que hacer es cerrar la empresa actual y abrir una nueva. Tal vez cambien el nombre, pero los modos no. Siguen de lo más alegres, continúan trabajando de forma descarada. Lo sé, lo sé. Ésta es otra de las cosas que hacen que nos agarremos la cabeza y nos preguntemos qué hace —o qué no hace— el gobierno federal, por qué les permite seguir adelante con semejante conducta.

Agite los puños y quéjese del sistema si eso lo hace sentir mejor. El sistema dista mucho de ser perfecto, y las criaturas que viven del sistema no son ningunas santas. No hace falta que le diga quiénes son los villanos de este cuento ni que es una insensatez confiar en ellos. Lo importante es que sepamos cómo derrotar a los villanos. Podemos pelear fuego contra fuego. O mejor dicho, ¡puede adquirir algunos conocimientos y observar cómo desaparecen sus deudas!

Repita conmigo

Me gusta escribir libros, por eso sé que las palabras tienen importancia. Tanto lo que decimos como lo que no decimos es valioso. En lo que a la erradicación de su deuda respecta, lo que dice o lo que no dice es crítico. Siga el consejo de este libro y cuando descubra que realmente funciona, le dirá a todo el mundo qué decir y qué no decir.

Para deudas antiguas: Lo siento. Esta deuda ya caducó según la ley de prescripción. Deja de llamarme. Esta deuda expiró. No puedes hacer nada al respecto. No puedes hacerme nada. Déjame tranquilo.

Para cualquier otra deuda: Explicaremos esto en detalle más adelante, pero debe saber que, aún cuando la deuda siga vigente, puede haber desaparecido de sus registros. Muchas veces las deudas se informan por error. Por lo tanto, todas y cada una de las veces que reciba el llamado de algún acreedor o de algún cobrador, siga estas instrucciones…

Consejo Nº 1: Nunca admita que tiene una deuda. Si no lo hace y aplica los métodos de *Curas Para Sus Deudas* tal vez pueda eliminar la deuda o reducirla de forma considerable, entonces siempre actúe con inteligencia y responda vagamente. La siguiente táctica NO es una solución para las deuda:

—Hola, Agencia de cobranza Los miserables. ¿Dicen que debo diez mil dólares? Bueno, veamos, deben estar en lo cierto. Les enviaré un cheque de inmediato.

Consejo Nº 2: Los cobradores de deudas perfeccionan sus habilidades y afilan sus garras gracias a los ciudadanos ingenuos y desprevenidos. La manera más fácil de sortear la trampa es no estar de acuerdo con ellos; cuando le hablen de una deuda, no afirme que es suya. En cambio, utilice la palabra "supuesta". Es simple. Usted no cree que se trata de una deuda suya, por lo tanto, mediante el empleo de la palabra "supuesta", no admite en ningún momento que la deuda le pertenece. Solicítele al cobrador que le envíe toda la información que tenga sobre la "supuesta" deuda porque no le suena familiar. ¿Cuándo ocurrió la "supuesta" deuda? ¿Qué se compró con el dinero? El cobrador advierte que usted no cree que esa deuda sea suya, y usted puede hacer preguntas sin dar a entender que la deuda le pertenece. ¡Puede preguntar todo lo que desee sobre algo que no existe!

Consejo Nº 3: Un refuerzo del Consejo Nº 2. Este consejo consta de dos partes.

La primera tiene rima: cuando la deuda no pertenece al presente, puede ser valiente.

Hágalo como quiera, sólo dígale al cobrador a quemarropa que, según la ley de prescripción, la deuda expiró. No la pueden cobrar. Después cuelgue. Así de fácil.

La segunda parte del consejo: nunca exprese estar de acuerdo con lo que le dicen y será libre.

¡Puede ser así de fácil!

Consejo N°4: Confíe en que los métodos de *Curas Para Sus Deudas* funcionan. ¡Tiene un cien por ciento de posibilidades de deshacerse del cien por ciento de la deuda! ¡Esto es cien por ciento alentador! Averigüe cuál es su situación económica y conozca cuáles son sus derechos. Con esta técnica, puede librarse de la deuda, ¡no importa cuánto debía previamente!

En todos los casos se trata de una lucha de poder, por eso, cuanto más sepa, más poder podrá ejercer sobre ellos. Sepa si su deuda expiró. Recuerde que siempre puede preguntar a quemarropa: "¿De qué fecha data la supuesta deuda?" Busque su estado más abajo y descubra cuánto tiempo debe transcurrir para que su deuda caduque. La libertad económica comienza aquí mismo.

Busque su Estado

La compañía de la tarjeta de crédito de Araceli consideró incobrable la deuda de tres mil dólares cinco años atrás. Araceli vive en California, donde la ley establece la prescripción de la deuda a los cuatro años de la fecha en la que se contrajo, entonces está en condiciones de decirle al cobrador estas hermosas palabras, la oración para eliminar la deuda: "¡La deuda ya prescribió, cariño! ¡No vuelvas a llamarme! ¡Adiós!". Si Araceli viviera en Alaska, donde la ley establece que la deuda prescribe a los seis años, ella no hubiera admitido que tenía semejante deuda, no hubiera aceptado pagar semejante deuda ni hubiera estado de acuerdo en enviar ninguna suma de dinero al cobrador. Permanecer calmo, tranquilo e imperturbable, ¡ésa es la táctica del eliminador de deudas!

> ¡Usted puede
> ELIMINAR
> toda su
> deuda!

A continuación incluí una tabla en la que usted puede encontrar el estado donde vive y determinar en qué momento expira su antigua deuda en forma oficial, y los cobradores tendrán que dejarlo tranquilo para siempre.

En esta tabla, el término "cuentas abiertas" incluye las cuentas de renovación automática, como las tarjetas de crédito. Hasta donde sé, la información sobre las prescripciones es correcta hasta el momento en el que se imprimió el libro. Asegúrese de consultar con un abogado, con un amigo o con alguien de su estado que conozca bien estos asuntos para asegurarse de que no se hayan modificado los períodos de prescripción y para tener conocimiento de cualquier otra información relevante.

Estado	Cuentas abiertas (por ejemplo, tarjetas de crédito)	Contratos escritos
Alabama	3	6
Alaska	6	6
Arizona	3	6
Arkansas	3	5
California	4	4
Colorado	6	6
Connecticut	6	6
Delaware	3	3
Wash, DC	3	3
Florida	4	5
Georgia	4	6
Hawaii	6	6
Idaho	4	5
Illinois	5	10
Indiana	6	10
Iowa	5	10
Kansas	3	5
Kentucky	5	15
Louisiana	3	10
Maine	6	6
Maryland	3	3
Massachusetts	6	6
Michigan	6	6
Minnesota	6	6
Mississippi	3	3

Estado	Cuentas abiertas (por ejemplo, tarjetas de crédito)	Contratos escritos
Missouri	5	10
Montana	5	8
Nebraska	4	5
Nevada	4	6
New Hampshire	3	3
New Jersey	6	6
New Mexico	4	6
New York	6	6
North Carolina	3	3
North Dakota	6	6
Ohio	4	15
Oklahoma	3	5
Oregon	6	6
Pennsylvania	4	4
Rhode Island	10	15
South Carolina	3	10
South Dakota	6	6
Tennessee	6	6
Texas	4	4
Utah	4	6
Vermont	6	6
Virginia	3	5
Washington	3	6
West Virginia	5	10
Wisconsin	6	6
Wyoming	8	10

¡Adiós a la deuda!

Bueno, ¡esto es lo que yo llamo una noticia emocionante! Si usted vive en los estados de Alabama, Arizona, Arkansas, Delaware, Washington, D.C., Kansas, Louisiana, Maryland, Mississippi, New Hampshire, North Carolina, Oklahoma, South Carolina, Virginia o Washington no hay nada que puedan hacer con lo que debe a la tarjeta de crédito después de tan sólo tres breves años.

Por medio de este método poco difundido, ¡usted puede deshacerse del cien por ciento de sus deudas! Las cuentas incobrables que se dieron por perdidas no podrán regresar para acecharlo. ¡No se haga cargo de una deuda que ya no es suya! Cuando Araceli recibió el llamado del cobrador no se preocupó. Conocía sus derechos y sabía que esa deuda de tres mil dólares estaba fuera del alcance de cualquier cobrador, por mucho que éste se esforzara. Si usted es víctima de una deuda que aumentó de manera increíble y ahora lo persiguen los sabuesos, puede aguarles la fiesta. Existe una ley que determina los plazos de prescripción de las deudas para evitar que los acreedores lo acosen de manera constante. Deben detenerse para siempre.

¡El camino más rápido a la riqueza es la eliminación de una deuda incobrable! En las palabras inmortales del Dr. Seuss: "¡Felicitaciones! Hoy es tu día. Puedes ir a lugares maravillosos, eres libre. Tienes cerebro. Tienes pies. Puedes ir a donde tú quieras".

Confío en que se alejará de las antiguas deudas y de las pirañas cobradoras e irá en la dirección contraria, se dirigirá a la magnífica riqueza. No debe permitir que el temor, la culpa, la tensión, la ansiedad, los trastornos alimenticios, el aumento de peso, la pérdida de peso ni la caída del cabello arruinen su vida… bueno, quizás la caída del cabello es algo con lo que deberá vivir, pero usted entiende a qué me refiero. Eliminar la deuda le quita el peso que lo aplasta. ¡Eliminar las deudas levanta el espíritu! Los monstruos cobradores pueden regresar a su hogar debajo del puente o a donde sea. Puede comenzar a vivir con una confianza distinta, renovada y ajena a las preocupaciones causadas por esa deuda mala.

Si vive en un estado donde los plazos de prescripción establecidos por la ley no sirven como estrategia inmediata para eliminar la deuda,

¡no permita que su ánimo decaiga! Hay otros métodos incluidos en *Curas Para Sus Deudas* que, a mi entender, pueden ayudar a cualquier persona que lea este libro a reducir las deudas de manera significativa. No importa cuánto deba o por cuánto tiempo haya sido deudor, podría reducir el total de la deuda a la mitad. Tal vez al tercio ¡o incluso al 25 por ciento!

Son técnicas sencillas. No hay leyes ni tablas complicadas. No hay trucos de magia. Estas soluciones son tan fáciles que todo estadounidense que tenga una deuda puede y debe aplicarlas.

Ésta no es la parte del libro en la que va por un tentempié. ¡Ésta es la parte en la que usted da vuelta la página y descubre la manera para salir de la deuda!

CAPÍTULO 5

¡Negocie!

"Un centavo ahorrado es un centavo ganado."
Benjamin Franklin

Cada centavo que usted gana se suma hasta llegar a un dólar en algún momento. Puede conservar los dólares que ganó con tanto esfuerzo, le pertenecen. Si acaba de eliminar su deuda con los métodos propuestos en el capítulo anterior, ¡grandioso! Eso significa que ganó un montón de centavos. En verdad, los *ganó*. Ganarles a los gigantes de la industria de los créditos de consumo no es poca cosa, así que debe sentirse orgulloso. Salir de la deuda y dirigirse hacia el lugar en donde puede comenzar a construir su riqueza requiere mucho esfuerzo, así que felicítese a usted mismo. ¡Envíe sus historias exitosas a <u>success@debtcures.com</u>!

Simplemente asombroso: Una técnica para reducir el pago de la deuda a la mitad o más

Entre los métodos que propongo en *Curas Para Sus Deudas* se incluyen tres pasos muy simples, pero sorprendentemente efectivos: Eliminar, negociar y reducir la tasa de interés.

Acaba de enterarse de una solución importante: ¡cómo eliminar su deuda! Quizás sus deudas no son lo suficientemente antiguas como para quedar fuera del alcance de la ley de prescripción. No todos pueden eliminar la deuda por completo con este método, pero creo que prácticamente *todos nosotros podemos reducir nuestra deuda*. Algunos lograron erradicar la deuda que tenían antes de conocer estos métodos casi por completo —en un 75 por ciento— y muchos la redujeron en un cincuenta por ciento.

Creo que usted ya puede observar que quedarse en casa preocupado y de brazos cruzados no sirve de nada. Lo peor que puede hacer respecto de la deuda es no hacer nada. Desear que no exista nunca funciona. Debe hacer algo simple.

Estados financieros

Uno de los trucos más increíbles no es un truco en realidad y, que yo sepa, no existe ninguna otra fuente que enseñe esta técnica, esta perla de la sabiduría, para que usted pueda reducir la deuda y emprender el camino hacia la independencia económica. ¡Es papel comido!

Hay cierta información económica que los deudores suelen ignorar: los estados financieros. Quizás esté familiarizado con los términos *balance general* y *estado de resultados; pero si no lo está, no se sienta intimidado.* Se trata de dos documentos muy simples que presentan de manera sencilla el panorama de su situación económica. Significa "esto es lo que tengo", una descripción numérica de lo que tiene o de lo que no tiene.

Usted necesita saber cuál es su situación actual para poder avanzar. Algunos se equivocan al suponer que no necesitan un balance general ni un estado de resultados. Creen que esos documentos son sólo para los que tienen mucho dinero. No importa cuál es su situación económica, estos estados pueden ser clave para que pueda poner fin a sus problemas monetarios.

Balance general

El balance general refleja su situación económica en un momento determinado. A partir de esa fecha usted tiene *tanto en Activo* (cosas de valor que le pertenecen) y *tanto en Pasivo* (lo que debe). El activo incluye su casa; otros bienes raíces, por ejemplo, propiedades en alquiler; coches; barcos; cualquier otro vehículo; acciones; bonos; inversiones en planes 401K; joyas; obras de arte; empresas; efectivo en el banco, etcétera. El pasivo incluye las deudas que usted tiene por todos esos activos: el saldo de la hipoteca; préstamos para la compra o el arrendamiento de coches; líneas de crédito; saldos de la tarjeta de crédito; préstamos personales, etcétera.

Los individuos solemos tener balances generales muy simples. Los "activos" son sus posesiones; los "pasivos" son sus deudas. Las posesiones menos las deudas equivalen al capital contable. Muchísimos de nosotros tenemos más deudas que posesiones. Esto significa que tenemos un capital contable negativo, o que estamos "en apuros", por así decirlo. Los individuos que tienen mucha deuda tienen un balance general tan simple que podrían prescindir de él. Si no hay nada para presentar, no se lo puede presentar, ¿verdad?

En pocas palabras, un balance general es como una fotografía instantánea que refleja su estado económico. Debe saber qué tiene. Eso es imprescindible para predecir cuál será su situación económica en el futuro. Si en este momento la imagen sólo está compuesta de ceros, quizás no sea necesario hacer un balance general formal. El objetivo es demostrarle a los acreedores que usted está en apuros. Puede lograr el mismo propósito mediante una carta de dos oraciones. Veremos este punto unos párrafos más adelante.

Estado de resultados

El segundo documento financiero es el estado de resultados. El balance general muestra solamente un momento determinado, por ejemplo, a la fecha de hoy, no tengo ni un centavo. El estado de resultados abarca un período en particular, por ejemplo, durante todo el mes de junio no tuve ni un centavo.

El estado de resultados muestra cuánto ganó y cuánto gastó durante un período determinado, un mes, un trimestre o un año. Es un historial del flujo de fondos, cuánto ingresó y cuánto salió. El estado de resultados también se conoce como estado de pérdidas y ganancias.

Para un individuo, el estado de resultados también es muy simple:

¿Cuáles son todas sus fuentes de ingreso? ¿Cuáles son todos sus gastos?

Más fácil: ¿Qué ingresó? ¿Qué salió?

Si echa un vistazo al estado de resultados, podrá ver si gasta más de lo que gana, muchos de nosotros lo hacemos. Quizá ganó cuarenta mil dólares y gastó 45 mil. Obviamente, tiene cinco mil dólares en rojo. La situación opuesta. Obtuvo 45 mil dólares y salieron cuarenta mil. Ahora tiene un saldo a favor de cinco mil. Ponerlo por escrito es la clave para comprender el esquema de gastos. Estos dos estados financieros simples constituyen una gran técnica para reflejar su situación económica.

Activo – Pasivo = No queda más dinero

Puede consultar los modelos de balance general y estado de resultados incluidos en el apéndice. Estos documentos son cruciales para que comprenda qué sucede, pero lo que es aún más importante, sirven para que sus acreedores vean cuál es su situación económica. Son herramientas importantes y sencillas para reducir la deuda. Si no hay dinero, no hay dinero, lisa y llanamente.

Luis debía cincuenta mil dólares. Tenía dos tarjetas de crédito. Las sumas que había gastado más los intereses devengados y las penalidades lo habían enterrado tan profundamente en las deudas que nunca sería capaz de pagarlas. Entonces eso fue exactamente lo que les mostró a los acreedores. Luis padecía el acoso de una agencia de cobranzas de modo que acudió a un amigo contador y éste hizo un borrador de los estados de posición financiera de Luis. Por escrito, en una sola página, el balance general y el estado de resultados demostraban a las claras que Luis no tenía nada, así que le permitieron no pagar nada. Nada de nada da por resultado nada.

> **¡Luis redujo su deuda casi un 75 por ciento!**

Luis envió esos documentos junto con una carta a la agencia de cobranzas y les explicó que malgastaban su tiempo porque de ninguna manera podría pagar los cincuenta mil dólares. La agencia de cobranzas había comprado la deuda por centavos, así que si Luis les daba tan sólo un centavo más, ellos obtenían una ganancia. Los llamados telefónicos y las cartas de Luis junto con los datos irremediables que mostraban sus estados financieros sirvieron para convencer a la agencia de cobranzas de que debían llegar a un acuerdo. Luis aceptó pagar catorce mil de los cincuenta mil dólares que debía. ¡Eso es una reducción de casi el 75 por ciento!

Asimismo, los estados financieros son una gran técnica para reducir la deuda con las compañías de tarjeta de crédito. Demuestran que carece de capital contable o que tiene un capital contable negativo. Si el acreedor puede observar claramente que no tiene nada, quizás esté dispuesto a negociar. No necesita un abogado para hacerlo. Puede hacerlo usted mismo. Eche un vistazo a los modelos de estados financieros que incluí en el apéndice y complételos con los números correspondientes. ¡Esta técnica puede funcionar prácticamente para todos!

Una simple carta

Además de los estados financieros o, en algunos casos, en lugar de esos documentos, una carta breve puede ser todo lo que necesita. Puede consultar el modelo de carta que se incluyó en el apéndice.

Es un texto sencillo: éste es mi activo, éste es mi pasivo; no me queda nada para pagarles.

Parece muy simple porque lo es. Los acreedores son gente de "números". No les importan demasiado sus historias. Llore todo lo que quiera, ellos sólo quieren ver las cifras frías y en crudo.

Por lo general, resulta prudente ser breve. Presente los hechos, eso es todo. Si intenta decir demasiado puede verse perjudicado. Si no tiene nada, tan sólo asevere ese hecho. Tal vez no necesite un estado de resultados ni un balance general. Una hoja con unos cuantos ceros no aportarán mucho más que una carta simple.

Pídale a un amigo contador o a la persona que se haya encargado de sus impuestos durante todos estos años que redacte una carta simple en una hoja con membrete. Lo único que tiene que decir es algo como: "Me encargué de los impuestos de María durante años. El pasivo es mayor que el activo y su capital contable es negativo. María no tiene recursos". Firma: Señor contador público.

No es necesario ni aconsejable agregar más información. Puede emplear este método para reducir sus deudas un 75 por ciento o incluso eliminarlas por completo.

Volveremos a este asunto más adelante, pero ahora ya lo sabe: ¡Todo puede negociarse y los estados financieros representan una técnica para lograrlo!

CAPÍTULO 6

¡Reduzca las tarifas!

"¡Nunca lo sabrá a menos que pregunte!"
Kevin Trudeau

Tal vez me acosen y sea víctima de la violencia verbal alguna vez, pero soy un hombre simple. Me gusta decir las cosas como son, con palabras fáciles, para que otras personas como yo entiendan qué ocurre.

Para otros, como los ricachones de las grandes corporaciones, eso podría ser un problema. De eso se trata exactamente: es su problema.

Siempre me sorprende el hecho de que sea el denunciante el que reciba las críticas. Los tipos que hacen el negocio sucio quieren que las sospechas recaigan sobre otros y entonces las desvían de sus fechorías. Son muy buenos para eso. Las compañías de tarjetas de crédito dominan la técnica para darles a sus clientes gato por liebre. Primero logran que les compren a una tasa de interés baja y una vez que lo hicieron, duplican o triplican la tasa de interés sin que el cliente se entere.

¿Acaso no es eso "especial"?

¿Qué excusa tienen? "Podemos hacerlo". No infringen ninguna ley. ¿Por qué lo hacen? "Somos especiales". En ese sentido, sin duda dicen la verdad. Son "especiales." Las leyes y las regulaciones están atadas con un hermoso moño verde que tiene el signo del dólar sólo para ellos. Si el presidente de una importante compañía de tarjetas de crédito líder ofrece una pequeña fiesta en su casa para cientos de sus mejores amigos y todos ellos traen —por casualidad— sus chequeras y dejan regalos pequeños y afectuosos para George Bush, entonces supongo que se puede decir que son realmente "especiales."

Estados Unidos es "la tierra de los libres y el hogar de los valientes," pero desafortunadamente, también es la patria de los ventajistas, los consentidos y los "especiales". ¿Acaso quiero desbaratar sus técnicas mentirosas? Sí. Y lo digo sin rodeos, de frente. No me escondo detrás de la letra pequeña ni del lenguaje legal.

Las compañías de tarjetas de crédito son una especie aparte cuando se trata de manipular los términos de los contratos. En una entrevista para el documental de PBS (Servicio Público de Divulgación) llamado "La historia secreta de las tarjetas de crédito", Elizabeth Warren, profesora de leyes de la universidad de Harvard, señaló que la industria de las tarjetas de crédito es la única capaz de manejar un negocio como ése. "Nadie firma un contrato de compra que diga, "Pagaré mil doscientos dólares por el televisor de pantalla gigante a menos que, dentro de uno o dos meses, usted decida que el precio debería ser 3600, 4200 ó 4800 dólares". Pero así es exactamente cómo se redactan los contratos de las tarjetas de crédito hoy en día".

Contratos locos, sí. Consumidores locos, no. Es hora de que juguemos un nuevo juego llamado "Consigamos una mejor tarifa".

Cambio de tarifa

Si desea obtener una mejor tarifa de llamadas telefónicas, llama a la compañía y se la pide. Si no le gusta lo que le ofrecen, cambia de proveedor. No teme llamar a la compañía de cable para preguntar si HBO está en promoción este mes. Sabe que nunca debe aceptar la primera oferta que le hace el vendedor de coches; entonces, ¿por qué todos nos sentimos tan intimidados por las compañías de tarjetas de crédito?

Quizás muchos de nosotros no tenemos idea de lo que traman estas compañías. La confianza ciega se perdió por completo. Quizá sentimos que es inútil intentarlo. Durante tanto tiempo se salieron con la suya que no creemos poder hacer algo al respecto. Recibimos una paliza y nos quedamos tirados. La vida me enseñó que quedarnos quietos o deprimirnos les hace creer que son ellos los que tienen el control, entonces, intentarán ir por más. Piensan que sus trucos son ultra secretos e intocables. Error.

Podemos detener las tasas de interés y las comisiones que están fuera de control. Podemos reducir nuestra deuda hasta un cincuenta por ciento si le ponemos fin a esa modalidad. Y todo comienza con un simple llamado telefónico.

Otra técnica que todos pueden aplicar – ¡Reduzca sus pagos a la mitad!

¡Los llamados telefónicos pueden hacer que ahorre miles de dólares!

Por lo general, las llamadas telefónicas son sencillas, cortas y — aunque no lo crea— efectivas. La mayoría de las personas dan por sentado que hacer un llamado es una pérdida de tiempo, por eso no lo hacen. Nada más lejos de la verdad. Tome el teléfono y disque el número. No permita que los nervios lo alteren. ¿Qué le importa lo que piense de usted la persona que está al otro lado de la línea? Haga la llamada. Es lo mejor que puede hacer durante los próximos cinco minutos y puede ayudarlo a ahorrar miles de dólares.

Tasas de interés

Comuníquese con las compañías de sus tarjetas de crédito. El número telefónico se encuentra al dorso de la tarjeta. Pregunte cuál es su tasa de interés actual y solicite una reducción. Si la persona que tomó el llamado no le ayuda, pida hablar con un supervisor. Si se niegan, comuníquese nuevamente. Siga intentándolo. No se dé por vencido. Tal vez deba hacer siete llamados para conseguirlo, pero creo que en la mayoría de los casos accederán a reducir la tasa de interés, sólo porque usted lo pidió.

En verdad es así de simple. Veamos el caso de Jorge y Alejandra: tenían una altísima tasa de interés de 29,75 por ciento con la tarjeta de crédito del Bank of America [Banco de América]. Se comunicaron con un representante de la tarjeta, consiguieron reducir la tasa a 5,75 por ciento y mantenerla así durante cinco años. Emplearon la misma técnica para reducir las tasas de interés de sus otras tres tarjetas de crédito.

Utilice en su favor todas esas ofertas de tarjetas de crédito que reciba por correo a diario (si hoy no recibe ninguna, sin duda mañana lo hará). Cuando el representante de atención al cliente no le haga caso, puede amenazarlo con lo siguiente: "Ayer recibí una oferta por correo del Súper Banco de Tarjetas de Crédito. Transferiré el saldo de mi cuenta a ese banco hoy mismo si ustedes no me ofrecen una tasa más baja". No bromeo: obtendrá buenos resultados. Una reducción en sus tasas de interés disminuye sus pagos de forma instantánea. ¡Acaba de reducir su deuda! Los resultados inmediatos de este tipo son realmente fortalecedores.

Mientras tenga algún saldo con cualquier tarjeta, es posible que la compañía de la tarjeta de crédito incremente las tasas sin que usted se entere, depende de usted hacer llamadas periódicas para controlar la tasa. Puede explicarles que es un cliente de años y que siempre ha pagado sus cuentas. Si se niegan a reducir la tasa, los abandonará. Así de simple.

Pida y recibirá. Tal vez tenga que ser insistente, pero gracias a una pequeña inversión de tiempo en un llamado telefónico puede ahorrar miles de dólares. Fuera de broma, creo que esta técnica es sorprendentemente efectiva y pocos la conocen. ¡Lo que es más sorprendente aún es que a menudo funciona!

> ¡Una tasa de interés más baja puede reducir su deuda de manera increíble!

Las compañías de tarjeta de crédito adoran incrementar las tasas, pero no las reducirán a menos que usted lo pida. ¿Qué tal si reducen una tasa de interés del 20 por ciento al 10,5 por ciento? Reducir una tasa tan alta a la mitad es admirable. ¡Un seguidor de estos métodos logró que redujeran su tasa de interés de 9,99 por ciento a cero por ciento durante seis meses! ¡Pida! ¡Nunca se sabe lo que pueden hacer! Averigüe qué tasa paga en este momento. Una muchacha había pagado una tasa de interés del 28 por ciento durante los últimos seis meses y no lo sabía hasta que llamó. Ahora paga una tasa mucho más razonable del 12,8 por ciento. ¿Quiere sentirse de maravillas? Llámelos y pídales que reduzcan la tasa. No puede saber qué ocurrirá a menos que pregunte.

¡Pierda un minuto y ganará mucho!

Sólo tiene que gastar unos pocos minutos de su tiempo y podrá ahorrar cientos o miles de dólares literalmente. Escriba un guión si eso le da mayor seguridad.

—*Hola, soy José Rodriguez. Quisiera averiguar cuál es la tasa de interés que pago.*

Aquí hay una pausa y le responden. Si la tasa de interés no es buena, les dice:

—*Oh, qué alta. Hay muchas otras compañías que me ofrecen una tasa más baja. ¿Ustedes podrían igualar las tasas que ofrece la competencia?*

Hasta la persona más tímida por teléfono puede manejar esta clase de diálogo. Algunos obtienen resultados tras unas pocas llamadas y se dirigen a los representantes con desfachatez. Oí el caso de un hombre al que le gustaba interpretar su propia versión del programa de televisión *Deal or No Deal*. Pedía que redujeran su tarifa a la mitad o que le quitaran un diez por ciento. ¡Incluso solicitó una tasa anual del cero por ciento! No hay nada que perder, quién sabe, podrían acceder. Esta simple técnica de llamada telefónica funciona. Sea amable. La clave reside en matar a estos peces gordos de las compañías de tarjeta de crédito con amabilidad. Si la persona que respondió a su llamado no coopera, solicite la asistencia de un supervisor o cuelgue e inténtelo más tarde.

Hagamos un trato

Ser amable no quita que pueda ser insistente. Mi amigo Eduardo siempre consigue la mejor tarifa en los hoteles, tan sólo pregunta: "¿Ésta es la mejor tarifa que pueden ofrecerme?". De forma directa y con audacia, puede preguntar si ésa es de verdad la mejor tarifa que pueden ofrecerle en este momento. Pregunte si habrá alguna oferta especial próximamente.

Aún si no tiene grandes deudas con cada una de las tarjetas, la capitalización de los intereses es aterradora. Veamos el ejemplo de mi amiga Teresa. Sólo tenía cinco tarjetas de crédito. ¡La mayoría de las personas tiene muchas más! En una de las tarjetas, le cobraban una tasa de interés exorbitante del 22 por ciento sobre un saldo de dos mil dólares. Los pagos mínimos de las tarjetas de crédito suelen ser del dos o del cuatro por ciento del saldo total. Digamos que mes a mes Teresa pagaba el dos por ciento de su saldo. Ella creía que hacer el pago mínimo estaba bien. ¡No se daba cuenta de que si realizaba el pago mínimo le tomaría diez años cancelar la deuda en su totalidad! ¡Diez años!

¡Los intereses que se acumularían durante todos estos meses darían por resultado un saldo de más de 3900 dólares! Teresa terminaría pagando más del doble del saldo original de dos mil dólares. ¡Qué locura! ¿Acaso lo que compró con esos dos mil dólares seguirá en uso en diez años? Diez años es más de lo que dura un préstamo automotor. Algunos están en condiciones de pagar la totalidad del costo de sus casas en diez años. Puede que los intereses sean la octava maravilla, pero no tenemos por qué ser parte de eso.

¡No tire su dinero a la basura!

Piense a cuánto ascenderían las cifras en el ejemplo de Teresa si el saldo fuera superior a dos mil dólares. De veras, muchos de nosotros tenemos saldos más altos que ése. El promedio nacional es de ocho mil dólares por persona. Los intereses que resultan de esa suma podrían servir para financiar unas vacaciones o un plan de jubilación. Supongo que, de hecho, para eso sirve —sólo que no se trata de *sus* vacaciones o de *su* plan de jubilación. Su dinero termina en manos de banqueros y de compañías de tarjetas de crédito en lugar de coronar los valiosos esfuerzos que usted realizó. ¡Ya basta!

Cualquier reducción de la tasa de interés será mejor que la tasa que usted tenía antes de realizar la llamada. Tomemos a Teresa como ejemplo. Durante estos días, cuando llame a la tarjeta de crédito, su primera lección de paciencia consistirá en presionar la cantidad de teclas suficientes para conseguir que lo atienda una persona de carne y hueso.

—Gracias por comunicarse con la Compañía de Tarjetas de crédito Insólita. Usted está hablando con atención al cliente. ¿En qué puedo ayudarlo?

—Me gustaría saber cuál es la tasa de interés que pago por mi tarjeta.

—Sí, señora. Aguarde un segundo por favor…. Aquí ésta: la tasa de interés de la tarjeta de crédito número XXXX-XXXX-XXXX-XXXX es del vientidós por ciento.

—Es bastante alta. Me gustaría solicitar una reducción. ¿Puedo gestionarla con usted o debo hablar con otra persona?

—Sí, señora. Puede gestionarla conmigo. Reduciremos la tasa al diecinueve por ciento ahora mismo.

—Diecinueve por ciento. ¿Ésa es su mejor oferta? En verdad necesito una tasa menor.

—Sí, señora. Déjeme ver. Puedo reducir la tasa al diecisiete por ciento.

—En realidad esperaba una tasa más baja. Tarjetas No Hay Problema me ofrece una tasa anual del cero por ciento para transferencias de saldos. ¿Tienen alguna promoción con el cero por ciento de interés?

—No, señora.

—Si usted no puede ofrecerme una tasa menor, tendré que hablar con un supervisor, un gerente o alguien autorizado a ofrecerme una tarifa mejor.

—Sí, señora. Aguarde en línea, por favor.

Teresa esperó con paciencia y calma a pesar de la cantidad de veces que tuvo que oír la frase "sí, señora"; después de algunos minutos la atendió un supervisor y le preguntó en qué podía ayudarla.

—Hace años que soy su clienta y generalmente pago mis cuentas en término, pero estoy atravesando momentos difíciles y con una tasa de interés del veintidós por ciento los pagos mensuales me resultan demasiado altos. Me gustaría seguir utilizando los servicios de la empresa; si observa los registros verá que fui muy buena clienta. Me ofrecieron transferir mi saldo a la tarjeta No Hay problema, y si ustedes no pueden ofrecerme una tasa más baja tendré que cambiar de compañía. Tengo que reducir los gastos y la tasa de interés que tengo es ridícula.

—Sí, señora. ¿Qué necesitaría?

—Me gustaría que me otorgaran una tasa de interés del cero por ciento durante seis meses.

—Sí, señora. Entiendo, pero no puedo ofrecerle eso en este momento. No tenemos ese producto disponible. Veo que usted es una clienta de hace muchos años, pero realizó algunos pagos fuera de término. Lo mejor que puedo ofrecerle es una tasa del doce por ciento.

—¿Una tasa del doce por ciento? Bueno, la acepto. Muchas gracias.

Después de realizar la llamada y obtener una tasa de interés del doce por ciento, los cálculos de Teresa dan el siguiente resultado: la nueva tasa de interés reduciría los intereses generales del préstamo en su totalidad a 1200 dólares. ¡Eso es dos tercios menos de lo que debería haber pagado antes del cambio de tasa!

Reducir la tasa de interés reduce los pagos mensuales y la deuda total. ¡Conseguir una reducción en la tasa de interés de un préstamo es algo estupendo! Pagar 1200 dólares en lugar de 3900 es un gran avance. Teresa pagará las cuentas en término durante algunos meses y después llamará nuevamente para solicitar otra reducción. ¡Nunca se sabe, a menos que pregunte!

Vale la pena invertir unos minutos de su tiempo para llamar a todos los bancos donde tiene tarjetas de crédito y a todas las compañías emisoras de sus tarjetas de crédito, ¡puede ahorrar miles de dólares! ¡Así de sencillo!

Simple, rápido y efectivo. Es algo maravilloso.

Saldos

Además, puede emplear la misma táctica para reducir los saldos de la tarjeta de crédito. Sí, dije saldos. Las compañías de tarjetas de crédito no quieren entregar su cuenta a una agencia de cobranzas. Por supuesto, su objetivo es exprimirle el bolsillo tanto como les sea posible, pero si no lo logran —si usted no tiene ni un centavo— prefieren que les pague algo a ellos directamente en lugar de vender la deuda por centavos a una agencia de cobranzas. Entonces llámelos y negocie con ellos.

Así es

Ya no hay ningún secreto. Así es, usted puede negociar con las compañías de tarjetas de crédito. Tenga en cuenta que las tarjetas de las tiendas por departamentos no suelen negociar, pero los emisores de tarjetas de crédito importantes sí lo harán, ¡aunque nadie lo sabe! Ésa es otra razón por la cual no le aconsejo solicitar tarjetas de crédito en los grandes almacenes; no son necesarias. No ahorrará nada con ellas a largo plazo.

Observe su resumen de cuenta y fíjese cuánto debe. La deuda real, es decir, las compras, los importes que gastó. Ahora eche un vistazo a todas las comisiones, las tasas de interés y las multas acumuladas. Sí, da mucha bronca, lo sé. Ya vimos lo rápido que se acumulan los intereses. ¡Ese total podría triplicar o cuadruplicar el monto de la deuda original!

> ¡Nunca se sabe a menos que pregunte!

Puede llegar un acuerdo para pagar menos: sólo pague el saldo inicial, sin toda la demás basura. Al efectuar los pagos, asegúrese de que no le cobren comisiones ni intereses. Este trato le da la posibilidad de pagar a través del tiempo cuotas accesibles.

Comience desde arriba

Hable con un supervisor. De todas maneras, el primer empleado de atención al cliente que responda su llamado deberá consultar con un supervisor, así que solicite hablar con éste directamente. Explíquele que intenta evitar la quiebra y que, en el caso de tener que declararla, ellos no conseguirían ni un centavo. Eso atrapará su atención. Por lo general, comprenden que poco es mejor que nada.

Usted les ofrece dinero sin rodeos y la posibilidad de que ambas partes eviten el camino de la agencia de cobranzas. Más vale pájaro en mano que no saber si alguna vez podrá atrapar alguno. Bueno, usted me entiende.

Si la compañía de la tarjeta de crédito decide vender el saldo de su cuenta a una agencia de cobranzas, puede que no recuperen el saldo total. Es muy poco probable que obtengan tanto como el total, tal vez sólo consigan un porcentaje. La oferta que usted propone puede ser el mejor trato que podrían hacer. No cuesta nada preguntar, así que debe intentarlo. ¡Esto puede ayudarlo a ahorrar miles de dólares de una deuda innecesaria!

Por cierto, Isabel, una fiel lectora de nuestro público, atravesó la misma situación. Debía muchísimo, tanto como 33800 dólares. Su marido vio una publicidad una noche muy tarde y quiso tomar la oportunidad de leer *Curas Para Sus Deudas*. Isabel no tenía demasiada fe pero compró el libro para apaciguar a su marido, además, reconoce que sentía curiosidad.

Ella leyó el libro y llevó los consejos a la práctica en seguida. Armada con estas sugerencias, levantó el teléfono, tomó aire y exigió (muy educadamente, por supuesto) hablar con un gerente. Explicó que jamás podría pagar el saldo total, pero antes de que transfirieran la deuda a una agencia de cobranzas prefería llegar a un acuerdo con el acreedor sin intermediarios. Ofreció pagar una parte de la deuda, el único monto que realmente podía cancelar. Gran parte del total consistía en intereses y comisiones acumulados.

El gerente no accedió de inmediato pero tras algunas idas y venidas Isabel recortó la deuda monstruosa de 33800 dólares a tres pagos ínfimos de 1800 dólares. ¡Mediante una sola llamada telefónica pudo ahorrar 29000 dólares! Obtuvo un rendimiento de su inversión en *Curas Para Sus Deudas* casi mil veces superior al costo del libro. ¡Ésas son las historias exitosas que me encanta oír!

Isabel, al igual que muchos de nosotros, solía tener terror a los cobradores de deudas. Pero después de leer *Curas Para Sus Deudas* aprendió de qué manera puede utilizar el sistema a su favor. Compartió su historia y sus estados de ánimo con nosotros: "Estoy en condiciones de hablar con los acreedores e impedir que me acosen. ¡Ya dejaron de llamarme!".

Funciona

Monica tenía una deuda de tres mil dólares con la tarjeta de crédito y simplemente no podía pagarla. Era madre soltera, trabajaba como mesera para cuidar de su madre enferma y de sus dos hijos. Cuando terminaba de pagar la renta, los gastos del coche, la comida y las demás necesidades básicas, se quedaba sin un centavo. Las cuentas de la tarjeta de crédito se iban a las nubes cada mes debido a los intereses y a las comisiones por pagos fuera de término; Monica comenzaba a sentir pánico. No quería padecer el acoso de una agencia de cobranzas y sabía que el monto de su saldo era un robo a mano armada. Sus hijos y su madre necesitaban vivir en paz, así que Monica respiró hondo y levantó el teléfono.

Explicó su situación al representante de atención al cliente y tuvo que repetir todo de nuevo al gerente. Ofreció pagar el saldo pero sin los gastos extra que se habían acumulado. El vecino de al lado, que es contador, redactó una carta de dos oraciones en papel con membrete para informar la situación de Monica. El capital contable demostraba que Monica no estaba en condiciones de pagar los intereses y las comisiones que se habían acumulado. Apenas si podía pagar la deuda original de novecientos dólares. ¡Monica no podía creer que aceptaran su oferta! Ahora le cuenta a todo el mundo que los consejos de *Curas Para Sus Deudas* son realmente la receta del éxito.

David, otro lector, contrajo una gran deuda cuando un amigo suyo tomó dinero prestado de su línea de crédito para abrir una florería. La tasa de interés trepó a un porcentaje fuera de control, al veintisiete por ciento. Después de algunas llamadas, consiguió reducir la tasa a… un poco de suspenso… ¡Cero por ciento durante cinco meses! Después de los cinco meses, la tasa aumentó sólo al diez por ciento. Después de todo lo dicho, ¡David se valió de *Curas Para Sus Deudas* para pagar sólo veinte centavos por cada dólar de la deuda!

Otra lectora escribió para contarme que éste era uno de los libros más útiles que había leído en su vida y que logró reducir la tasa de interés de su tarjeta de crédito del 31 por ciento al diez por ciento; además, ayudó a una amiga a realizar la llamada telefónica para reducir una tasa del quince por ciento al uno por ciento. Afirma: "Es sorprendente. Ahora tengo una misión que cumplir".

Usted también puede unirse a esta misión. Nunca lo sabrá a menos que lo intente; por otra parte, no tiene absolutamente nada que perder. ¡Así que haga algunas llamadas y cuénteme cómo le fue! Podría ser algo así:

—Gracias por comunicarse con la Compañía de Tarjeta de Crédito Insólita. Esto es atención al cliente. ¿En qué puedo ayudarlo?

—Necesito hablar con alguien acerca del saldo de mi tarjeta de crédito, tal vez con un supervisor. No puedo pagarla bajo ningún punto de vista, y el monto que debo se duplicó a causa de todas las comisiones que ustedes agregaron. Realmente tengo que conversar sobre este tema.

—Habla el gerente, ¿usted qué sugiere?

—Sugiero que lleguemos a un acuerdo para evitar la bancarrota y evitarles a ustedes la transferencia de mi cuenta al departamento de cobranzas. Si observa mi historial, verá que soy un buen cliente. Hace mucho tiempo que tengo esta tarjeta de crédito. Utilicé la tarjeta para hacer las compras de las fiestas en diciembre y después perdí mi empleo, por eso no pude pagar el saldo en su totalidad. Hago pagos mensuales, pero los intereses y las comisiones se suman más rápido de lo que puedo pagar. Sugiero que revisemos cuánto debía originalmente y que ustedes me permitan pagar esa suma. El resto son comisiones y no tengo dinero para pagar nada más que aquello que compré. ¿Le parece bien?

Lo sorprenderá enterarse de que las compañías de tarjetas de crédito en verdad estarán dispuestas a negociar. La mayoría de la gente no sabe cómo pedirlo y las compañías de tarjetas de crédito obviamente no se lo dirán. ¡Qué técnica grandiosa para recortar la deuda!

Tres técnicas increíbles

Demasiado a menudo, las personas que están inmersas en problemas de deudas se sienten atascadas. Desean emprender el camino nuevamente, pero no saben cómo hacerlo. ¡Ahora usted ya sabe que todo es posible! ¡La gente obtiene resultados sorprendentes día a día porque dieron el primer paso!

Nunca piense que no puede salir de la deuda. ¡Sí, puede!

CLARO QUE PUEDE:

✔ ¡Elimine la deuda! ¡Quede cien por ciento limpio!

✔ ¡Negocie la deuda! ¡Reduzca la deuda en hasta un cincuenta por ciento, un 75 por ciento o aún más!

✔ ¡Reduzca la tasa de interés que paga! ¡Reduzca las tasas de interés, recorte los pagos y la deuda a la mitad, redúzcala en dos tercios o más!

El éxito atrae más éxito. Si obtiene tan sólo una victoria, por más pequeña que sea, ¡ya estará en el camino correcto!

Lo que no debe hacer

Sin embargo, saber lo que no debe hacer es tan importante como saber lo que sí debe hacer.

A menudo, la gente que está ahogada en deudas tiene la falsa idea de que declararse en quiebra es lo único que puede salvarlos. Adondequiera que usted mire hay un aviso de un estudio de abogados que se dedica a declarar quiebras y le ruega que acuda a ellos. Están en la televisión, en la radio, en Internet. Están en todos lados. No es de extrañar que la gente tenga el concepto de la bancarrota metido en el cerebro. Estos abogados están plantando la semilla.

Evite la quiebra

Ahondaremos en los asuntos relacionados con la quiebra más adelante pero, por favor, tenga en cuenta que si mantiene un reporte de crédito con información positiva y un buen puntaje de crédito podrá evitar el camino de la bancarrota. Con el libro *Curas Para Sus Deudas* usted no tendrá que presentar la quiebra. Usted no es Cenicienta; por eso, no crea que la quiebra es el hada madrina que lo salvará de todos los problemas. No se trata de una solución para todo, de ninguna manera. Los préstamos estudiantiles, la pensión alimenticia y las asignaciones familiares no desaparecerán.

> Desconfíe de la consolidación de la deuda y la quiebra

Pero sé que la quiebra ocurre. Especialmente cuando se trata de gastos médicos. La industria de la medicina suele ser muy agresiva en lo que a cobranzas respecta. Las cuentas por atención médica empeoran aún más la situación y pueden traer aparejados trastornos emocionales, problemas de salud y preocupaciones económicas.

El hijo de Guadalupe nació con lo que parecía ser una obstrucción en la garganta. Tuvo que permanecer en la unidad de cuidados intensivos durante tres días de improviso. Guadalupe recibió una cuenta por 35 mil dólares. Su cuenta de ahorros se había evaporado y no tenía dinero para pagar esos gastos. Guadalupe se vio obligada a declarar la bancarrota. Por si esto fuera poco, la deuda fue transferida a una agencia de cobranzas que argumentaba que la quiebra no la eximía de pagar esos gastos. Para Guadalupe y todas las otras personas que estén al borde del naufragio, *Curas Para Sus Deudas* es el bote salvavidas que esperaban.

La quiebra no es la solución rápida a todos los problemas, aunque algunos abogados de dudosa reputación así lo sostengan. Si usted declara la quiebra, tal vez no le nieguen la posibilidad de obtener un crédito por el resto de su vida, pero sí le cobrarán comisiones astronómicas. Si usted declaró la bancarrota, no se suma en la desesperación. Le mostraré algunas maneras de reconstruir el crédito.

Desconfíe de la "reparación de crédito"

A propósito de este asunto, es importante que usted comprenda que puede reconstruir el crédito pero para eso, por lo general, no hace falta contratar servicios de "reparación de crédito". Manténgase alejado de ese tipo de empresas o, debería decir, "estafas". Los profesionales que trabajan en ese tipo de negocios le quitan dinero a la gente y a cambio *fingen* editar los informes para que éstos reflejen solamente la información positiva. Eso es imposible.

Como leerá más adelante, si la información es precisa, a pesar de ser negativa, de todas formas permanecerá en el reporte de crédito. Si la información es inexacta usted no necesita pagarle a alguien para que la cuestione. ¡Puede hacerlo usted mismo! Normalmente, los servicios de reparación de crédito apuntan a los que atraviesan problemas económicos y están desesperados por salir del embrollo. Pero ése no es el camino.

No consolide la deuda – ¡Elimínela, negóciela o reduzca la tasa de interés!

Las agencias de consolidación de la deuda, por lo general, tampoco son la salida. Muchos creen que son la solución mágica para todo, pero el trabajo de estas empresas consiste en tomar la deuda y agregarla a un nuevo préstamo, en teoría, con una tasa de interés más baja de la que usted había estado pagando por todos los demás saldos. ¡Usted puede conseguir tasas más bajas por su cuenta! No es necesario pagarle a una agencia; algunas compañías de consolidación de la deuda cobran comisiones exorbitantes y tasas de interés monstruosas. Por medio de *Curas Para Sus Deudas* le enseñaré de qué manera puede reducir la deuda o incluso eliminarla por completo, no simplemente consolidarla.

Otra opción muy publicitada es el asesoramiento crediticio. Sin embargo, el hecho de utilizar esta clase de servicio para "ayudarlo", en realidad, solía ir en detrimento del reporte de crédito. Hoy en día las agencias de reportes de crédito comprenden que si usted intenta mejorar el crédito; eso es algo positivo, entonces su puntaje no se ve afectado. Básicamente, se supone que un asesor de crédito le enseña cómo manejar la deuda, por ejemplo, al darle el consejo archiconocido de "cortar las tarjetas de crédito". Además, negocian con los acreedores, pero ahora usted sabe que puede hacerlo por su cuenta.

Las agencias de asesoramiento crediticio suelen ser organizaciones sin fines de lucro, no obstante, cobran una comisión. ¿Por qué debería pagar esa comisión? ¡No lo haga! Si ya acudió a una agencia, puede comunicarse con la organización National Foundation for Consumer Credit Counseling [Fundación Nacional para la Asesoría Crediticia al Consumidor] a través de la página web http://www.nfcc.org o llame al 800-388-2227 para averiguar si tienen buena reputación.

Libérese

Todos escuchamos la famosa frase del discurso inaugural de Franklin Delano Roosevelt: "No debemos temerle a nada sino al miedo mismo". Cuando la mayoría de la gente se encuentra enredada en una telaraña de deudas, ése es justamente el sentimiento que se apodera de ellos: el miedo. Temen que las agencias de cobranzas los acechen día y noche, temen perder la casa o que les embarguen el coche, temen perder el empleo. Es horrible vivir de ese modo. El temor hace que algunos actúen de forma apresurada y, por ejemplo, se declaren en quiebra; a otros, en cambio, el miedo los paraliza. Se quedan inmóviles y permiten que los depredadores se aprovechen de ellos y los maten con aumentos en la tasa de interés y comisiones exorbitantes.

Deber dinero puede ser realmente abrumador. Para controlar la situación solamente se necesita respirar hondo y actuar paso a paso. Normalmente, cuando la gente se siente tensionada es porque no sabe qué hacer. *Curas Para Sus Deudas* le explica qué pasos dar.

Los bancos, las compañías de tarjetas de crédito y las instituciones financieras no son los dueños de su vida. Siga los pasos que detallé previamente. Haga las llamadas telefónicas. Negocie. Esos pasos lo llevarán del miedo al control. El peor miedo de todos es el miedo a lo desconocido, pero ya lo disipamos.

¿Recuerda el caso de Isabel, la lectora que tenía una deuda de 33800 dólares y mediante una negociación la redujo a menos de seis mil? Ella asegura que lo único que hizo fue emplear las técnicas probadas de este libro y así salvó su vida económica: "Si pone en práctica los consejos del libro, funcionarán".

Guillermo, otro lector satisfecho, escribió: "El conocimiento no es poder, sólo el conocimiento APLICADO es poder". Guillermo expresa lo que yo mismo pienso de forma encantadora: "Si usted quiere seguir siendo deudor… y desea seguir gordo, fastidioso y con problemas de salud, entonces no lea libros". Guillermo piensa como yo, me alegra que lea mis libros. Añade: "Usted debe aplicar lo que aprendió. No lo lamentará".

¡Yo no podría haberlo dicho mejor!

CAPÍTULO 7

Defenderse

*"Generalmente la verdad es la mejor
vindicación contra las calumnias."*
Abraham Lincoln

Abraham Lincoln también dijo: "¿Cuántas patas tiene un perro si dicen que la cola es una pata? Cuatro, porque por más que digan que la cola es una pata, no lo es".

El propósito fundamental de mi vida es iluminar. Vivo para iluminar a la gente y revelar la verdad. ¿Por qué el hecho de decir la verdad debería ser motivo de alarma? No hay ninguna razón valedera por la que deba ser censurado por explicarle al consumidor cómo funciona realmente la industria de los créditos. Cuando hay algo bueno para comentar lo hago con alegría. Me parece maravilloso y lo disfruto muchísimo. Me encanta compartir las buenas noticias. Pero, por otro lado, cuando las cosas no están tan bien, mi misión es describir la situación tal cual es.

Sí, reconozco que defenderme me hace sentir bien.

Ellos juegan sucio

A veces, es escalofriante lo que las compañías de tarjetas de crédito, los bancos, las compañías que otorgan préstamos hasta el día de pago siguiente, los corredores de hipotecas y las instituciones de préstamo son capaces de hacer. Una mujer muy pobre y su hijo discapacitado mental tenían problemas para pagar las cuotas de la casa. Se supone que el prestamista los convenció para que firmaran los formularios de un nuevo préstamo que tampoco podían pagar; ahora podrían perder la casa. El hijo adulto de la mujer no estaba en condiciones de firmar, pero el prestamista le hizo copiar su nombre en letras de imprenta para firmar el contrato. La realidad es más extraña que la ficción. Odio que se aprovechen de la gente; sacar a la luz la verdad es la gran meta de mi vida.

Duncan McDonald, el ex asesor general de Citibank apareció en televisión y comentó que las comisiones se convirtieron en una fuente de ganancias para las compañías de tarjetas de crédito y que los ingresos en forma de comisiones se incrementaron mucho más rápidamente que los intereses. Las comisiones y las multas son tres o cuatro veces más altas de lo que solían ser menos de diez años atrás. Por lo tanto, la deuda que lo aplasta es un monstruo relativamente nuevo. De hecho, McDonald dio a entender abiertamente que creamos una especie de Frankenstein.

Brilla con la luz de la verdad

Eduardo y Susana, sus vecinos y muchas personas más tienen deudas tan pesadas que parecen grilletes con bola. Si el peso de sus problemas de dinero y la preocupación no lo dejan dormir de noche, no está solo. La necesidad de aliviar ese peso es lo que me mantiene en vela y alimenta mi deseo de enfrentar a los depredadores. Todo aquel que conozca los secretos, todo aquel que tenga acceso a cierta información privilegiada tiene la obligación de compartir lo que sabe. ¿Cómo decía ese bonito y confuso refrán? *Una vela no pierde nada al encender otra vela.* Cuando termine de leer este libro, usted será una fuente de luz, sabiduría y vida; usted también podrá iluminar las vidas de sus amigos y su familia con esta información. El conocimiento es poder, justamente la clase de poder que ellos no quieren que usted tenga.

Quieren que tenga miedo. Quieren que se sienta intimidado. Así es como funciona el sistema. Los cobradores de deudas están entrenados para acosar y poner en práctica las tácticas del terror. Usted no tiene que cargar con el yugo de la deuda por siempre. De hecho, puede comenzar de cero e iniciar el camino hacia la riqueza cuando termine de leer este libro. Puede crear un nuevo perfil crediticio. Puede volver a empezar y así construir una personalidad financiera totalmente distinta.

Usted puede enfrentarlos

Puede hacerlo usted mismo. No es necesario que sea un genio de las leyes o de las finanzas. Sólo siga los pasos que expliqué y lo logrará. El proceso consta de dos partes: 1. Salga de una deuda mala y 2. Emplee una deuda buena para construir su riqueza.

No, los pasos no son contradictorios. Présteme atención durante los siguientes capítulos y así podrá iniciar el camino hacia la libertad económica. Si está en contacto con agencias de cobranza o compañías de tarjetas de crédito, ya conoce algunas técnicas únicas que literalmente pueden ahorrarle miles de dólares. De veras, unas pocas llamadas telefónicas pueden hacer que ahorre miles de dólares. ¡Algunos de ustedes incluso podrán eliminar la deuda por completo! ¡El cien por ciento de la deuda!

Estas técnicas sencillas no son de conocimiento público, pero una vez que este libro las difunda, ¡lo serán! La mejor manera de llamar la atención de alguien es meterse con su bolsillo. Si unas cuantas personas comienzan aplicar estas técnicas, la industria lo notará. La única manera de hacer que las tarjetas de crédito modifiquen sus prácticas es hacer algo al respecto.

Sea un caso exitoso

Mi amigo Pablo debía ochenta mil dólares y se vio obligado a declarar la quiebra. De los ochenta mil dólares que lo tenían enterrado, cincuenta mil eran intereses, comisiones y multas de la tarjeta de crédito. Pablo había gastado sólo treinta mil realmente; si el monto de esa deuda no se hubiera incrementado, él podría haberla pagado. La deuda casi se triplicó a causa de los métodos bajos y sucios de las compañías de tarjetas de crédito. La industria lo obligó a declararse en bancarrota. Pablo pasó por algunos momentos de desesperación y pánico; sin embargo, afortunadamente, aprendió los métodos para reducir la deuda y crear la riqueza. Ahora es el turno de Pablo para reírse durante todo el camino

> ¡Pablo pasó de la bancarrota a tener una casa de más de un millón de dólares!

al banco. Mejoró su crédito, al punto que vive en una casa de más de un millón de dólares y tiene los ingresos y el crédito suficientes para pagar su hipoteca de 1,2 millones. Pablo no es el único caso exitoso. Mediante estos métodos, miles de personas pudieron superar lo que parecía ser una deuda de por vida.

Raúl tenía dificultades para organizarse y manejar los negocios. Se vio obligado a declararse en bancarrota, ¡no una ni dos veces, sino tres! ¡A propósito de perseverancia! Raúl aprendió cómo quitarse de encima una deuda mala de una vez y para siempre. Cambió su vida por completo. Reducir la deuda y utilizar el crédito de manera correcta marcó la diferencia. Ahora Raúl es millonario y cuenta con una gran cantidad de negocios rentables y exitosos, además es un conocido filántropo que dona grandes sumas de dinero a fundaciones de caridad.

Andrés tenía una deuda de cuarenta mil dólares con una compañía de tarjetas de crédito. La compañía había vendido la deuda —por centavos— a una agencia de cobranzas cuyos negocios son muy rentables, dado que compra préstamos impagos y obliga a la gente a llegar a acuerdos que no pueden pagar. Gracias a los métodos de *Curas Para Sus Deudas*, Andrés logró reducir la deuda de cuarenta mil dólares a tan sólo catorce mil. Se deshizo del 65 por ciento de la deuda. Esto fue muy significativo a la hora limpiar su reporte de crédito y aumentar su puntaje de crédito.

Eso es lo que usted puede hacer. Limpie su deuda, aumente su puntaje de crédito. Adiós a lo viejo, bienvenido lo nuevo. Adiós a la deuda mala, bienvenida la riqueza. Una de las mejores inversiones que usted hizo en su vida fue comprar este libro. Estoy ansioso por escuchar su historia exitosa.

¡Preparados, listos, ya!

Cuando estábamos en la escuela primaria, nuestros padres y maestros nos enseñaron que debíamos ser honestos y justos y que a los tramposos nunca les iba bien, pero, lamentablemente, cuando nos convertimos en adultos nos dimos cuenta de que a veces los que "no se portan bien" se quedan con todas las canicas de cualquier modo. En lugar de decirles: "Te espero en el parque a la salida de la escuela" y arreglar el asunto a puñetazos, contamos con tácticas más maduras, pero, sin duda, podemos hacerles frente a los tramposos y a los matones. No tenemos por qué soportar ninguna clase de abuso.

Sé que hay muchísimos libros sobre deudas en las bibliotecas y en los estantes de las librerías. Por lo general, todos dicen lo mismo: corte las tarjetas de crédito, conserve sólo una para emergencias y manténgala en el refrigerador; ahorre dinero para alguna compra importante y páguela en efectivo. Este consejo no tiene nada de malo, pero da por sentado que fueron sus hábitos de consumo los que lo sumergieron en deudas. Nos hicieron creer que lo que origina las cuentas astronómicas es el comportamiento irresponsable del consumidor. Estoy aquí para decirle que el verdadero problema radica en los hábitos de la industria de los créditos; si dijéramos que ésta se comporta de manera irresponsable nos quedaríamos muy cortos.

Si Eduardo y Susana, los vecinos en quiebra y el resto de nosotros, es decir, los ciudadanos promedio que trabajamos arduamente, tuviéramos que pagar sólo nuestras deudas originales más un interés pequeño y justo, este país no padecería una epidemia de deudas. Eduardo y Susana analizaron las cuentas de la tarjeta de crédito y se dieron cuenta de que lo que habían gastado en un principio era sólo la mitad del monto total que adeudaban en el presente. El saldo que pagaban duplicaba el monto inicial. Los vecinos de al lado se llenaron de deudas con la tarjeta de crédito cuando la empresa para la que ambos trabajaban transfirió sus operaciones al exterior. Ambos se quedaron sin empleo. Acumularon más y más cuentas y creyeron que no tenían otra alternativa… excepto la de declararse en quiebra. Esto es algo que le ocurre todos los días a gente que conocemos: nuestros amigos, nuestros familiares, nuestros vecinos.

Gánele al matón

Todos los años se registra un número récord de bancarrotas. Desde 2003, hubo más bancarrotas que egresos de la universidad por año; la cantidad de estadounidenses que declara la quiebra supera la cantidad de personas que se divorcian en este país. El número de bancarrotas aumenta año a año. ¿Por qué? La horrible verdad es que los bancos y las compañías de tarjetas de crédito tienden trampas a los clientes para hacerlos fracasar.

¡Tome el control de su deuda, tome el control de su vida!

Quieren que permanezcamos endeudados de por vida porque así es como ganan dinero. Así es como obtienen —en las palabras de alguien que trabaja adentro de la industria— sus ganancias *obscenas*. Mi diccionario Encarta define la palabra *obsceno* como "ofensivo según los parámetros convencionales de decencia" y "moralmente ofensivo". Debo decir que las prácticas de esas organizaciones son verdaderamente ofensivas según mis parámetros de decencia y, en lo personal, me siento moralmente ofendido.

En lugar de ofendernos y sentir ganas de golpear a alguien, podemos hacer algo al respecto. Podemos aprender sus secretos y sus trampas y ver cómo sortearlas. Después, podemos contarles a todas las personas que conocemos lo que aprendimos y, también, enseñarles los secretos. Ése es el verdadero modo de pegarles donde les duele.

¿Por dónde debe comenzar?

Antes de que usted pueda hacer algo para salir del pantano de deudas en el que está sumergido, debe saber cuál es su situación económica. Para empezar, las compañías de crédito averiguan lo que usted también debería averiguar antes de dar cualquier paso: debe saber cuál es su puntaje de crédito y cómo se ve su reporte de crédito.

Los médicos primero evalúan su estado de salud mediante un examen de los síntomas. Después concluyen cuál es el problema y le ofrecen las alternativas o las soluciones con las que puede tratarse el malestar que lo aqueja. Si usted llega al consultorio con una úlcera sangrante, más vale que el médico no dirá: "Tómese dos aspirinas y llámeme por la mañana". En lo que al tratamiento de su bienestar económico respecta, usted debe aplicar el mismo criterio lógico, paso a paso.

Imagine que llega al consultorio del médico y lo saluda: "Hola, ¿qué tal? Tengo un dolor en el pecho". El médico apenas si lo mira y le responde: "Acuéstese en la camilla, le haré una cirugía a corazón abierto". ¿Acaso simplemente aceptaría eso, diría "está bien" y se recostaría en la camilla? De ninguna manera. Jamás ocurriría algo así. Lo que usted espera es que el médico lo revise, realice un examen completo y después sugiera cuál podría ser el problema y cómo curar la dolencia.

El mismo fundamento se aplica al dinero y a las deudas. Muchas personas llegan a la oficina de un asesor de crédito y exclaman: "¡Necesito ayuda! Estoy enterrado en deudas". El asesor les sugiere declarar la bancarrota o iniciar un plan de consolidación de la deuda y ellos aceptan ciegamente: "De acuerdo, lo que usted diga".

Debemos tratar nuestro bienestar económico con el mismo cuidado con el que tratamos nuestra salud física. Le recomiendo que examine en detalle su situación económica actual para determinar cuál es el problema y cómo resolverlo. Es increíble la cantidad de gente que cree ingenuamente que la bancarrota es la única solución para sus deudas. No me malentienda. Puede que en algunas ocasiones la quiebra sea la salida, pero son demasiados los que se declaran en bancarrota, y eso no necesariamente pone fin a su pesadilla. Nos explayaremos sobre este tema más adelante.

Para poder tomar el control de su deuda y, de ese modo, tomar el control de su vida, primero debe darse cuenta de que puede hacerlo. No tiene que pasarse la vida trabajando como un esclavo para llenar los bolsillos abultados de los que manejan las corporaciones de los Estados Unidos. No está atrapado en un callejón sin salida. Todos los problemas tienen solución. Jamás permita que ese pensamiento se le cruce por la mente. No importa que profundo sea el pozo en el que cayó, hay sogas lo suficientemente largas para rescatarlo. En verdad, no es tan difícil; delinearé la estrategia del juego que usted debe jugar.

El primer paso

El prestamista, la compañía de tarjetas de crédito o el banco que podría prestarle dinero no se fija en usted como persona, a ellos no les importa que usted esté vestido con un traje nuevo y elegante, ni que se haya afeitado para la entrevista, ni que se haya cortado el pelo. Puede ir al lugar de culto de su religión todos los fines de semana, trabajar como voluntario en desayunos de caridad y ser un ciudadano modelo, magnífico e intachable desde cualquier punto de vista. Hasta podría hacer la vertical y caminar con las manos por la avenida principal. Tal vez sea algo digno de admiración, pero los prestamistas sólo miran su reporte y su puntaje de crédito. Consiga una copia de estos documentos para saber qué es lo que ellos ven y cómo lo juzgan. Más importante aún es que se asegure de que la información que aparece en el reporte sea precisa.

¿De qué se tratan exactamente el reporte de crédito y el puntaje de crédito? Tengo una respuesta corta: son las herramientas que utiliza el prestamista o el acreedor para evaluar cuán merecedor de un crédito es usted. ¿Constituye usted un riesgo aceptable? ¿Pagará en término? Se calcula un puntaje exacto y el resultado varía entre los 300 y los 850 puntos. ¿Cómo y por qué existe esta escala? No lo sé. Supongo que sería más fácil emplear una escala del uno al diez.

En pocas palabras, el reporte de crédito y el puntaje de crédito construyen su reputación económica, por escrito, en una hoja. Si la compañía de tarjetas de crédito considera que su puntaje es demasiado bajo puede negarse a brindarle sus servicios. A juzgar por el modo en que operan hoy en día, es muy probable que se alegren por su bajo puntaje porque eso les permite darle tarjetas de crédito y cobrarle tasas de interés más altas. Prefieren que usted tenga un puntaje bajo para poder cobrarle comisiones más altas. De hecho, el sistema está diseñado para que usted siempre tenga un puntaje de crédito bajo. Aterrador, pero real. Explicaremos esto con detalle para que comprenda lo que ocurre, lo que traman los prestamistas y lo que usted puede hacer al respecto.

Agencias de reportes de crédito

En los Estados Unidos hay tres agencias que se dedican a realizar los reportes de crédito de la buena gente de este país. Si usted realizó cualquier tipo de operación crediticia, en el estado que sea, tiene un historial crediticio, y estas agencias redactan su reporte de crédito. Se trata de Experian, TransUnion y Equifax. Más adelante mencionaré sus direcciones y teléfonos. Las agencias de reportes de crédito solamente se encargan de brindar información sobre usted a los acreedores; los bancos son los encargados de decidir si usted califica o no para recibir un crédito. Los bancos y las compañías de tarjetas de crédito pagan una comisión a las agencias para que éstas les den información sobre usted y sobre sus hábitos respecto del dinero. Las agencias de reportes de crédito recopilan y actualizan su información de crédito y se la entregan a los acreedores, pero si lo solicita, también se la entregarán a usted.

El reporte de crédito

El reporte de crédito incluye todos los datos personales habituales más una lista de las compañías de tarjetas de crédito y los bancos con los que usted opera. Puede constar de varias páginas porque enumera todas las tarjetas de crédito, los préstamos hipotecarios, los préstamos estudiantiles, los préstamos automotores, préstamos sobre el valor líquido de la vivienda, etcétera. Básicamente, el reporte de crédito es un historial detallado de su vida y la de su dinero y sirve para mostrar si usted paga las cuentas en término o no. Cada una de las tres agencias más importantes de reportes de crédito utiliza un formato distinto, pero los datos que hacen al contenido son prácticamente los mismos.

El puntaje de crédito

Utilizan una fórmula matemática "secreta" para calcular su puntaje de crédito. Un puntaje alto significa que usted es más propenso a pagar las cuentas en término. El sistema de puntaje de crédito se complica bastante, pronto ahondaré en ese tema. De hecho, es probable que le ofrezca más detalles de los que quisiera oír, pero se trata de información importante que no puede dejar de conocer.

Según TransUnion, el puntaje de crédito de un individuo es un "cálculo matemático que refleja cuán merecedor de un crédito es determinado consumidor. El puntaje indica qué probabilidades hay de que cierto consumidor pague sus deudas". En un mundo de fantasía los acreedores podrían preguntarle al prestatario: "¿Pagará la deuda?". La persona que solicita el préstamo respondería: "Juro solemnemente que lo haré". Después, el prestamista diría: "¡Eso es suficiente para mí!"

Pero no vivimos en un mundo de fantasía. Quizás los prestamistas pueden confiar en nosotros, pero nosotros no podemos confiar en ellos.

Es un juego de números

A los bancos y a las compañías de tarjetas de crédito les gusta la idea de utilizar un puntaje de crédito porque ese método está diseñado para hacernos pagar tanto como sea posible por la mayor cantidad de tiempo posible. Entonces intentan hacer que el sistema de puntaje tenga un aspecto oficial y complicado y tratan de explicar que emplean el puntaje de crédito para ser "justos".

Esto es cierto en algunos aspectos. El objetivo original de los reportes de crédito y los puntajes de crédito era evaluar si una persona era merecedora de un crédito o no mediante cifras e información. Se suponía que mediante este método, todos los prestamistas podrían contar con la misma información y así decidir de forma objetiva si debían o no otorgar un préstamo o una tarjeta de crédito a alguien. El reporte de crédito es como un gran boletín de calificaciones que contiene información sobre todos los exámenes de crédito que usted rindió. La mayoría de nosotros ni siquiera sabía que estaba rindiendo un examen. Todos los meses los sabuesos reciben información sobre nuestros hábitos de pago. Contar con un modo que permita seguir el rastro de los registros de crédito de una persona constituye una buena herramienta para los prestamistas. No obstante, éste no es un buen sistema para el consumidor.

Con el correr del tiempo, el sistema se transformó. Lo que ellos no quieren que usted sepa es que el sistema de puntaje de crédito está diseñado para funcionar en *detrimento* del consumidor. A los bancos les agrada la forma en que el puntaje de crédito les permite hacer negocios porque el cálculo del puntaje está concebido para que ellos nos tengan apresados por el cuello durante mucho, mucho tiempo.

No sólo para usted

Ahondaremos en los puntajes de crédito, los reportes de crédito y las agencias de reportes de créditos más adelante, pero por el momento, es importante que usted esté familiarizado con los términos que ellos emplean. Un reporte de crédito es un tesoro oculto y confiable de información sobre usted y su dinero. La información que se incluye no le incumbe a nadie excepto a usted. Y al gobierno. Y a las compañías de tarjetas de crédito. Y a los bancos. Y a los corredores de hipotecas. Y a…

¿Se pregunta si además de los bancos y los prestamistas hay alguien más que pueda tener acceso al reporte de crédito? Definitivamente sí hay alguien más. ¿Quiénes más están autorizados a echar un vistazo? Un montón de gente. Cualquier compañía, individuo o agencia del gobierno puede solicitar un reporte de crédito porque para llevar a cabo sus negocios legítimos tienen que realizar operaciones con el consumidor. Éstas son algunas de las razones valederas que tiene una empresa para revisar su reporte de crédito y su puntaje de crédito: consideraciones para otorgar créditos, revisión o cobranza de una cuenta, consideraciones de tipo laboral, suscripción de seguros, una posible sociedad, acreditación de seguridad o contratos de arrendamiento. Los reportes pueden emitirse a pedido —por escrito— del consumidor o de un tribunal.

¿Cuán privada es su información privada?

En resumidas cuentas, para los funcionarios del gobierno está bien que una gran cantidad de personas tenga acceso a su reporte de crédito. Se supone que sólo lo hacen para tomar una decisión respecto de usted y de sus méritos para acceder a un crédito. Los sospechosos habituales son los siguientes: los arrendadores (actuales y posibles), los empleadores (actuales y posibles), las compañías de seguros, las agencias de la manutención del menor, las agencias del gobierno (porque forman parte del gobierno), las compañías de protección de la identidad (obviamente, si usted las contrató) y, por supuesto, cualquier posible prestamista. Y su mamá también.

¡Caramba! La lista es bastante larga; el último ítem lo incluí para ver si estaba prestando atención. Son muchos los ojos que tienen acceso a su información privada, no obstante, su madre no tiene derecho legal a leerla, a menos que usted le de una autorización por escrito.

Cada vez que alguien consulta su perfil de crédito, eso afecta su puntaje. A menos que se trate de una consulta simple, como por ejemplo, una compañía de tarjetas de crédito que lo investiga para llevar a cabo sus negocios habituales. Si la cantidad de ofertas de tarjetas de crédito que llegan a su buzón día a día sirve como indicador, este tipo de consultas simples ocurren muy a menudo.

¿Entendido?

Las compañías de tarjetas de crédito informan a las agencias de reportes de crédito cada movimiento que usted hace con las tarjetas, los préstamos automotores, los préstamos estudiantiles, las hipotecas y cualquier tipo de préstamo bancario. Eso es lo que hacen: informan su crédito.

Pareciera que todo el mundo puede ver su informe de crédito, sin embargo, la mayoría de nosotros no vimos el nuestro. Si los bancos y las compañías de tarjetas de crédito miran su reporte de crédito todos los días para embrollarlo con la tasa de interés, es importante que usted también sepa cómo leer el reporte de crédito.

¿Y si le digo que la diferencia entre una persona con un buen puntaje de crédito y una persona con un mal puntaje de crédito puede ser de hasta un millón de dólares? ¿Logré que me prestara atención? Eso pensé. Es lógico que cuanto mejor sea nuestro puntaje de crédito, mejores tasas obtendremos y mejor será nuestra situación económica. ¿Pero cuánto mejor? Según el sitio TheStreet.com, la diferencia es de un millón de dólares.

El artículo publicado en http://www.thestreet.com/newsanalysis/opinion/10371800.html se lo explicará. Un tipo con un mal crédito paga más por el auto, la casa, el seguro, todo. En el lapso de treinta años la diferencia entre lo que él paga y lo que paga un hombre con un buen crédito es enorme. Si calcula el dinero perdido en el pago de intereses que podría haberse invertido para generar intereses, el total podría ascender a un millón de dólares o incluso más. Imagíneselo, ¡arruinar su posibilidad de ser millonario por el mero hecho de tener un mal crédito!

Jeffrey Strain, el autor del artículo, presenta algunos números. El costo nacional promedio de una casa es superior a trescientos mil dólares. El hombre que tiene un buen crédito consigue una hipoteca de trescientos mil dólares a treinta años por menos del 6,5 por ciento. Al hombre que tiene un mal crédito le dan una tasa de interés de más del diez por ciento. En lo que dura ese crédito a treinta años paga 288,000 dólares más.

Más tarde, ambos caballeros compran un coche nuevo. El señor Buen Crédito consigue una tasa de interés del siete por ciento sobre un préstamo de veinticinco mil dólares. Al señor Mal Crédito le dan el doble de tasa: 14,9 por ciento. Durante los tres años del préstamo paga aproximadamente 3200 dólares más por el mismo coche. Además, lo que ocurre con los coches es que no los conservamos para siempre.

Entonces, cada vez que el señor Mal Crédito necesita financiación para comprar un coche nuevo, paga más, lo que equivale a diecinueve mil dólares más de lo que paga el señor Buen Crédito durante los treinta años del préstamo.

Al señor Mal Crédito le cobran tasas de interés más altas en sus tarjetas de crédito. La deuda promedio que tiene con las tarjetas de crédito es de 2200 dólares; si usted compara una buena tasa de interés del nueve por ciento con una mala tasa de interés del veinte por ciento la diferencia supera los 7200 dólares.

Imagínese que el señor Buen Crédito, que no paga intereses extra, invierte ochocientos dólares por mes (la diferencia entre la cuota de su hipoteca y la cuota del señor Mal Crédito). Con una tasa anual compuesta del ocho por ciento durante treinta años, el señor Buen Crédito gana 1,2 millones de dólares. ¡Si esto no hace que usted reaccione, nada lo hará!

Así que nunca dude de que el puntaje de crédito sea importante y recuerde que usted desea ser el señor o la señora Buen Crédito. Así que si este lío de los reportes de crédito lo aburre, sólo piense en "un millón" y logrará recuperar la capacidad de concentración.

CAPÍTULO 8

El que obtiene más puntos gana

*"Todas las victorias son maravillosas, pero siempre hay
alguien que se distingue del resto."*
Michael Andretti

Al igual que en la mayoría de los deportes y juegos —el golf es la única excepción que se me ocurre— los que obtienen el mayor puntaje son los que ganan. En lo que al puntaje de crédito respecta, los individuos que tienen los puntajes más altos son quienes obtienen mejores tasas de interés y ofertas de crédito con las comisiones más bajas. Tanto a Spock como a mí nos parece lógico suponer que los prestamistas están más interesados en las personas que demostraron constituir un riesgo aceptable, es decir, aquellos que pagan sus cuentas en término y que cancelan sus saldos cada vez que reciben el resumen. Pero para nuestra sorpresa, la gente con puntajes de crédito promedio o por debajo del promedio son los que hacen que a las compañías de tarjetas de crédito se les haga agua la boca como si estuvieran frente a un bistec jugoso.

Este grupo de nivel medio es el que hace brillar los ojos del banquero y el que rellena su cartera. Ésta es la clase de persona que utiliza créditos, que efectúa pagos fuera de término de vez en cuando, que a veces se excede del límite y que, principalmente, le da al banquero muchísimas oportunidades para azotar al prestatario con comisiones, comisiones y más comisiones.

Ése es el máximo objetivo de las compañías de tarjetas de crédito; en realidad, no quieren a las personas que constituyen un riesgo de crédito excelente y que cancelan sus saldos mes a mes. Lo que realmente quieren es prestar dinero a los que tienen un saldo deudor, aquellos a los que pueden quitarle todo, centavo a centavo, hasta que la muerte haga lo suyo. No estaría tan mal si las comisiones consistieran en centavos, pero las comisiones por pagos fuera de término, las comisiones por excederse del límite y las comisiones que cobran simplemente por darle al individuo el privilegio de tener una tarjeta de crédito pueden ser de 50, 75 o incluso 100 dólares por tarjeta.

Las personas que apenas pueden realizar el pago mensual, como Eduardo y Susana, y muchos otros estadounidenses que caen en este pozo viven pagando de manera constante y juegan al gato y al ratón hasta el final de sus días, atrapados en el eterno círculo vicioso de las comisiones. Los banqueros y prestamistas codiciosos lo saben perfectamente; ésa es la clase de prestatario que se convirtió en carne de cañón para la industria de los préstamos y mes a mes los acreedores toman nuevamente la porción que les toca. Cuando los prestamistas de créditos al consumidor ven esta clase de reportes de crédito y de puntajes de crédito, no ven un riesgo de crédito malo, ven el *signo del dólar*.

¿Quiénes son los malos pagadores?

¿Usted es un "mal pagador" para las compañías de tarjetas de crédito?

En un documental de *PBS* (Servicio Público de Divulgación) llamado *Secret History of the Credit Card* [La historia secreta de las tarjetas de crédito], Ben Stein, el autor, actor y ex conductor del programa "Win Ben Stein's Money" [Gana el dinero de Ben Stein], exhibe la pila de tarjetas de crédito de diez centímetros de alto con la que viaja por el mundo. Ben afirma que la cartera que lleva en el bolsillo de la chaqueta es tan gorda debido a la gran cantidad de tarjetas que tiene que lo hace ver como si tuviera un tercer pecho. Ben usa las tarjetas de crédito y gasta miles y miles de dólares por mes. Es un hombre rico, gasta muchísimo dinero con crédito; el sueño de los banqueros, ¿verdad? Nada de eso. Ben paga los saldos en su totalidad y en término todos los meses. Dice que la industria de tarjetas de crédito odia a la gente como él y tuvo la oportunidad de confirmarlo. Se encontró con un conocido de la escuela secundaria que trabaja para una importante compañía de tarjetas de crédito, y este hombre le aclaró específicamente: "Odiamos a la gente como tú. Los llamamos los malos pagadores".

¿No es eso contradictorio? Los que actúan en forma correcta y responsable reciben el apodo de "malos pagadores" por parte de los que trabajan en la industria de los créditos. A propósito de calumnias. Esto sólo demuestra que la industria de los créditos al consumidor se volvió muy retorcida, además, creen que tienen derecho a mucho más de lo que en verdad les corresponde. Esperan y desean ganancias atroces, pero no se proponen ganar dinero mediante esfuerzos honestos; quieren engañar al público estadounidense y sentarse a contar las pilas de monedas como si fueran Ebenezer Scrooge.

Las grandes ganancias de las compañías de tarjetas de crédito provienen de los noventa millones de personas que no cancelan las deudas de la tarjeta de crédito en término mes a mes. En la jerga de la industria, estas personas se conocen como "los que renuevan los préstamos" y ellos constituyen el grupo objetivo, aquellos a los que los bancos, los prestamistas y las compañías de tarjetas de crédito quieren tener acorralados. Edward Yingling, el presidente de American Bankers Association [Asociación Estadounidense de Banqueros] llamó a "los que renuevan los préstamos" el "postre más delicioso". Ellos, los banqueros, tienen muchas tácticas, prácticas deliberadamente confusas para mantener a los que renuevan los préstamos exactamente donde ellos quieren, dando vueltas y más vueltas en la puerta giratoria del crédito. Las puertas giratorias me marean y la industria de los créditos me pone furioso. La mejor manera de vengarse es desquitarse. ¿Cómo lo hacemos? Conseguimos nuestros reportes de crédito y puntajes de crédito y tomamos el control. No tenemos por qué ser los peones de su juego millonario. Una vez que sabemos qué hacen y cómo lo hacen, dejamos de estar bajo su pulgar. Empecemos por donde ellos lo hacen: a partir del reporte de crédito.

¿Qué hay en su reporte de crédito?

Tal vez usted cree que estoy loco, pero pienso que Eduardo, Susana y usted deberían organizar una fiesta de reportes de crédito. Inviten a un grupo de personas y compartan con ellos los conocimientos que adquirieron gracias a Curas Para Sus Deudas. Si usted conoce un buen restaurante, se lo recomienda a todos sus amigos, ¿verdad? Entonces, si descubre cómo salir de las deudas y cómo iniciar el camino hacia la riqueza, también debería decírselo a sus amigos. Encienda la computadora y juegue el póker del reporte de crédito. Aquel que obtenga la mayor cantidad de puntos, gana. Algunos jugadores tal vez prefieran mantener en privado su información privada y no divulgar su puntaje. Aún así, pueden participar, conseguir su reporte en línea y enterarse de lo que deben hacer para mejorar el puntaje. Cuando todos ustedes hayan salido de la deuda y sean millonarios, los invitados de la fiesta le agradecerán por haber compartido los consejos con ellos. No bromeo. Más adelante explicaré de qué manera puede obtener una línea de crédito de hasta un millón de dólares.

Todo comienza con el reporte de crédito. El formato puede variar según la agencia de reportes de crédito que provea la información, pero los datos deberían ser los mismos. Todos los reportes de crédito incluyen cuatro categorías principales: la información de crédito, la información que proviene del archivo nacional, las consultas de su historial de crédito e información personal realizadas por terceros.

Nº 1: Información personal

Lo habitual: nombre, número de seguro social, fecha de nacimiento, domicilio actual y anterior, números de teléfono y empleadores actuales y anteriores. El día que el gobierno comience a asignar números de serie a los consumidores, estoy seguro de que se incluirán en el informe. Los saldos de sus cuentas corrientes y de ahorros NO se incluyen en el informe de crédito; tampoco se incluyen datos sobre sus afiliaciones, sus orígenes, su religión, datos que figuren en registros médicos ni información sobre problemas judiciales pasados.

Nº 2: Información sobre créditos

Aquí está todo: lo bueno, lo malo, lo horrible… y lo aburrido. En esta sección se incluyen los detalles de todos los préstamos y todas las tarjetas de crédito que usted tuvo; se especifican las características de cada caso: la fecha en que usted abrió la cuenta, su límite de crédito, su saldo, sus pagos mensuales, etcétera. En esta sección se menciona la información positiva sobre los créditos que usted obtuvo y, por supuesto, la información negativa también.

Nº 3: Información que proviene del archivo nacional

Esta sección incluye exactamente lo que su nombre indica. Si hay alguna información sobre usted en el archivo nacional, estará aquí también. Desde juicios hasta embargos judiciales por incumplimiento de pago de los impuestos; esta parte contiene un amplio espectro de datos, y no vaya usted a creer que esa información simplemente desaparecerá porque a menudo permanece en los registros durante años. Quizás usted desee que el pasado permanezca en el pasado, pero a veces el reporte de crédito puede funcionar como un gran recordatorio.

Nº 4: Consultas de terceros

En el reporte de crédito figura todo aquel que averigüe sobre su persona. Usted debe verificar este asunto. Asegúrese de que los que investigan sus asuntos tengan derecho a hacerlo. Como expliqué anteriormente, sólo aquellos que tengan un propósito legítimo —por ejemplo, los que evalúen la posibilidad de prestarle dinero u otorgarle una tarjeta de crédito— pueden ver su reporte de crédito. Quienquiera que eche un vistazo figurará en la lista de su reporte de crédito durante dos años.

Antes mencioné que las consultas "simples" no afectan el cálculo del puntaje de crédito. Las consultas "exhaustivas" sí lo hacen. Cuando usted solicita una hipoteca, un préstamo o una tarjeta de crédito, el acreedor consulta para obtener su reporte de crédito. Estas consultas exhaustivas figuran en el informe de crédito durante dos años, pero por un año afectan su puntaje de crédito de forma negativa. ¡Es una locura! Una compañía necesita verificar su puntaje de crédito antes de otorgarle un préstamo, pero el sólo hecho de que ellos soliciten información afecta de manera negativa el puntaje de crédito durante ese año. Es injusto.

Demasiada información

La mayoría de los estadounidenses —el 75 por ciento— desconoce su puntaje de crédito.

Aunque en apariencia toda su información privada se expone al desnudo para que el mundo entero la vea, sólo aquellos con derecho legal a verla deberían tener acceso a su reporte de crédito. Cuando revise su reporte de crédito, asegúrese de leer la lista completa de las consultas que se realizaron para verificar que todos los que acceden a esa información tengan derecho a hacerlo. Su vecino entrometido, la metiche de su antigua suegra y su peluquero no tienen verdaderas razones para revisar su historial crediticio.

En el próximo capítulo le explicaré cómo obtener su reporte de crédito y su puntaje de crédito y qué hacer una vez que estén en sus manos. Por el momento, sólo debemos tratar de comprender en qué cuernos consisten esos reportes. Hay tres grandes agencias que se dedican a recopilar de manera constante los datos incluidos en los reportes de crédito: Experian, TransUnion y Equifax. Todos los meses, cada uno de los acreedores con los que usted opera en el presente informa a esas agencias sobre los pagos que usted efectuó o no efectuó. Los acreedores proveen información a una de las agencias, a dos de ellas o a las tres. Sólo se les exige que informen a una de ellas. De este modo, su reporte de crédito y su puntaje de crédito se actualizan de manera continua.

Para su información

Por lo general, las cuentas médicas y las cuentas de servicios públicos no se consideran créditos, por eso no figuran en su reporte de crédito. Si usted paga esas cuentas en término todos los meses, eso no afectará su puntaje de crédito en forma positiva. Sin embargo, si usted no paga esas cuentas y la compañía, el médico o el hospital deriva la deuda a una agencia de cobranzas, su puntaje de crédito se verá perjudicado. Los métodos para intentar cobrar cuentas médicas son agresivos; muchos médicos no vacilarán en derivar su deuda al departamento de cobranzas si usted no paga. Esto podría restarle unos cuantos puntos a su puntaje de crédito.

Sé que hay muchas personas a las que poco les importa el tema de los reportes de crédito y los puntajes de crédito. Por favor, recuerde que los prestamistas lo consideran un número, así que usted debe mostrarles el mejor número posible. Tenemos que cubrir este asunto en su totalidad antes de pasar a la parte que realmente nos interesa. Su historial crediticio es como el billete dorado que le permite ingresar a la fábrica de chocolates. En este caso, sería más bien la fábrica de dinero. Salir de la deuda y construir la riqueza, ¡con esto espero capturar su atención!

La mayoría de los estadounidenses desconocen este tema, por eso son víctimas del sistema. De nosotros depende que se divulgue toda esta información. Según una encuesta realizada en julio de 2003 por la organización Consumer Federation of America [Federación de Consumidores de los Estados Unidos], sólo el dos por ciento de los estadounidenses conocía su puntaje de crédito y sólo el tres por ciento conocía las tres agencias de reporte de crédito más importantes.

Martin Luther King Jr. dijo una vez: "Un hombre no debería medirse por su comportamiento en momentos de comodidad y abundancia, sino por su comportamiento en momentos de desafío y controversia". Por cierto, enfrentarse a una montaña de deudas es un momento de desafío. Usted y yo nos damos cuenta de que un hombre o una mujer pueden tener muchas facetas, pero en lo que respecta a la industria de los créditos, el único parámetro que importa es el puntaje de crédito.

CAPÍTULO 9

El reporte

Cuando le pregunten si puede hacer un trabajo, dígales:
"¡Claro que sí!". Después póngase en marcha y averigüe
cómo hacerlo.

Theodore Roosevelt

Ahora que usted comienza a comprender el panorama general de la industria de los créditos y empieza a ver una luz al final del túnel de la deuda, si alguien le pregunta: "¿Cree que puede encontrar la solución para las deudas?", usted responderá: "¡Claro que sí!".

Con este libro en las manos, usted está dando el primer paso para ponerse en marcha y averiguar cómo hacerlo. Usted está tomando el control. Ése es el verdadero poder.

Como se mencionó en el capítulo anterior, usted debe estar al tanto de su reporte de crédito y su puntaje de crédito porque ambos representan la llave de acceso al buen crédito. Pueden ayudarlo o destruirlo. Su puntaje determina si le darán el préstamo o la tarjeta de crédito. Bueno, al menos esto era lo que ocurría en los viejos tiempos. Hoy en día, los prestamistas no rechazan a casi nadie. Prácticamente todo el mundo puede obtener una tarjeta de crédito, pero las comisiones y las tasas de interés varían según su puntaje de crédito.

Boletín de calificaciones

Muchos estadounidenses nunca vieron su reporte o su puntaje de crédito. La información es poder, y usted debe saber qué información tienen; posiblemente la utilicen en su contra. Cuando usted era estudiante, hacía sus tareas, escribía ensayos y rendía exámenes. Todo esto se calificaba con una puntuación que se utilizaba para calcular la nota final cuando terminaba el semestre. Usted recibía sus trabajos corregidos y calificados a medida que los hacía, entonces sabía dónde estaba parado. Sabía si aprobaría o reprobaría. No tenía que esperar hasta fin de año para recibir el boletín de calificaciones sin ningún tipo de devolución previa para orientarlo sobre su rendimiento escolar. La nota con la que se encontraba al leer el boletín no lo tomaba completamente por sorpresa.

> ¡El primer paso para encontrar la cura a la deuda es obtener su reporte de crédito!

¿Se imagina, tener que soportar todo el año lectivo sin saber cómo le fue en los exámenes, las composiciones o la tarea para el hogar? Simplemente hubiera estado allí sentado, haciendo garabatos en el escritorio y esperando con incertidumbre que le entregaran la nota final. Esas notas finales determinarían a qué universidad ingresaría más tarde o qué profesión seguiría, pero usted tan sólo aceptó a ciegas lo que decía el boletín final de calificaciones. Esta imagen no tiene demasiado sentido, ¿verdad? Piense en las veces que el docente calificó algo de manera errónea que, en realidad, usted había hecho bien. Usted fue capaz de indicarle el error al docente para modificar la calificación. Si hubiera estudiado en un sistema que no permitía ver las correcciones de los ejercicios, nunca podría haber sabido que había cometido errores y que debía corregirlos porque afectaban la calificación final y su futuro.

En todos los aspectos de nuestras vidas, ya sea nuestros estudios, nuestra carrera o nuestro matrimonio, debemos saber de qué manera progresamos y dónde estamos parados para poder tomar medidas correctivas en caso de necesitarlo. El reporte de crédito no es la excepción.

¿Qué debe hacer en primer lugar?

Consiga su reporte de crédito. Controle si hay datos incorrectos. El noventa por ciento de los reportes de crédito tiene algún error. Si usted no consigue el reporte y no puede verlo, ¿cómo sabrá si hay algo por corregir? ¡El primer paso para crear su riqueza es obtener el reporte de crédito!

Una vez que lo obtenga, es decisivo, crucial, de suma importancia que lo revise. ¿Me explico? El puntaje de crédito es el número mágico que determina la tasa de interés y las comisiones que usted pagará y todo lo que se relacione con su economía; además, el puntaje de crédito es el resultado directo de todo lo que figure en su reporte de crédito.

Antes de continuar, por favor tome nota de los datos para ponerse en contacto con lo que en la jerga de la industria se conoce como "las tres grandes":

✔ Equifax
P.O. Box 740241
Atlanta, Georgia 30374
1-800-685-1111
www.equifax.com

✔ TransUnion
P.O. Box 2000
Chester, Pennsylvania 19022-2000
1-800-916-8800
www.transunion.com

✔ Experian
P.O. Box 2104
Allen, Texas 75013
1-888-397-3742
www.experian.com

Consígalo de una vez

Cada agencia entrega un reporte de crédito gratuito por año. Consiga los suyos. Solicítelos en línea, por correo o telefónicamente. También puede solicitarlos todos de una sola vez por medio del "formulario de solicitud de reporte de crédito anual". El nombre del trámite se explica por sí mismo y es gratuito. Utilizar la solicitud anual les permite a las agencias tomar conocimiento de que usted ya obtuvo su reporte gratuito del año y que deberá esperar doce meses para utilizar nuevamente el servicio.

Puede obtener el formulario en http://ftc.gov/credit y http://www.annualcreditreport.com o bien si escribe a Annual Credit Report Request Service [Servicio de solicitud de reporte de crédito anual], P.O. Box 105281, Atlanta, Georgia 30348-5281. También puede llamar gratuitamente al (877) 322-8228.

Simple

El formulario es simple. Sólo debe completarlo con sus datos personales, no tiene que revolver la casa para encontrar ningún papel. Para completar el último punto debe seleccionar los casilleros de Experian, TransUnion y Equifax. De esta manera, solicitará los tres informes en un solo paso. Seleccione, seleccione, seleccione.

Si ingresa a la página web del servicio de solicitud de reportes de crédito anual, el sitio le mostrará cómo acceder a los portales de las tres agencias. Es como ir a comprar todo en un solo lugar, pero haciendo tres paradas. Siga las indicaciones y podrá navegar por las distintas secciones.

Fácil

Ingrese al sitio (www.AnnualCreditReport.com) y seleccione su estado. Ingrese sus datos personales. Seleccione los casilleros de Experian, Equifax y TransUnion.

Este sitio contiene un enlace para acceder a cada una de las tres agencias. Así podrá ingresar a cada agencia, de a una por vez, para obtener su reporte de crédito gratuito. Si utiliza el sitio de pedidos anuales sólo deberá escribir sus principales datos personales una sola vez. AnnualCreditReport.com es el intermediario que lo ayudará a obtener todo lo que necesita de las tres fuentes. Suena complicado y tedioso pero es bastante rápido.

Seguridad

Una vez que haya ingresado a la página web de las agencias de reportes de crédito, es posible que tenga que crear una cuenta gratuita. Ingrese un nombre de usuario y una clave. Quizás le pidan que elija una pregunta "secreta" de seguridad, que no es "¿Cuál es el apellido de soltera de su madre?", porque esa pregunta es demasiado común

El reporte | 103

por estos días. Le preguntarán el segundo nombre de su madre o de su padre o el nombre de su maestra de primer grado. Ésta no es la clase de información que un pirata de la informática acostumbra a tener.

Para continuar, la página deberá verificar su identidad. El sitio de TransUnion dice: "Queremos asegurarnos de que usted sea realmente usted". La página web unirá su fecha de nacimiento con los registros de su domicilio de forma automática. De todas maneras tenga a mano los números de su cuenta.

El sitio de TransUnion quizás le solicite que verifique el número de préstamo y el número de cuenta de las tarjetas de crédito, así que sea un buen niño explorador y esté preparado. Tal vez la página web también le exija que confirme sus datos laborales dentro de un período determinado. Es posible que Experian y Equifax le pidan información financiera personal, así que deberá recordar quién le otorgó la hipoteca y en qué condado vive.

Una vez que usted haya contestado todas esas preguntas satisfactoriamente, su reporte de crédito aparecerá en pantalla. Imprímalo. Léalo. Pueden ser unas cuantas páginas. En unos instantes se explicará lo más importante de este tema.

Quizás algunos sitios le pregunten si desea pagar para obtener su puntaje de crédito FICO. (A la brevedad nos referiremos a los puntajes FICO). Generalmente es una buena idea conseguirlo.

¿Qué debe hacer ahora?

Si usted es como la mayoría de las personas, lo que desea hacer ahora es descansar. Sin embargo, lo que debería hacer es mirarse a los ojos y sentirse bien por los conocimientos que está adquiriendo. Está muy bien encaminado para salir del pozo de los problemas económicos y si me sigue por un buen rato, pronto ascenderá a la cima de las soluciones. Confíe en mí, no se arrepentirá.

Bueno, ya tiene sus reportes de crédito. Ahora debe tomarse un tiempo para revisar la información incluida en esos documentos. Ya sé que es tentador echar los papeles a un lado con verdaderas intenciones de ponerse a trabajar después de atender algunos "asuntos más urgentes" como la cena, la ropa sucia o ejem… pagar las cuentas. Nada es más

Curas Para Sus Deudas!

urgente que asegurarse de que su reporte de crédito esté actualizado y que contenga la información correcta. Ésa es la información que se emplea para determinar su puntaje de crédito, y el puntaje de crédito se utiliza para determinar las tasas de interés que se aplicarán a todos sus préstamos y tarjetas de crédito. ¡Todas sus cuentas y su situación económica final dependen del reporte!

Lea todo

Tómese el tiempo necesario para leer el reporte en su totalidad. Aunque la mayoría de los puntos son obvios, algunos necesitan una explicación.

- ✔ El nombre del acreedor
- ✔ El domicilio del acreedor
- ✔ El número telefónico del acreedor
- ✔ El número de la cuenta que tiene con el acreedor
- ✔ La fecha en la que se abrió la cuenta
- ✔ El tipo de cuenta (coche, hipoteca, etcétera; las tarjetas de crédito que son cuentas de "renovación automática")
- ✔ El límite/monto original del crédito
- ✔ Fecha de inicio del reporte (la fecha en la que comenzaron a registrarse en el reporte los movimientos de la cuenta)
- ✔ Condiciones (duración de la hipoteca; si se trata de una tarjeta de crédito, NA significa "no aplica")
- ✔ Pago mensual (las tarjetas de crédito pueden indicar un importe de cero dólar)
- ✔ Saldo más alto (el saldo más alto hasta la fecha o el monto inicial del préstamo)
- ✔ Último saldo
- ✔ Situación/Observaciones (abierta/corriente; pagada/cerrada, nunca fuera de término; etcétera. Abierta/corriente = solvencia)
- ✔ Fecha de la situación de la cuenta (la fecha en la que la situación de la cuenta se actualizó por última vez)
- ✔ Ultima fecha de información (la fecha en la que el acreedor agregó información por última vez)

✔ Responsabilidad (cuenta conjunta o individual; puede figurar el nombre del cónyuge)

✔ Último pago (último pago recibido)

✔ Historial de la cuenta (a veces el historial del saldo sólo consta de una gran cantidad de ceros)

Controle, controle y controle nuevamente

Si usted realiza muchos movimientos financieros su reporte de crédito puede ser bastante extenso. Si no cuenta con sus reportes de crédito y no puede mirarlos mientras me refiero a este asunto, consiga un modelo de reporte y utilícelo como guía. Para obtener el modelo puede visitar la página web de alguna de las agencias de reportes de crédito.

Primero, lo más fácil. Controle sus datos personales: su nombre, la inicial de su segundo nombre, etcétera. Si encuentra algún error en esta sección —esto puede ocurrir— notifique a la agencia de reportes de crédito directamente.

Le sorprendería saber la cantidad de veces que aparecen datos de otra persona en el reporte de crédito de alguien por el sólo hecho de llamarse igual, excepto por la inicial del segundo nombre. La semana pasada, en el aeropuerto, demoraron a un hombre que estaba delante de mí en la fila de migraciones por una cuestión similar. Hasta tenía el mismo segundo nombre de la persona con la

> Exija que los datos sean ciento por ciento precisos

que lo confundieron, no sólo la inicial. El caballero de quien le hablo sabía el nombre del otro hombre, su domicilio, sus datos y hasta su color de cabello porque hacía ya unos cuantos años que tenía problemas por tener el mismo nombre. Me imagino que existen mucha gente con el nombre José Rodriguez en el mundo, pero no piense que su nombre es único, aún si tiene un nombre poco común. Tal vez usted se llame José Rodriguez, y Jose Rodriguez Jr. tiene un historial crediticio malísimo. Debe asegurarse de que los datos del reporte de crédito describan sólo sus movimientos y no los de otra persona.

Verificación en curso...

Entonces tome un bolígrafo rojo, sírvase una taza de café y siéntese. Hoy es el día que usted dedicará a revisar su reporte de crédito. Verifique que el número del seguro social sea correcto. Confirme cada uno de sus datos personales. Después mire el resto.

Mientras avanza en la lectura del formulario, renglón por renglón, asegúrese de que los préstamos y las deudas que figuran en el reporte sean realmente suyos. Si usted está en la calle y encuentra un billete de veinte dólares que no le pertenece, genial. Pero si encuentra datos que no le pertenecen en su reporte de crédito, eso no es nada bueno.

Si se menciona algún juicio en el reporte de crédito, constate que realmente se trate de un juicio en su contra. Usted debería saber si alguien inició un juicio en su contra. Revise las cuentas cerradas. Tal vez arrendó un coche tres años atrás, pero aún figura como una cuenta abierta. Quizás se menciona alguna tarjeta de crédito, pero usted sabe que nunca tuvo la tarjeta Diners Club. Ésta es la clase de puntos que tiene que controlar.

Si encuentra algún error cometido por el acreedor, comuníquese directamente con ellos. Si no le especifican la fecha para la que esperan haber resuelto el inconveniente o ni siquiera parecen preocuparse por eso, usted puede comunicarse directamente con la agencia de reportes de crédito. En todas las agencias de reportes se puede presentar el reclamo en línea; tal vez haya visto esa opción cuando visitó la página web para obtener su reporte de crédito.

Puntos potencialmente negativos

Suena aterrador, ¿verdad? La realidad es que a veces hay puntos negativos en el reporte de crédito, y usted no puede hacer nada al respecto. Ésos son los cabrones que arruinan su puntaje de crédito. Si ocurrió, ocurrió y allí está. Se supone que el reporte de crédito debe ser un retrato de su historial crediticio. Los asuntos que preferiría olvidar están allí, clavándole la mirada. Si pagó fuera de término, omitió algún pago o tuvo algún juicio, todo eso figurará en el reporte.

La sección que incluye los "puntos negativos" es la parte a la que los acreedores prestan mayor atención. La revisan con mucho cuidado, así que será mejor que usted también lo haga. Esa información es como el "plato principal": ¿Con qué frecuencia realizó pagos tardíos y cuán tardíos fueron esos pagos? ¿Efectuó una gran cantidad de pagos fuera de término? Eso es malo. ¿Los saldos son demasiado altos? Eso es aún peor.

No se preocupe demasiado si hay muchos datos en esta categoría. A menudo los puntos negativos figuran por error, así que puede corregirlos. Siéntese bien, ahora aprenderá cómo mejorar su reporte de crédito.

Vea la sección que incluye los puntos positivos, las cuentas solventes. ¡Ése es su objetivo!

Examine el reporte

¿Acaso ninguno de nosotros pagó fuera de término o acumuló un saldo alto? Todos lo hicimos. Cualquiera sea la información que tengan sobre su persona, es probable que baste para reducir su puntaje, simplemente porque la fórmula está pensada para perjudicarlo. Pero bien podría haber alguna equivocación en su reporte de crédito. Si detecta algún error, ponga manos a la obra de inmediato.

Errores y reclamos

Cada año se generan más de mil millones de reportes de crédito, con miles y miles de millones de datos. Quienes ingresan y procesan la información son seres humanos. Eso significa que hay muchas probabilidades de que cometan errores. Por lo general, se cometen errores. ¿Acaso no es eso lo que decimos cuando nos equivocamos? ¡Soy humano!

Revise los tres reportes de crédito con un peine fino. ¿Mencionan cuentas que usted nunca tuvo? ¿Algún importe o algún dato le parecen incorrectos? Compare la información que presentan los reportes de crédito con la información que usted lleva en sus registros. Lo único que se necesita es un poco de tiempo

¡Contrólelo!

¡Corríjalo!

¡Reclámelo!

para asegurarse de que la información realmente le pertenezca y que los datos sean precisos. No olvide que el tiempo es dinero. Su dinero.

Los errores que se hayan cometido en la sección de datos personales no afectan el puntaje de crédito, pero de todas maneras deben corregirse.

Los errores o los datos extraños, por ejemplo, una dirección rara, especialmente una casilla postal que no es suya, pueden darle el indicio de que alguien más tiene acceso a sus cuentas. El robo de identidad es una verdadera amenaza y cada vez es más común. Esté atento y protéjase del robo de identidad. Un modo de hacerlo es controlar su reporte de crédito. Hágalo por lo menos una vez al año. Si lo hace varias veces al año es mucho mejor.

Presente un reclamo

Todas las secciones del reporte pueden tener algún dato erróneo, así que sea diligente en su revisión. ¿Encontró un error? ¡Realice el reclamo de inmediato!

La gente de reparación de créditos intenta hacerle creer que ésta es su especialidad y le cobra por ocuparse del reclamo. ¡Usted no debe pagarle a nadie para realizar el reclamo! Presente una queja en forma gratuita en línea, por teléfono o por medio del correo tradicional. Una vez que haya presentado el reclamo, la agencia de reportes de crédito se comunicará con el prestamista, el acreedor o la compañía de tarjetas de crédito.

Si realiza el reclamo mediante una carta, envíe una copia del reporte de crédito en cuestión. Resalte el número de reporte de crédito, la fecha y el error. La carta debe incluir sus datos personales básicos, una copia de alguna cuenta de servicios actual que muestre su nombre y su domicilio y una copia de la foto de su identificación (el pasaporte o la licencia de conducir). Explique en detalle cada uno de los errores y provea justificaciones o cualquier dato que sirva para probar que usted está en lo cierto. Conserve una copia de todo.

La agencia de reportes de crédito tiene treinta días para dar una solución al reclamo. Si no tienen forma de justificar la información errónea, deberán eliminar del reporte el dato en cuestión hasta que puedan probar por qué deberían incluir ese dato en el reporte.

Si hay errores que perjudican su puntaje, en treinta días ya no los habrá y su mal crédito se habrá convertido en buen crédito. ¡En treinta días!

Eduardo lo hizo

En el informe de crédito de Eduardo figuraba una tarjeta de crédito Old Navy, sin embargo, jamás en su vida había tenido una cuenta de tarjeta de crédito con esa compañía. Susana canceló su tarjeta Discover tres años atrás, pero aún figuraba como una cuenta abierta. Quizás cuando revise su reporte vea algún juicio en su contra que en realidad no le pertenece. Ésta es la clase de información que debe corregirse.

Eduardo descubrió el mismo error en los tres reportes de crédito, así que presentó un reclamo ante las tres agencias. También podría haberse comunicado directamente con el acreedor para corregir los datos erróneos e informarlo a las agencias de reportes de crédito. Eduardo inició el reclamo en línea; ése es el camino más rápido. La página web de cada agencia de reporte de crédito ofrece indicaciones, de manera que Eduardo pudo completar el proceso fácilmente.

Comentario personal

Si desea explicar algún dato negativo de su reporte de crédito que sea legítimo, puede agregar un "comentario personal" en el reporte. Los comentarios no afectan el puntaje de crédito pero las personas que revisen su crédito los leerán. Dudo mucho que eso afecte la tasa de interés que le puedan cobrar.

Eduardo y Susana aprovecharon la oportunidad para explicar que pagaron las cuotas de la casa fuera de término porque habían tenido que pagar las cuentas médicas de su hijo. Una vez que pagaron esa deuda, volvieron a realizar los pagos de la casa puntualmente. Quizás usted se atrasó en el pago del coche porque se quedó sin empleo. O tal vez iniciaron acciones de cobranza en su contra por una cuenta que usted no pudo pagar a causa de una emergencia médica o de una enfermedad repentina.

Los comentarios personales deben ser breves, de no más de cien palabras. Si más tarde eliminan el punto negativo, su comentario personal no se eliminará en forma automática. Entonces, cuando revise su reporte de crédito de vez en cuando, asegúrese de que hayan eliminado los comentarios personales, de lo contrario, puede resultar muy confuso.

Alguien lo está observando

Un servicio de
seguimiento es una
muy buena idea
(www.debtcures.com)

Como podrá apreciar claramente, el reporte de crédito contiene todos sus secretos. También incluye todas sus residencias pasadas y sus antiguos empleadores. Es casi como mirar un capítulo de "This is Your Life" pero sin reencuentros sorpresa, abrazos ni lágrimas. El reporte de crédito es un documento muy poderoso; la industria financiera lo creó para su propio beneficio, no para el suyo. Esto parece "Gran hermano": ellos saben dónde trabaja y por cuánto tiempo ha trabajado allí, saben dónde vive y por cuánto tiempo ha vivido allí. Además, por supuesto, saben cuánto paga y cuánto debe por todas sus cuentas.

La información de crédito es su camino hacia la riqueza. Como no puede detener el tren, por lo menos debe asegurarse de que viaja en el tren correcto. Para eso, debe constatar que cada uno de los datos que se incluyen en el reporte de crédito sea correcto. El primer paso para tomar el control de su crédito y de su vida es tomar el control de su reporte de crédito. Esto es fundamental.

Más de una vez al año

Usted puede y debe obtener el reporte de crédito más de una vez al año. Aunque no será gratuito. Puede hacer uso del servicio de solicitud de reportes de crédito anual sólo una vez por año, como su cumpleaños. No obstante, puede contactar a cada una de las agencias en forma directa. Le sugiero que recurra a un servicio de seguimiento de crédito que tenga un acceso ilimitado a su reporte. No tendrá que preocuparse por esos trámites nuevamente. Vale la pena pagar unos pocos dólares y hacer una buena inversión a cambio de su tranquilidad.

Usted tiene el control

Puede que se sienta abrumado con todos estos datos sobre los reportes de crédito. No lo esté. El principal objetivo de darle toda esta información es el siguiente: ahora que usted cuenta con la misma información que ellos, ya no está indefenso. Puede tomar el control de su crédito. ¡El conocimiento es poder!

El reporte de crédito es una herramienta, y ahora usted sabe cómo utilizarla. No tiene sentido contar con una herramienta y no usarla, así que haga lo que ellos hacen. Controle su propia actividad crediticia. Revise las cuentas, asegúrese de que sean suyas y de que todos los datos sean coherentes.

Adquiera el hábito de revisar el reporte de crédito en forma periódica. Cuando tome el control de su salud económica, todos los aspectos de su vida mejorarán. Dormirá mejor de noche, se sentirá menos tensionado en el trabajo, no estará tan nervioso con su pareja y no se desquitará con su familia. Encontrar la cura para sus deudas realmente lo ayudará a solucionar todos los aspectos de su vida en general.

Muchas personas experimentan diversas emociones en la vida y creen que éstas son sólo una consecuencia de la rapidez con la que vivimos (¿o debería decir del interés que sufrimos?). ¡No es necesario que vaya por la vida como una bola de nervios! ¿Alguna vez está preocupado porque:

✔ los saldos de las tarjetas de crédito no desaparecen?
✔ teme que transfieran su cuenta a una agencia de cobranzas?
✔ teme verse obligado a declararse en bancarrota?

¿Está cansado de

✔ vivir con el dinero justo?
✔ no tener ahorros para la jubilación?
✔ no tener ahorros para emergencias?
✔ no tener una cuenta de ahorros?
✔ no tener dinero para invertir?
✔ estar cansado?

¡¿Estar preocupado le provoca aún más preocupación?!

Todas las tensiones innecesarias de la vida pueden desaparecer. Si siente que está ahogado por las deudas, sepa que no estará empantanado para siempre. Los acreedores no son sus dueños y no pueden controlar su vida. Las sogas que lo atan, las cuerdas económicas de los prestamistas y del gobierno se están aflojando. No lo tienen agarrado del cogote. ¡Usted no es su esclavo!

Libere su mente

Si aplica los métodos y las soluciones detalladas en *Curas Para Sus Deudas* no sólo lo invadirá una maravillosa sensación al eliminar o reducir la deuda, sino que también se sorprenderá al ver cómo se acomodan los otros aspectos de su vida. Es un beneficio que disfrutará de manera constante. Esta vez, el efecto acumulativo es un efecto dominó que trae consecuencias positivas. Por este motivo escribí el libro.

Liberarse de la deuda lo pondrá de mejor humor de manera inmediata. Mejorará su salud, sus relaciones y aliviará la tensión laboral. De hecho, ya no se sentirá atado a un trabajo como antes. ¿Escuchó a alguien murmurar: "Odio mi trabajo, pero no puedo renunciar"? Si usted sale de la deuda y crea su riqueza, podrá dedicarse a la profesión que realmente le guste. Podrá trabajar por elección, no porque debe cancelar las cuentas de la tarjeta de crédito.

Tranquilidad

> ¡Puede recuperar la tranquilidad!

A la mayoría de los estadounidenses les preocupa lo mismo que a usted: ahorrar para la jubilación, ahorrar para casos de emergencia que con suerte no ocurrirán y ahorrar para la educación de sus hijos. Si usted encuentra la solución para sus deudas, también podrá poner fin a estas preocupaciones. Podrá crear la riqueza y reunir el dinero para los ahorros, las inversiones, las vacaciones, el dinero para que su madre pueda vivir en una residencia de ancianos y para todo aquello que le causaba preocupación. Tendrá más tiempo libre para dedicarle a las actividades que lo apasionan en lugar de desperdiciarlo pagando pilas y pilas de deudas.

Curas Para Sus Deudas le muestra el camino hacia la riqueza y la tranquilidad. Podrá ser completamente libre para siempre. Eso es tomar el control.

CAPÍTULO 10

Conozca el puntaje

"Una vez agasajé a un hombre que trabajaba para el gobierno desde las seis de la tarde hasta la una de la madrugada y llevé la cuenta de lo que bebió. Durante esas horas consumió dieciséis whiskys con soda."

Joseph Barbera

No, el proceso para obtener su reporte de crédito y corregir cualquier dato erróneo no debería incitarlo a la bebida. Tampoco hay razones para invitar al banquero a cenar y beber vino juntos. Por el contrario, él es quien debería invitarlo a usted.

Durante todo el proceso necesario para encontrar la solución a sus deudas es importante recordar que hay que concentrarse en los días que tenemos por delante y sonreír. Ahora, si alguna vez participa en el programa *Jeopardy!* y en el doble del día aparecen TransUnion, Equifax, y Experian, responderá sin dudarlo: "¿Cuáles son las tres agencias nacionales de reportes de crédito, Alex"?

Cuando trate con las instituciones prestamistas, los bancos y las compañías de tarjetas de crédito codiciosas nunca se olvide de que reiremos últimos. Creen que nos tienen metidos en el bolsillo de por vida porque llevamos sus tarjetas de crédito en la cartera. No tiene por qué ser así. Conozco los secretos de esas empresas y ya es hora de que todo el público estadounidense también los conozca.

Si alguien sabe que se trata de una estafa, no caerá en la trampa. Así de simple.

El puntaje

Ahora ya sabe todo sobre los reportes de crédito. El siguiente punto en su agenda es el puntaje de crédito; ésta es la información más importante para su historial financiero. Cuánto más alto sea el puntaje, mejor. Los bancos dependen de los puntajes de crédito para determinar la tasa de interés que aplicarán.

Usted no es más que un número   El puntaje de crédito se calcula mediante un "algoritmo". Esa palabra es intimidante, significa "fórmula matemática compleja". Se ingresan los distintos datos y detalles de su reporte de crédito en la computadora ultra secreta y se los mezcla en todas direcciones. Este proceso da por resultado un puntaje que varía entre los 300 y los 850 puntos. ¿Por qué no utilizaron una escala del uno al diez? Realmente no lo sé. A mí me gusta hacer las cosas simples, sin embargo, ellos prefieren mantenernos sumidos en la confusión.

Ese número, el poderoso puntaje de crédito, determina qué tipo de tasa de interés le cobrarán los bancos, las compañías de tarjetas de crédito y las compañías de préstamos hipotecarios.

Hace pocos años, si usted obtenía un puntaje de crédito alto de setecientos puntos se lo consideraba uno de los clientes preferidos de los prestamistas. Haga una reverencia. Hoy en día, usted aún constituye un "excelente" riesgo de crédito y eso debería permitirle acceder a las tarjetas de crédito y los préstamos hipotecarios con las mejores tasas de interés y las mejores condiciones. No obstante, usted no es el cliente ideal para los prestamistas adictos a las comisiones. Ellos quieren a alguien que omita el pago de alguna cuota de vez en cuando. Cha-Ching.

Si obtiene un puntaje medio o bajo, usted es la clase de cliente que ellos quieren. Los bancos y los acreedores pueden clasificarlo como un riesgo de crédito "dudoso". Esto no significa que rechazarán su solicitud de crédito, sino que lo recibirán con alegría en su telaraña de tasas de interés altas, multas y comisiones.

No es una cuestión personal

El puntaje de crédito se calcula sólo teniendo en cuenta su información financiera. La computadora realiza cálculos con números y fórmulas, por eso se supone que el sistema de puntaje carece de cualquier tipo de parcialidad. En teoría, el proceso de toma de decisiones sobre su crédito tiene en cuenta sólo datos y cifras, su información personal no interesa.

El sexo, la raza y la nacionalidad no tienen importancia. Tampoco importa cuánto tiene en su cuenta bancaria. Se supone que el puntaje de crédito es una herramienta objetiva que utiliza la industria de préstamos para poder comparar manzanas con manzanas: cómo paga las cuentas este hombre comparado a cómo paga las cuentas este otro hombre.

Pongamos como ejemplo la historia inventada de Leonardo. Leonardo es hombre, soltero, musulmán, homosexual, árabe, nacido en Irán y quiere un préstamo personal para ir de vacaciones con su novio coreano y budista. La empleada del departamento de préstamos es blanca, irlandesa, católica, casada y tiene que tomar una decisión teniendo en cuenta sólo el puntaje de crédito de Leonardo. No puede discriminarlo por su género, raza, religión, nacionalidad, estado civil ni orientación sexual. Ni tampoco por el hecho de que usa pantalones a cuadros, impermeable amarillo chillón y que tiene cabello grasiento. La industria de los créditos diseñó el método de los reportes de crédito y los puntajes de crédito para poder tomar decisiones de manera objetiva y lo único que pueden tener en cuenta para hacerlo son esos dos documentos.

Toma de decisiones

El puntaje de crédito es más importante de lo que a veces creemos. Aunque usted sea uno de esos individuos extraños que no tiene tarjetas de crédito, préstamos hipotecarios, préstamos automotores, préstamos estudiantiles ni préstamos personales, de todas maneras, el reporte de crédito y el puntaje de crédito lo afectan. No conocí a nadie con estas características, pero estoy seguro de que existe alguien así. Debe saberlo. La compañía de seguros revisa su puntaje de crédito para decidir qué tipo de póliza le otorgará. Su empleador también puede revisar su reporte de crédito y su puntaje de crédito para decidir si lo contratará o lo ascenderá. El puntaje de crédito influye en muchos aspectos de nuestras vidas.

Veamos el ejemplo de Julia. Ella está divorciada y tiene tres hijos. Se postuló para el puesto de cajera en la heladería local. Es mitad judía, mitad cristiana y mestiza. Tiene sobrepeso, pasó los cuarenta y es renga.

El 4 de julio participó de un desfile, llevaba una pancarta que rezaba "Abajo Estados Unidos". Bueno, tal vez esta historia sea un poco extremista, pero es sólo un ejemplo para ilustrar la cuestión.

¡Los puntajes de crédito afectan a los alquileres de apartamentos, las pólizas de seguros y los ascensos laborales!

Julia no consiguió el empleo y desea quejarse a gritos porque la discriminaron. El empleador simplemente dice: "¿Ah, sí? Mira este reporte de crédito". El posible empleador supo que Julia había saltado de un trabajo a otro, había pagado fuera de término la mayoría de sus cuentas y varias de sus deudas se habían transferido a agencias de cobranzas. Tranquilamente, un empleador puede basarse en esos datos para decidir no contratar o ascender a una persona. El empleador no veía a Julia como una buena empleada, ella no representaba un bien confiable para la compañía; el reporte de crédito así lo demostraba. Julia no está en condiciones de presentar una denuncia por discriminación porque el posible empleador puede valerse del reporte de crédito para defender legítimamente su decisión.

¿Un puntaje? ¿Tres puntajes?

Cada agencia de reportes de crédito tiene un reporte sobre su persona y cada una calcula su propio puntaje. No todos los acreedores envían información a las tres agencias. Sólo deben brindar información sobre usted a una de ellas.

Quizás su cuenta de MasterCard envía información a Experian, su tarjeta de crédito de Macy's envía información a Equifax y su tarjeta American Express envía información a TransUnion. Cada una calcula el puntaje de crédito teniendo en cuenta los datos que ven en su reporte, así que los distintos puntajes de crédito pueden variar levemente. Esto es normal, no es nada grave.

Fórmulas secretas

El señor que vende alubias cocidas no quiere revelar la receta secreta de la familia, la fórmula de la Coca-Cola está guardada en una bóveda de seguridad en algún lugar; y el complejo algoritmo matemático para calcular los puntajes de crédito tampoco está disponible, flotando en Internet. Si la abuela Elsie hubiera querido que usted supiera el ingrediente secreto de su puré de patatas, se lo habría dicho. Si la industria de los créditos de consumo quisiera que sepamos los intrincados secretos del cálculo del puntaje de crédito, éstos estarían en todos los libros sobre deudas y se debatirían en todos los seminarios de economía. Hasta habría un episodio virtual sobre este tema en YouTube.

El *software* fue diseñado por Fair Isaac Corporation, FICO, por eso verá que se utilizan los términos "puntaje de crédito" o "puntaje de crédito FICO". Fair Isaac es una compañía de servicios financieros con sede en Minneapolis; ésta no tiene una base de datos con todo tipo de información sobre su persona. Las tres agencias de reportes de crédito utilizan el *software* creado por FICO. Ningún experto en cálculos, ninguna calculadora ni la mente débil de ningún ser humano es capaz de imitar los procesos realizados por este *software*. El puntaje de crédito se calcula mediante una fórmula matemática patentada. Me gusta la palabra "patentada". Significa: yo conozco el secreto y no tengo por qué revelárselo.

Las agencias de crédito y las instituciones financieras de préstamos creen que si mantienen la fórmula en secreto lo tendrán a usted en la palma de la mano. No es así. No necesitamos comprender cómo funciona la electricidad para saber cómo encender la luz, tampoco debemos entender ningún algoritmo para reparar nuestros puntajes de crédito. El puntaje de crédito se compone de cinco elementos principales. Según http://homebuying.about.com, el puntaje se compone de los siguientes puntos:

✔ **35% – Historial de pagos**

Cantidad de cuentas pagas; cobranzas o información negativa en los archivos nacionales; cuentas en mora: cantidad total de montos pendientes de pago; desde hace cuánto están pendientes de pago; hace cuánto realizó el último pago fuera de término.

✔ **30% – Importes adeudados**

Cuánto debe en las distintas cuentas y qué tipo de cuentas tiene con saldos; qué porcentaje de sus líneas de crédito utilizó; los importes que debe comparados con los saldos iniciales; cantidad de cuentas con saldo cero.

✔ **15% – Período comprendido en su historial crediticio**

El período total comprendido en su reporte de crédito; el tiempo transcurrido desde la apertura de sus cuentas; el tiempo transcurrido desde el último movimiento; cuanto más extenso sea el período con un buen historial crediticio, mejor será su puntaje.

✔ **10% – Tipos de crédito utilizados**

Cantidad total de cuentas y tipos de cuentas (tarjetas de crédito, hipotecas, coches, etcétera). Por lo general, una combinación de distintas cuentas da por resultado mejores puntajes que una enumeración de puras tarjetas de crédito; prácticamente nos llenan de tarjetas de crédito, sin embargo, el hecho de tener demasiadas tarjetas resta puntos al puntaje de crédito.

✔ **10% – Créditos nuevos**

Cantidad de cuentas abiertas recientemente; cantidad de cuentas nuevas respecto del total de cuentas; cantidad de consultas de crédito recientes; tiempo transcurrido desde la fecha de las últimas consultas o desde la fecha de apertura de las cuentas nuevas; restablecimiento de un historial crediticio positivo después de atravesar problemas para pagar.

¿Qué significa?

En pocas palabras, su puntaje de crédito FICO se construye principalmente (el 65 por ciento) con su historial de pagos y con lo que usted debe. Aparentemente debería ser muy fácil. Pague sus cuentas. Pague en término. No deba demasiado. Podría ser así de sencillo si las miles y miles de comisiones creadas por la industria financiera no proliferaran en forma desenfrenada y arrasaran con nuestros historiales crediticios y nuestros bolsillos. Otra de las cosas por las que podemos decir que al ciudadano estadounidense le reparten los peores naipes de la baraja es la manera en que el *software* FICO manipula los números. Sabemos que es complicado, pero además es sorprendente y perturbador.

¿Qué hacen con él?

Hazel Valera, experta en el sistema FICO, explicó durante un seminario para el Millionaire Real Estate Club de Las Vegas que el *software* diseñado por FICO analiza los hábitos de una persona durante los últimos dos años. De todos los movimientos que tiene en cuenta la computadora para determinar el puntaje, seis factores son positivos y 88 son negativos. Así es. Es demoledor y las probabilidades no están a favor del ciudadano trabajador. El código del *software* busca 88 puntos que puedan utilizarse en contra suya. El programa está diseñado para encontrar elementos que disminuyan su puntaje.

A veces los reportes de crédito gratuitos incluyen un puntaje de crédito gratuito calculado por la agencia de reportes de crédito, pero ese puntaje no es el de FICO. Para algunas compañías de tarjetas de crédito el puntaje que proveen las agencias de reportes es suficiente, sin embargo, quienes otorgan préstamos hipotecarios sólo utilizan el puntaje oficial FICO. Asegúrese de conseguir ése y no otro. Le cobrarán una pequeña tarifa a cambio del puntaje FICO, pero usted debe acceder a la misma información a la que ellos acceden, así que solicite el puntaje oficial.

Proceso de aprobación

Cuando usted solicita una tarjeta de crédito o una tarjeta de las tiendas por departamentos, suelen revisar su historial crediticio mediante un solo reporte de crédito, sobre todo si se trata de una tarjeta de crédito de aprobación rápida. La aprueban o la deniegan rápidamente teniendo en cuenta un solo puntaje.

Si usted solicita una hipoteca, por lo general, el corredor de hipotecas o el banco que otorga el préstamo pide su reporte de crédito a las tres agencias. No tienen en cuenta el mejor puntaje, tampoco calculan un puntaje promedio. Analizan el puntaje medio. Los prestamistas pueden mirar sólo dos reportes si así lo desean, y sí, usted adivinó, eligen el que presente el puntaje más bajo. Cuanto más bajo es su puntaje, mejor es para ellos y más posibilidades tienen de jugar al bingo de las comisiones con su cuenta.

Recuerde que su reporte de crédito cambia de forma continua. Las compañías de las tarjetas de crédito con las que usted opera envían información sobre los pagos que usted realiza cada mes. En consecuencia, el reporte de crédito es un documento vivo que requiere su atención permanente. Debe verificar que todos los datos sean correctos por lo menos una vez al año. Si lo hace más seguido, mucho mejor. Le sugiero que utilice los servicios de seguimiento de crédito.

Otro puntaje

En el próximo capítulo, se detallarán las maneras de aumentar el puntaje de crédito. ¡Hay varias técnicas simples para hacerlo! Antes de ocuparnos de ese tema, debo explicar que hay otro puntaje de crédito que comenzó a utilizarse en el mercado, por si oye hablar de VantageScore.

Las tres grandes agencias de reportes de crédito se unieron para utilizar la misma fórmula; crearon un sistema de puntaje común llamado VantageScore. (Se dice que en realidad no querían pagarle a Fair Isaac por todos los puntajes FICO.) El puntaje FICO emplea un rango que varía entre los 300 y los 850 puntos. El sistema VantageScore utiliza un rango que varía entre los 501 y los 990 puntos. No tiene mucho sentido, ¿verdad? En ambos sistemas, cuanto mayor sea el puntaje que usted obtiene, mejor es el riesgo que usted representa y mejores serán las tasas de interés a las que accederá. VantageScore está en uso desde marzo de 2006, pero, por lo general, quienes otorgan préstamos hipotecarios, las compañías de tarjetas de crédito y los bancos aún utilizan más que nada el puntaje FICO. Suena un poco confuso (porque lo es). Si usted cuenta con diferentes puntajes, asegúrese de prestarle atención al de FICO porque ése es el único que verdaderamente importa hasta el momento.

Bueno, mejor, el mejor

La siguiente tabla muestra la regla general que aplican los acreedores para clasificar los puntajes de crédito FICO:

Menos de 619	Alto riesgo
620 – 660	Dudoso
661 – 720	Promedio (aceptable)
721 y más	Muy bueno
Más de 750	Excelente

¿Qué puntaje tenemos?

Según un estudio reciente, los puntajes de crédito de la población estadounidense se clasifican de la siguiente manera:

Hasta 499: 1%
500 – 599: 12%
600 – 699: 27%
700 – 749: 20%
750 – 799: 29%
Más de 800: 11%

El cuarenta por ciento entra en la categoría "más de 750". Excelente. El trece por ciento entra en la categoría inferior a seiscientos, lo que representa un riesgo muy alto. El 47 por ciento pertenece a la categoría que varía entre lo seiscientos y los 749 puntos; ellos son los que alimentan la industria.

Fair Credit Reporting Act
[Ley de Informes Imparciales de Crédito]

Antes de que se implementara la Fair Credit Reporting Act [Ley de Informes Imparciales de Crédito], nosotros, los consumidores, debíamos pagar para obtener nuestros reportes de crédito. Ellas, las agencias de reportes de crédito que controlan cada uno de nuestros movimientos, nos hacían pagar para saber lo que decían sobre nosotros. Un absurdo. Esta ley exige que las agencias de reportes de crédito nos ofrezcan a nosotros, a usted y a mí, a la buena gente de los Estados Unidos, una vez por año, copias gratuitas de nuestros reportes de crédito si así lo solicitamos. No obstante, técnicamente, el puntaje de crédito no forma parte del reporte de crédito, por eso las agencias no tienen la obligación de proveerlo en forma gratuita. Si le entregan un puntaje de crédito gratuito, verifique que se trate del puntaje FICO. Normalmente le cobran una tarifa por la entrega de ese puntaje. Puede visitar la página web http://www.myfico.com cuando usted lo desee y comprar el puntaje oficial FICO.

Eduardo y Susana eran bastante parecidos a todos nosotros. Sabían la clave del cajero automático, el número de teléfono de la pizzería y la talla de zapatos de sus hijos. Sabían muchísimos números, pero el año pasado si alguien les hubiera preguntado por su puntaje de crédito, no habrían podido responder. Ahora, cuentan con sus reportes de crédito y se dan cuenta de que son verdaderos estadounidenses promedio. Su puntaje FICO está justo dentro de la categoría que los acreedores adoran, alrededor de los seiscientos puntos. Ahora una de las prioridades de Eduardo y Susana es mejorar el puntaje de crédito.

Un largo camino

Quizás el camino que transitó para llegar a donde está hoy en día, con *Curas Para Sus Deudas* en las manos, haya sido largo y sinuoso. Tal vez atravesó momentos difíciles y sus deudas crecieron como la maleza. Ahora ya sabe que los bancos, las compañías de tarjeta de crédito y las instituciones de préstamos son los que regaron la maleza e intervinieron para que ésta creciera más rápidamente. El gobierno federal sostiene la regadera y mira cómo crecen los yuyos que obstaculizan el crecimiento de la hierba buena. En lugar de socorrer al ciudadano estadounidense, los funcionarios del gobierno se quedan de brazos cruzados admirando la maleza.

Estados Unidos es el hogar de los libres, es la tierra de los valientes. Se supone que la Guerra Civil abolió la esclavitud, pero algunas personas aún son esclavas de los bancos y los acreedores. Lo único que puedo decir es: "¡Nunca más!". En estos pocos primeros capítulos se explicaron muchísimos conceptos. Principalmente, usted ya sabe que es imperativo conseguir su puntaje de crédito y corregir cualquier error que haya en ese documento, también sabe que es de suma importancia aumentar su puntaje FICO porque eso afectará su situación actual y futura. Si da estos pasos, los dólares regresarán a sus bolsillos y podrá eliminar los yuyos de su jardín.

El camino correcto

"Si perseveras en tu camino, tal vez pierdas algo pequeño, pero ganarás lo más grande." Ralph Waldo Emerson era un hombre muy sabio. Quizás usted estuvo en el camino de la deuda creciente y, por lo tanto, de la presión creciente. Es hora de liberarnos de esa carga. Si usted persevera en su camino hacia la solución de las deudas, lo único que perderá es la preocupación. Lo que ganará es maravilloso. Recuperará su vida.

Vamos, lo ayudaré a emprender el camino correcto.

CAPÍTULO 11

Show me the Money!: Muéstrame el dinero

"Nadie nos salvará sino nosotros mismos."
Gautama Siddhartha (Buddha)

Eduardo y Susana solicitaron sus reportes de crédito en línea. Las tres agencias les enviaron los reportes de crédito y los puntajes de crédito FICO. Al revisar meticulosamente los documentos, renglón por renglón, encontraron algunos errores y un dato sobre un crédito que estaba equivocado; debían hacer un reclamo. Hicieron el reclamo de inmediato, presentaron las correcciones en línea y conservaron copias de todos los papeles. Eduardo y Susana se merecen una medalla de oro por sus esfuerzos. Ahora quieren hacer todo lo posible para aumentar su puntaje de crédito FICO. Son ciudadanos inteligentes y responsables, igual que usted.

Desean hacer todo lo que esté a su alcance para mejorar el puntaje de crédito y, por supuesto, quieren resultados rápidos. He aquí algunas otras tácticas simples que ayudarán a Eduardo, a Susana y a usted a conseguir mejoras en su puntaje de crédito.

¡MEJORE SU PUNTAJE DE CRÉDITO EN UN ABRIR Y CERRAR DE OJOS!

Aún si tiene el peor historial crediticio del mundo, ¡puede obtener un crédito casi perfecto en treinta días!

Consígalos

¡Consiga sus reportes de crédito! Se dedicaron páginas y páginas al asunto de los reportes y los puntajes de crédito porque todo comienza a partir de esos documentos. Hay libros enteros que tratan el tema de los reportes de crédito; se dictan seminarios carísimos sobre finanzas a los que usted podría concurrir —pagando— para aprender lo que acabo de decir: ¡Consiga sus reportes de crédito! ¿Por qué? Porque eso es lo que se usa en el mundo de las finanzas para juzgarlo y, por cierto, para dictar sentencia.

El puntaje de crédito es su pasaporte a un mañana mejor. Si aplica los conceptos que se explicaron en estos capítulos, podrá observar una gran mejoría en su puntaje de crédito. Un puntaje mejor le dará la posibilidad de obtener mejores tasas de interés, por lo tanto, pagará cuotas más bajas. Si paga menos dinero durante un período más corto, es usted quien se quedará con su dinero, no los bancos. ¡Mejorar su puntaje de crédito le abrirá puertas! ¡Podría mejorar su bienestar económico y eso puede ser milagroso!

Ahora se da cuenta de que el proceso no tiene por qué ser complicado. Tiene que solicitar un papel (bueno, unos cuantos papeles), revisarlos y actuar según lo que encuentre en esos documentos. Es tan simple como contar hasta tres. Seguramente haya visto esas publicidades que dicen: cambie su color de cabello o renueve su vestuario y cambiará su vida. Entonces, ¡modifique su puntaje de crédito y en verdad cambiará su vida!

Arréglelo

Consiga los tres reportes de crédito. Ya sabe que es fácil y rápido, es el primer paso para iniciar el camino hacia una vida sin deudas. Revise su reporte de crédito. ¡Corrija todos los errores! Si hay algún punto por el que tenga que realizar un reclamo, ¡hágalo de inmediato! Las agencias de reportes de crédito tienen treinta días para solucionar el problema. Si no pueden resolverlo en ese plazo, deberán eliminar el punto en cuestión del reporte. ¡Asegúrese de que así lo hagan!

Si sólo puede ocuparse de un reporte de crédito por vez, encárguese del que presente el puntaje medio. Ése es el puntaje que los bancos tienen en cuenta. Ahora es su prioridad. Una vez que corrija todos los errores de ese reporte, continúe con el que tenga el puntaje más bajo, después siga con el que queda. ¡Mantenga los tres informes en buenas condiciones!

Muchas veces las agencias no tienen forma de demostrar en un plazo de treinta días que el punto que usted cuestiona sea correcto. Por consiguiente, ellos tienen la OBLIGACIÓN de borrar ese punto del reporte de crédito. ¡Aumento instantáneo del crédito! ¡Un solo mes puede mejorar el crédito ampliamente!

Sígalo de cerca

Revise sus reportes de crédito de forma periódica. Asegúrese de que los datos sean correctos, verifique que no haya errores. También sería bueno que siga de cerca sus reportes de crédito para detectar cualquier punto que pueda aparecer a causa del robo de identidad, un delito muy común por estos días, del que no querría ser la próxima víctima. Un servicio de seguimiento de créditos puede realizar este control por usted.

La mayoría de la personas hace el balance de sus chequeras una vez por mes. ¡Usted debería adquirir el hábito de revisar también sus reportes de crédito!

Elimínelo

¿Está involucrado en alguna operación de cobranzas? Este punto de su reporte de crédito es una de las pestes que lo afectan de manera negativa. ¡Pero tiene solución! Comuníquese con la agencia de cobranzas y sólo pídales que eliminen ese punto del registro y, a cambio, ofrezca el pago de esa cuenta. En lugar de mencionar la cobranza como "paga", ¡pueden eliminarla de los registros! ¡Eliminada! ¡Ya está!

Casi la mitad de las agencias de cobranzas estarán dispuestas a hacerlo. Sí, es increíble. Eliminarán por completo ese punto negativo del reporte si usted cancela la deuda o, por lo menos, paga gran parte de ella.

> ¡Puede eliminar por completo los puntos negativos de su reporte de crédito!

Si usted está en contacto con una agencia de cobranzas que esté dispuesta a borrar el punto desfavorable del reporte, ¡hágalo! Consiga el dinero (¡como pueda!) y haga desaparecer ese dato de sus registros. Ésta es una oportunidad increíble para hacer que su problema con las deudas desaparezca de la noche a la mañana. Cuando semejante dato negativo desaparece del reporte de crédito, eso tiene un efecto enorme e inmediato en su puntaje de crédito. Si puede aprovechar esta estrategia, emplee los métodos que explicaré más adelante para conseguir dinero y cancelar la deuda con la agencia de cobranzas. ¡Vale la pena hacerlo por su presente y su futuro económico!

Auméntelo

¡Aumente su puntaje de crédito mediante una llamada rápida a las compañías de tarjetas de crédito! Llame a cada una de las tarjetas con las que opera y solicíteles que amplíen su límite de crédito. Por lo general, suelen acceder a esta solicitud mucho más fácilmente que a otro tipo de pedidos que usted pueda realizar; las compañías de tarjetas de crédito suponen que usted consumirá más y, por lo tanto, habrá más dólares para ellos.

Usted sabe cómo hacer las llamadas telefónicas. ¡Es un método maravilloso al alcance de todos!

Usted no quiere ampliar su límite de crédito para comprar más, sino para mejorar su puntaje de crédito. Su puntaje de crédito aumenta de manera considerable si usted no utiliza el crédito disponible en su totalidad. La manera más rápida y fácil de conseguir esto es ampliar su crédito disponible. ¡Lo único que debe hacer es solicitarlo! Si no utiliza el total de su crédito disponible, su puntaje de crédito puede aumentar cincuenta puntos!

Repártalo

¡Reparta! Si las compañías de tarjetas de crédito se niegan a ampliar su límite (aunque la mayoría aceptará hacerlo), reparta su deuda entre todas sus tarjetas de crédito. El objetivo es que cada tarjeta de crédito muestre la mayor cantidad posible de crédito disponible. El sistema de puntaje FICO quiere que usted utilice sólo entre el 30 y el 35 por ciento de su crédito disponible con cada tarjeta, así que intente llegar a ese porcentaje. Si la tarjeta de crédito le otorga un límite de mil dólares, usted sólo debería gastar trescientos.

Parece una tontería, pero tiene que jugar el juego de las compañías. Reparta lo que adeuda de manera tal que ninguna tarjeta tenga un saldo alto. No utilice las tarjetas al máximo. Si emplea esta técnica sencilla, ¡su puntaje de crédito puede mejorar considerablemente!

Páguelo

Para reducir los gastos incurridos con la tarjeta de manera tal que no superen el 30 o el 35 por ciento del límite, tal vez pueda cancelar algunos saldos. En lugar de repartir los saldos, quizás pueda pagar algunos de ellos. Si es posible, pague el total que adeuda a las tarjetas o reduzca los saldos. Reduzca los saldos de cada una de las tarjetas de crédito de modo de utilizar sólo ese treinta por ciento mágico. ¡Yo lo ayudaré a conseguir el dinero para pagar las tarjetas!

Consígalo

¿Tiene dinero ocioso en el banco o enterrado en el patio trasero de su casa para cuando esté "en apuros"? Bueno, ese día ha llegado. Si tiene una deuda que pasó a cobranzas o tiene un saldo alto por pagar, adelante, utilice los dólares para salir de este enredo. A menos que esté ganando muy buenos intereses con ese dinero, es preferible que lo utilice para pagar algunas de las cuentas que le causan problemas y las haga desaparecer.

A algunos les causa temor tener que recurrir a los ahorros para "emergencias", ¡pero sólo generan un cuatro por ciento de interés, o menos! Sus tarjetas de crédito le cuestan mucho más dinero. Si puede limpiar su reporte de crédito rápidamente, estará en camino hacia la creación de la riqueza. No tendrá que cavar un pozo en el patio trasero porque ya no lo acecharán el temor ni las preocupaciones económicas ni las deudas. Resuelva este problema y el futuro se resolverá por sí solo.

Quizás no tenga ahorros. De todas formas, es de suma importancia que cancele los créditos que le causan problemas. Debe conseguir el dinero. ¡Pídalo prestado! Veo que se quedó boquiabierto. ¡Sí! Pida dinero prestado a sus amigos o familiares para cancelar los montos que generan problemas en su reporte de crédito. Lo que ocurre entre usted, sus amigos y su familia es privado, no se verá reflejado en el informe de crédito. La mayoría de las personas que usted conoce seguramente le cobrarán intereses más bajos que el banco y, si tiene mucha suerte, ¡tal vez hasta no le cobren ningún interés!

Contrólelo

Cuando implemente estos métodos para aumentar su puntaje de crédito, asegúrese de que el reporte de crédito realmente refleje todo el trabajo que se ha tomado. Si había un punto que no le correspondía, si usted pagó una deuda que había pasado a cobranzas o canceló sus deudas, asegúrese de que el reporte indique lo que usted llevó a cabo. ¡El propósito de estas acciones es mejorar el puntaje de crédito!

Si sus correcciones no se reflejan en el reporte, llame a las agencias. Quizás le permitan enviar los comprobantes de pago para evitar que inicie un reclamo y que tenga que atravesar todo ese proceso. Haga todo lo necesario para asegurarse de que las mejoras que consiguió se vean reflejadas como corresponde.

¿Por qué molestarse?

> ¡Puede mejorar el puntaje de crédito prácticamente de la noche a la mañana!

Su puntaje de crédito es como el bateador más fuerte del mundo de los créditos, y usted tiene que estar listo para dejarlo fuera del juego. Si no le presta atención a su puntaje de crédito, pueden molerlo a golpes mes a mes. El número que representa su puntaje de crédito es el factor que determina su capacidad para obtener créditos y las condiciones en las que se le otorgan esos créditos. Es posible que un puntaje de crédito bajo le impida recibir préstamos, o lo que es peor, tal vez acceda a un crédito pero deberá pagar una tasa de interés muchísimo más alta que alguien que tenga un excelente perfil crediticio.

El número tiene importancia. Un puntaje de crédito bajo puede costarle muchos dólares mientras sus préstamos están activos. Si usted tiene una hipoteca, un préstamo estudiantil y un préstamo automotor, un puntaje de crédito bajo lo obligará a pagar miles de dólares de más en intereses.

¿Qué deseo demostrar?

Por ejemplo, pensemos en tres muchachos normales con tres puntajes de crédito normales. Bernardo solicita un préstamo hipotecario por 275 mil dólares. Tenía un puntaje de crédito de setecientos puntos, así que se lo consideraba un muy buen riesgo. Para una hipoteca con tasa fija a treinta años, Bernardo califica para una tasa de interés del 5,6 por ciento. Su cuota mensual será de 1579 dólares.

Enrique tiene un puntaje de crédito de 675 puntos. Para el mismo préstamo hipotecario, Enrique califica para una tasa de interés del 6,1 por ciento. Su cuota mensual será de 1666 dólares.

Ahora veamos el caso del tercer muchacho. Héctor también desea solicitar un préstamo hipotecario con tasa fija a treinta años por 275 mil dólares. Tiene un puntaje de crédito de 620 puntos. Califica para una tasa de interés del 7,3 por ciento. Su cuota mensual será de 1885 dólares.

A los tres caballeros les otorgan un préstamo hipotecario con tasa fija por 275 mil dólares a treinta años. El puntaje de crédito es lo que hace la diferencia. Como el puntaje de crédito de Enrique era más bajo que el de Bernardo, Enrique habrá pagado la galopante suma de 31596 dólares más en concepto de intereses. Cuando Héctor pueda quemar los papeles del préstamo al término de esos treinta años, habrá pagado 110377 dólares más que Bernardo —quien tenía un mejor puntaje de crédito— en concepto de intereses.

Mantener el puntaje

Si aumentar el puntaje de crédito no tenía demasiado sentido para usted antes de leer esto, ahora le queda claro por qué debería hacerlo. 110 mil dólares es muchísimo dinero. Para un rico, para un pobre, para cualquiera. El dinero no tiene por qué abandonar sus bolsillos y pasar a engrosar las arcas de los sabuesos financieros. Cada pequeño esfuerzo que usted haga servirá para aumentar su puntaje de crédito; usted notará importantes resultados.

Si ya tiene un buen puntaje de crédito, es imperativo que lo mantenga en ese nivel. Es demasiado fácil omitir un pago de la tarjeta de crédito o pagar la hipoteca fuera de término "sólo por esta vez", sin embargo eso puede afectar su puntaje de crédito. Aunque parezca injusto, un solo pago de la hipoteca fuera de término se incluirá entre los datos que conforman su reporte de crédito. Eso podría traer como consecuencia una tasa de interés más alta si usted decide refinanciar su hipoteca actual, solicitar un préstamo sobre el valor líquido de la vivienda o mudarse, para lo que requerirá otro préstamo hipotecario. Esto es similar a lo que ocurre con el promedio de las calificaciones; una sola calificación mala hace caer el promedio en picada y después es muy difícil levantarlo. Entonces, si su puntaje de crédito es alto, esfuércese por mantenerlo así.

¡MÁS ESTRATEGIAS SENCILLAS PARA PASAR DE UN CRÉDITO MALO A UN CRÉDITO BUENO!

Algunas de las siguientes técnicas son puro sentido común, pero algunas estrategias para mejorar y mantener el puntaje de crédito son novedosas. ¡Siga los pasos que explico y verá un puntaje de crédito mejorado!

1. **Pague en término**

   Todos sabemos que debemos efectuar los pagos en término, pero tal vez no nos dimos cuenta de que todos los pagos tardíos aparecen como un dato negativo en el reporte de crédito. Ahora que sabemos que el sistema de puntaje de crédito está diseñado para buscar puntos negativos deliberadamente para perjudicarnos, no debemos brindarle datos fáciles para que usen en nuestra contra.

2. **Pague más**

   Haga todo lo que sea necesario para poder efectuar, al menos, los pagos mínimos mensuales en término todos los meses sin excepción. Si es posible, pague más del mínimo. El pago mínimo solía ser sólo del dos por ciento del saldo. Desde enero de 2006 aumentó al cuatro por ciento. Aún así, si paga sólo el cuatro por ciento todos los meses, el contador sigue corriendo, aumentan los costos financieros, la suma que adeuda es cada vez mayor y la fecha en la que pagará el saldo en su totalidad no se distingue en el horizonte.

3. **No saltee pagos**

    Su prioridad es seguir pagando. No saltee ningún pago, reitero, no saltee ningún pago. Si transfieren su cuenta a una agencia de cobranzas, eso perjudicará su puntaje de crédito y lo hará durante un largo tiempo, el efecto podría durar hasta siete años. Si tiene problemas para realizar los pagos, comuníquese con el acreedor e intente llegar a un acuerdo de pago diferente. Ignorar el problema no hará que éste desaparezca, sólo lo empeorará. Pague lo que pueda y actúe de manera responsable frente a los acreedores. Mantenga sus cuentas lejos de las agencias de cobranzas. Las acciones que emprenda hoy afectarán su futuro. ¡Pagar las cuentas el día de hoy implica vivir sin tensiones el día de mañana!

4. **No cierre cuentas**

    Para algunos, esta estrategia puede sonar extraña, pero si tiene un buen historial de cuentas antiguas, es perfectamente razonable mantenerlas para reflejar su buen historial crediticio en el reporte. No cierre cuentas antiguas. Uno de los factores que se toman en cuenta para calcular el puntaje de crédito es el período durante el cual usted tuvo un crédito con cada acreedor.

    Aún cuando ya no utilice la cuenta, si usted realizó los pagos en forma puntual durante un largo tiempo, manténgala abierta. No es necesario que use la tarjeta. Sólo coseche los frutos de un buen historial crediticio. Según las observaciones que hizo Hazel Valera —la experta en créditos de Clear Credit Exchange— en el Millionaire Real Estate Club de Las Vegas, lo que resulta de más utilidad a la hora de mejorar el puntaje de crédito son las cuentas de cinco años de antigüedad con un límite de crédito de por lo menos cinco mil dólares, de los que no más del treinta por ciento se haya utilizado. Este tipo de cuentas, con un buen historial de pagos, pueden elevar el puntaje de crédito a la categoría de los ochocientos puntos.

5. Mantenga saldos bajos

Este punto se relaciona con el anterior. A los acreedores y a los prestamistas no les agrada ver que usted utiliza sus cuentas al máximo. No importa si usted realiza pagos mínimos todos los meses; su puntaje de crédito se verá perjudicado si su saldo excede el 35 por ciento o más del límite de crédito disponible de su cuenta. Ellos le dan crédito, simplemente no desean que usted lo utilice.

Por ejemplo, si usted tiene una tarjeta de crédito con un límite de 2500 dólares, debería mantener el saldo pendiente de pago por debajo de los 875 dólares. Para participar de este juego de números, debe repartir los saldos entre varias tarjetas de crédito. En lugar de tener un saldo alto en una sola tarjeta de crédito, es preferible tener varios saldos bajos en distintas tarjetas; esto es mejor a la hora de calcular su puntaje de crédito. Ambos estaremos de acuerdo en que no debería importar si usted tiene una deuda de tres mil dólares con una tarjeta o seiscientos dólares con cinco tarjetas. De hecho, según mi propia lógica, no debería ser así, pero las cosas funcionan de otro modo. Lo importante es que usted comprenda cómo lo clasifican. Conocer las reglas significa saber cómo jugar el juego de las compañías.

Si mantiene saldos bajos y los distribuye entre varias tarjetas a fin de usar sólo entre el 30 y el 35 por ciento del límite de cada una, afectará de forma positiva su puntaje de crédito. No obstante, antes de repartir un saldo alto entre varias tarjetas de crédito, tómese un minuto para revisar la tasa de interés. Si sus otras tarjetas aplican tasas de interés altas y no puede pagarlas rápidamente, podría terminar adeudando más a causa de los intereses. Es preferible mantener el saldo en una sola tarjeta si ésta le cobra un interés bajo. No se cave su propia fosa por seguir ciegamente este consejo.

6. No se vuelva loco

Adondequiera que mire, ofrecen tarjetas de crédito. A los efectos de conservar el puntaje de crédito en buenas condiciones y por ser éste lo que mejor refleja su comportamiento financiero, debe limitar el número de tarjetas de crédito que solicita. ¡De verdad, cada cuenta nueva perjudica su puntaje! No abra una cuenta sólo porque le dan un regalo o porque ese día le ofrecen un descuento especial para cuentas de ahorros. ¿Realmente necesita otra camiseta?

La mayoría de las tarjetas de las tiendas por departamentos cobran tasas de interés altas y la mayoría de las compras que usted realiza en esas tiendas pueden hacerse con sus otras tarjetas de crédito. Entonces, ¿para qué molestarse?

7. **Evite las consultas**

No solicite demasiados préstamos y tarjetas de crédito en tan poco tiempo. Esto hará que el acreedor o el prestamista investiguen su reporte y su puntaje de crédito. Esto es lo que se llama una consulta. ¡No es conveniente que hagan demasiadas averiguaciones sobre usted! Todas las consultas se mencionan en el reporte de crédito y permanecen en este documento durante dos años. Recuerde: las consultas son uno de los factores negativos que se toman en cuenta para calcular su puntaje de crédito, especialmente si se hacen una tras otra. Téngalo presente: ¡Hay 88 factores negativos! ¡El sistema de puntaje no es nada fácil!

Si abre una cuenta nueva, mantenga saldos bajos antes de abrir otra cuenta nueva o solicitar un préstamo.

Repasemos

Los conceptos explicados en estos capítulos son simples y cualquiera puede llevarlos a la práctica. No hay que ser miembro de ningún club, ni hace falta hacer demasiado aspaviento. ¡Sólo debe implementar los métodos que sugiero, y usted y su puntaje de crédito podrán lograr una verdadera "recuperación económica"!

Si relee las páginas de este capítulo verá que aumentar el puntaje de crédito y mantenerlo en un nivel alto no representa un desafío irrealizable. El consejo número uno es una característica tradicional de cualquier ciudadano bueno, decente y trabajador. Pague las cuentas. En los tiempos

> ¡El conocimiento es poder y éste puede ser suyo!

de nuestros abuelos, eso era lo único a lo que debía prestarse atención. No existían los reportes de crédito, los puntajes FICO ni las fórmulas complicadas y ultra secretas para calcular qué clase de cliente seríamos. Las cosas eran así: "Claro, sé quién es Frederico. Tiene una granja fuera de la ciudad. Buen tipo. Mi banco le prestó dinero y siempre pagó en término. Confío en él". Esos días ya terminaron, así como los caballos ya no se utilizan para empujar el arado; ahora usted no es más que un número, pero podemos seguir el ejemplo de nuestros antepasados y pagar las cuentas en término.

El hecho de mantener abiertas las cuentas antiguas y tener saldos bajos forma parte de los tiempos en los que vivimos. Ahora que lo sabemos, podemos hacerlo. Obtener demasiadas tarjetas puede resultar problemático porque "el gran hermano" nos observa y sigue de cerca cada una de nuestras cuentas y cada una de las consultas que se realizan sobre nosotros.

Ahora que sabemos sobre el tema, sabemos lo que hay que demostrar. La clave es saber. El conocimiento es poder, y ellos ya no podrán manejarnos a causa de nuestra ignorancia.

Tengo otra historia para contarle que puede ayudarlo a arreglar el reporte de crédito en un abrir y cerrar de ojos. Sólo se necesitan tres fórmulas mágicas.

CAPÍTULO 12

Tres fórmulas mágicas

"¡Hocus pocus! ¡Abracadabra!"
Antiguos magos

No, ésas no son las palabras màgicas las que me refiero. Sí, son palabras graciosas aunque no causan ningún efecto en su resumen financiero. Pero si desea probar, adelante, hágalo. Quizás si envuelve su reporte de crédito con un pañuelito, lo cubre con la palma de la mano y dice "¡abracadabra!", cuando desenvuelva el reporte, aparecerá un puntaje alto por arte de magia. Si esto funciona, avíseme.

Probablemente, no funcionará; usted estará de nuevo donde empezó: observando el reporte de crédito con cara de sueño y preguntándose si existe algún tipo de "solución rápida". *Bueno, sí existe.* No hacen falta canarios, pañuelos de seda ni ninguna clase de truco. De hecho, es mucho más sencillo.

Mala información = mal crédito

Como ya se mencionó repetidas veces, los reportes de crédito hacen girar al mundo. Los problemas de crédito hacen que su mundo financiero se derrumbe a sus pies. Lo frustrante es que un mal crédito se debe en gran medida a la mala información.

¿Cómo arreglarlo? Le doy una fórmula mágica. (No, aunque algunos quisieran burlarse de mí y decir "Kevin Trudeau", ésas no son las palabras mágicas). En realidad, hay tres fórmulas mágicas. Todas ellas son muy efectivas para eliminar o reducir la deuda de manera significativa y simple.

¡Condonada!

Hoy en día, la quiebra forma parte de la vida de muchas personas. Según el Instituto Estadounidense de Bancarrota, en 2007 las quiebras aumentaron un cuarenta por ciento. En cifras, eso significa que la cantidad de consumidores que declararon la bancarrota en 2006 fue de 597965, ¡mientras que al año siguiente la cifra aumentó a la cantidad descomunal de 801840!

Sin embargo, esos números no dicen toda la verdad porque casi un tercio de las quiebras que se presentan por año involucran parejas, es decir, marido y mujer. Según un estudio realizado en 2001, el número total debe multiplicarse por el 31,9 por ciento para obtener un total más preciso sobre la verdadera cantidad de personas afectadas. En consecuencia, ¡el total de 2006 ronda las 789000 personas y el total de 2007 asciende a 1057627!

¡Piénselo! En el último año, la bancarrota afectó a más de un millón de personas en nuestro país. Eso significa que ¡una de cada trescientas personas en los Estados Unidos se declaró en quiebra el año pasado! A eso, súmele la gran cantidad de quiebras corporativas y esto da por resultado *millones* de personas afectadas por este problema año a año. Se trata de muchísimos de nosotros, amigos. Estoy seguro de que todos conocemos a alguien cuya vida se vio terriblemente afectada por este asunto.

Las personas que presentan la quiebra creen que la ley les permitirá comenzar de cero, hacer borrón y cuenta nueva; piensan que se librarán de las deudas. Pero resulta que algunos acreedores y algunas agencias de cobranzas creen que están por encima de la ley. Muchas de las personas que se declararon en quiebra aún padecen penurias económicas a causa de antiguas deudas porque los acreedores los persiguen.

Si usted forma parte de este grupo que cada vez es mayor, le revelaré la primera fórmula mágica: ***deuda condonada***.

La historia de Daniel, operario de una fábrica de North Carolina, demostrará cómo funciona esta fórmula. Daniel presentó la quiebra en 2002. Un año después, intentó comprar una casa nueva. El proceso de aprobación de la hipoteca se retrasó, no a causa de la bancarrota, sino porque en el reporte de crédito figuraba una deuda de 9500 dólares con la compañía de su tarjeta de crédito. Esa cuenta pendiente de pago afectaba el reporte de Daniel; su puntaje de crédito era muy bajo y, por esa razón, no podían otorgarle el préstamo hipotecario. Le dijeron a Daniel que primero debía pagar los 9500 dólares que adeudaba a la tarjeta de crédito para poder limpiar el reporte y así conseguir la aprobación del préstamo hipotecario.

Daniel demostró que esa deuda había sido condonada por el tribunal de bancarrota. El banco dijo que Daniel debía resolver el asunto con la compañía de la tarjeta de crédito. La compañía de la tarjeta de crédito —llamémosla *Banco Ambicioso*— no había actualizado los registros, por lo tanto, no había cancelado la deuda. No informaron ese dato a las agencias de reportes de crédito, entonces el reporte de crédito de Daniel aún mostraba la deuda, no se había registrado la condonación de ninguna manera. Daniel proveyó varias pruebas de la condonación de la deuda, pero por supuesto, Banco Ambicioso no hizo nada al respecto.

El banco estaba atado de pies y manos porque la aprobación del préstamo hipotecario dependía del reporte de crédito. La agencia de reporte de crédito decía que Banco Ambicioso debía brindarles la información. Daniel se peleó con Banco Ambicioso para que corrigieran el reporte de crédito, sin embargo no hicieron nada. Por último, al borde de la desesperación, Daniel se dio por vencido y pagó la deuda para limpiar el reporte de crédito y así poder comprar su casa.

¡Imagíneselo! El pobre Daniel tuvo que pagar casi diez mil dólares para limpiar su crédito y su nombre por una cuenta que había sido eliminada de forma legítima. ¿No le parece terrible? Creo que lo es.

Descubrimos que, a menudo, las compañías de tarjetas de crédito no cancelan las deudas condonadas por la ley de bancarrota. No se trata de un error. Lo hacen deliberadamente. Se aferran a esas deudas como un modo de presionar a los consumidores como Daniel para que paguen montos que ya no están obligados a pagar. El solo pensamiento me acelera el pulso.

A veces, los acreedores venden esos préstamos a compañías desconocidas que intentan cobrar el dinero. Estas compañías conforman una industria que prolifera rápidamente y maneja grandes sumas de dinero. Algunas de estas compañías incluso cotizan en el índice NASDAQ.

¿Nunca había oído hablar de esto? No es el único. Hasta los jueces con experiencia en bancarrota se sorprenden ante la revelación de lo que se ha dado en llamar "el mercado secundario del papel de bancarrota". Como hay muchísimo dinero en juego —dicen que las ventas de estas deudas al por mayor mueven miles de millones de dólares— el sector crece, al igual que la deuda total que se negocia. La competencia es cada vez mayor; hay cientos de compañías (conté doscientos cincuenta en una lista parcial) que hacen que el precio de las deudas también aumente. A los ojos del acreedor, esto tiene un valor agregado, ¿para qué cancelar una deuda condonada si puede ganar mucho dinero con ella? Es una locura.

El titular de un artículo publicado en *Business Week* en noviembre de 2007 rezaba: "Prisioneros de la deuda: grandes prestamistas exprimen los bolsillos de los consumidores cuyas deudas fueron condonadas por los tribunales". El problema existe, pero hasta la fecha, no se hace nada para impedir el abuso. Se supone que las leyes de bancarrota de nuestro país protegen al ciudadano, pero hay un gran vacío legal y muchísimas personas sedientas de dinero se están aprovechando de la situación.

La Comisión Federal de Comunicaciones redactó cartas de opinión formales en las que sostiene que las instituciones de crédito deberían informar que las deudas se condonaron, pero no hay ninguna ley que lo exija. La Fair Credit Reporting Act [Ley de Informes Imparciales de Crédito] exige que las instituciones garanticen la veracidad de los datos incluidos en los reportes, pero ellas confían en la información que proveen los acreedores. Los parámetros para medir la responsabilidad no son demasiado precisos, si es que realmente existe algún parámetro. ¿Quién es el responsable, el acreedor o la agencia de reportes de crédito? Ninguna de las dos organizaciones parece preocuparse demasiado.

En el caso de Daniel, la agencia de reportes de crédito no estaba enterada de que se había condonado la deuda porque Banco Ambicioso nunca les informó al respecto. Banco Ambicioso no se molestó en condonar la deuda porque sabían que aún tenían posibilidades de ganar dinero con ella. Su mentalidad es similar a la de los niños de la escuela primaria: "No tengo que hacerlo, así que no puedes obligarme". Básicamente, nadie vigila la tienda, entonces los acreedores roban millones de dólares a los consumidores desprevenidos. ¡Dólares de deudas que fueron condonadas en forma legal, eliminadas de sus registros!

¿Qué ocurre con los legisladores de nuestro país? Alguien atraviesa el calvario de la bancarrota, condonan sus deudas y después nadie elimina las deudas de los registros de manera tal que siguen causándole problemas. Las leyes de bancarrota prohíben el cobro de una deuda condonada, pero obviamente, no sólo nadie hace cumplir la ley, sino que, además, esa desobediencia se convirtió en un gran negocio.

Por fortuna, Daniel apeló al tribunal de bancarrota y acusó a Banco Ambicioso de no actualizar su reporte de crédito. Banco Ambicioso no respondió a la acusación, entonces el juez ordenó que la compañía devolviera los 9500 dólares a Daniel más una suma adicional de catorce mil dólares por multas y honorarios del abogado.

Daniel había pagado la deuda para conseguir el préstamo hipotecario, de todas formas, pudo recuperar el dinero. Aquí tiene una importantísima razón más para seguir de cerca su reporte de crédito. Asegúrese de que las deudas canceladas se eliminen del reporte. Está en todo su derecho y, a veces, tenemos que luchar por nuestros derechos. Pero vale la pena. Recuerde esta fórmula mágica: "deuda condonada".

Sólo para que lo sepa, estos mafiosos que compran deudas suelen emplear otras estrategias además de intimidar a los consumidores y explotar el sistema de las instituciones de crédito. Las aves de rapiña que compran las deudas basura intentan cansar a la víctima con llamados telefónicos reiterados y molestos. Envían cartas de aspecto formal, similares a las que podría enviar una agencia de cobranzas responsable o un estudio de abogados. Los buitres cuentan con el hecho de que a veces los acreedores no actualizan a las instituciones de créditos cuando se condona alguna deuda. Descubrieron una falla en el sistema y se aprovechan de ella.

Otra de las artimañas de las compañías de deuda basura consiste en modificar el número de la antigua cuenta y asignarle uno nuevo. En realidad, esto es bueno para usted y le facilita las cosas. Si una agencia de cobranzas o una compañía de crédito nueva se comunican con usted, pregúnteles el número de cuenta. Si ni el nombre de la compañía ni el número de cuenta coinciden con la información que usted tiene en sus registros y usted se había declarado en bancarrota, tiene que emplear la fórmula mágica *"deuda condonada"*. Éste es un modo fantástico de eliminar la deuda de forma absoluta. Puf. Esfúmate.

¡No es mi deuda!

A veces puede toparse con otra clase de obstáculo al intentar resolver el problema de su reporte de crédito. Déjeme contarle una historia.

Ignacio, un buen amigo mío, solicitó una tarjeta de crédito y se la denegaron. Esto lo sorprendió porque contaba con un excelente historial crediticio. Ignacio insistió hasta el cansancio para que la compañía de tarjetas de crédito accediera. Se le informó que su solicitud había sido rechazada porque el reporte de crédito mencionaba un saldo de quince mil dólares que nunca había pagado en una cuenta de American Express.

Ignacio jamás había tenido una cuenta con American Express. Realizó muchísimas llamadas telefónicas para decirle a la compañía de tarjetas de crédito que esa deuda no era suya y que nunca lo había sido. Envió cartas que explicaban que él no debía quince mil dólares a American Express ni a ningún otro acreedor. Por toda respuesta, sólo le enviaron las típicas cartas estándar. Ignacio se pasó meses intentando solucionar este problema; después un abogado amigo también redactó cartas.

La mayoría de nosotros sabe que nuestras cartas pueden pasar inadvertidas, pero el membrete de un abogado normalmente logra capturar la atención de los demás. En este caso, no fue así. Ignacio sólo recibió más cartas estándar. Realmente sentía que se daba la cabeza contra la pared. ¿De cuántas formas les podía decir "la deuda no es mía"?

¡No es mía!

Habló por teléfono por décima o centésima vez con atención al cliente; estaba cansado, frustrado, exasperado:

—Hice todo lo que estaba a mi alcance para corregir el error. Nunca en mi vida tuve una tarjeta American Express. No debo quince mil dólares a American Express. No debo quince mil dólares a nadie. ¡Esta deuda no es mía! Ya no sé qué más puedo hacer. Debo haber sido víctima de un *"robo de identidad"*.

—Oh, cielos, transferiré la llamada.

—Buenos días, señor, lamentamos mucho el inconveniente. Borraré el error de sus registros ya mismo. Le extenderé una nueva tarjeta platino hoy, y por los inconvenientes causados, la enviaremos por correo rápido para que la reciba de inmediato.

¡No es suya!

La fórmula mágica a la que me refiero ahora es *"robo de identidad"*. Algunos años atrás esto era una rareza, pero en el presente ocurre todos los días, y los que cometen este delito se perfeccionan cada vez más. Según la Comisión Federal de Comercio, aproximadamente diez millones de consumidores estadounidenses por año son víctimas del robo de identidad. Esto significa que mientras usted lee este libro, le robarán de algún modo la identidad a alrededor de 27400 personas. Asimismo, la Comisión afirma que entre quince mil y veinte mil consumidores por semana se comunican con ellos. ¡Diez millones de personas por año! Ésa es la cantidad en un año; en cinco años, ¡son cincuenta millones de personas!

¡Una fórmula mágica puede mejorar su puntaje de crédito!

Según una encuesta realizada en 2006, el dinero total perdido por las víctimas del robo de identidad asciende a 15,6 mil millones de dólares. Las pérdidas de las compañías por robo de identidad ascienden a cincuenta mil millones de dólares por año por costos totalmente innecesarios. Esos costos se trasladan a todos nosotros.

Es terriblemente frustrante cuando le ocurre a usted. Los consumidores dedicaron entre cuatro y 130 horas de su tiempo a arreglar los problemas causados por el robo de identidad. Los delitos que suelen cometerse mediante el robo de identidad son: malversación de una cuenta de tarjeta de crédito, malversación de otro tipo de cuentas y apertura de nuevas cuentas a nombre de otra persona. Muchas víctimas son objeto de distintas clases de robo de identidad. El mejor consejo que puedo darle para que usted se ocupe de este asunto de inmediato es decirle al banco o a la compañía de tarjetas de crédito la fórmula mágica. Entonces el banco le prestará atención. Odian el robo de identidad tanto como usted.

Mientras escribía este libro, me llamó una amiga para quejarse de que alguien estaba utilizando la información de su tarjeta de débito y estaba gastando dinero por todo Chicago. Mercedes tenía la tarjeta en la cartera; pero, de alguna manera, alguien había obtenido la información de la franja magnética y había falsificado la tarjeta. Hay lectores de tarjetas sofisticados que pueden robar su información y hasta en los mejores establecimientos trabajan cajeros sospechosos. Nunca se sabe cuándo podría ocurrirle a uno. Emocionada por la seguridad de que ya no volvería a ocurrirle lo mismo, ahora Mercedes abona una pequeña suma por servicios de seguimiento de reporte de crédito.

Recuerde la fórmula mágica: *"robo de identidad"*. Es muy probable que haya un dato en su reporte de crédito que no le pertenezca en absoluto. El mal puntaje de crédito que obtiene a causa de ese dato en realidad tampoco le pertenece. Podrían negarle un crédito por el delito que cometió un ladrón y usted pagará por ello, literalmente. Si no tiene un buen puntaje de crédito, esté alerta respecto de cualquier dato inexplicable que figure en el reporte porque podría ser víctima del robo de identidad.

Si hay algo en su reporte de crédito que le parezca un misterio absoluto, ¡debe decirle al banco o a la compañía de tarjetas de crédito que eso no es suyo! Tres palabras mágicas: robo de identidad. ¡De este modo conseguirá mejoras inmediatas!

Información sobre el robo de identidad

Es muy triste pensar que en el mundo en que vivimos la gente roba cualquier cosa, en especial el bienestar económico de otro. El robo de identidad no puede traer nada bueno, pero finalmente Ignacio pudo resolver el asunto de los misteriosos quince mil dólares que aparecían en su reporte de crédito.

No lo tome a la ligera. El robo de identidad es una amenaza real. Todos los días escucho historias similares a las de Ignacio y Mercedes. Ese delito es más común cada año. A veces la gente es demasiado descuidada con su información financiera privada, sin embargo, por lo general, el robo de identidad ocurre porque la gente mala es muy buena en lo que hace.

La forma más fácil de estar atento a un posible robo de identidad es hacer un seguimiento del reporte de crédito. Si Ignacio hubiera contratado un servicio de seguimiento o hubiera conseguido su reporte de crédito gratuito, habría notado la enorme deuda que figuraba en su reporte sin necesidad de que otro se lo hiciera notar.

Dedíquese a atender sus asuntos y de esa forma podrá evitar problemas en forma más eficaz.

Seguridad básica

Además de los consejos obvios, como no dar el número de tarjeta de crédito ni el número de seguro social por teléfono, le sugiero que invierta en un triturador para la casa, no es algo costoso. Debe triturar todos los recibos o estados de cuenta que contengan sus datos personales. Tengo un amigo que tira todos los recibos a la basura y después los cubre con salsa de tomate. Quizás la trituración es un método más prolijo.

¡Sea precavido en línea!

Muchísimos robos de identidad se producen en línea, así que sea precavido cuando usa la computadora. A continuación detallo algunos consejos básicos de seguridad:

- ✔ Siempre salga del sistema cuando finalice sus operaciones bancarias o sus operaciones con la tarjeta de crédito en línea.
- ✔ Utilice sólo su propia computadora para realizar operaciones financieras personales. No utilice las computadoras de la biblioteca pública; tampoco utilice la red inalámbrica gratuita de la cafetería o de la librería mediante la computadora portátil.
- ✔ No haga clic en las ventanas emergentes.
- ✔ No descargue nada a menos que tenga la certeza de que se trata de un archivo seguro.
- ✔ Cree una clave extremadamente original.
- ✔ Ejecute un antivirus y/o algún *software* de seguridad.

"El silencio vale oro"

Quizás sus problemas de crédito o de deuda no son producto del robo de identidad o de la condonación de una deuda tras la bancarrota. Aún podría ser acechado a causa de una deuda del pasado que teóricamente se declaró incobrable. Por alguna razón, usted no pudo pagar y la deuda se consideró incobrable. En ese caso, el prestamista cobró una reducción de impuestos y usted siguió adelante con su vida. Pero quizás el prestamista también vendió la deuda a un cobrador de deudas carroñero.

La historia de la hija de un amigo me ayudará a ejemplificar lo que quiero decir. Jimena se había graduado de la universidad hacía poco tiempo con una enorme sonrisa, grandes sueños y una pequeña pila de deudas. Al poco tiempo consiguió trabajo y comenzó a pagar sus deudas estudiantiles. Pero pronto aparecieron otros problemas. Incurrió en muchísimos gastos por tratamientos odontológicos. Su compañera de piso le robó. Jimena fue inteligente y la echó, no obstante, lo que debía pagar de alquiler ahora era el doble de lo que había contemplado en su presupuesto.

Jimena hizo lo que cualquiera de nosotros haría: comenzó a utilizar sus tarjetas de crédito para poder pagar los gastos diarios y las cuentas odontológicas. Muy pronto, la deuda con su tarjeta de crédito ascendió a tres mil dólares. Jimena hacía pagos poco a poco, pero le costaba mucho mantenerse al día debido a la alta tasa de interés que le aplicaban.

Resolvió que debía hacer un posgrado si quería alcanzar sus objetivos profesionales, pero no estaba en condiciones de cancelar la deuda con la tarjeta de crédito. Entonces Jimena hizo lo que muchos de nosotros hacemos: nada. Simplemente no podía pagar la cuenta de la tarjeta de crédito. El acreedor no la llamó más y el tiempo pasó.

Pocos años después, Jimena recibió una carta de lo que en apariencia era un estudio de abogados; decían que representaban a una compañía adquisidora y que Jimena debía alrededor de dos mil dólares. Además, el texto de la carta mencionaba que, a menos que ella se comunicara con la compañía dentro de los treinta días, la deuda se consideraría válida. También daban a entender que la llevarían a juicio y que ella sería responsable de la deuda más los intereses y los honorarios por asesoramiento legal.

No se deje intimidar por ciertos papeles de aspecto "oficial" o cartas que emplean lenguaje formal. Sólo intentan asustarlo. No se los permita. El acreedor y el número de cuenta que le mencionaron a Jimena no le resultaban familiares; esos datos tampoco coincidían con sus propios registros. Jimena respondió la carta de inmediato; les dijo que emprendería acciones de litigio y les pidió que acreditaran la identidad del presunto acreedor y la presunta deuda. Como era de esperar, nunca más la contactaron y jamás volvió a oír sobre la deuda.

Jimena no está sola. La táctica que acabo de mencionar afecta a muchísimas personas pero no todos permanecen calmos como ella. Quiero que recuerde esta última fórmula mágica: "Ley de prescripción". Estas simples palabras son su chaleco antibalas.

¿Recuerda lo que le dije en el Capítulo 4? ¡Usted NO DEBE pagar una deuda demasiado antigua! Si un acreedor o un falso estudio de abogados lo acosa, recuerde mantener la calma, sea inteligente y hable poco, sólo pronuncie la fórmula mágica: "Ley de prescripción".

Si el depredador de deudas no conoce el significado de la fórmula mágica, deletréela; asegúrese de recordarle que usted conoce el alcance de la ley de prescripción. Su tiempo se acabó. Adiós. Dígale a la persona que lo llamó que la deuda es incobrable y cuelgue. No admita que tiene esa deuda bajo ninguna circunstancia. (Si desea decirle al cobrador "¡Hasta la vista!", adelante, hágalo.)

Como dije antes, hay que recordar la palabra "supuesta". Debe hablar de la deuda —que según ellos le pertenece— con la palabra que la describe tal cual es: supuesta. Puede solicitar detalles de la supuesta deuda, por ejemplo, el número de cuenta, qué compra se realizó con ese dinero y cuándo se generó. Regrese al Capítulo 4 para consultar la lista de la Statute of Limitations [Ley de Prescripción] de cada estado. Si conoce sus derechos y las leyes que lo amparan podrá reducir o eliminar la deuda por completo. Lo único que tiene que hacer es recordar la última fórmula mágica: "Ley de prescripción".

La verdadera magia

No hay garantías contra el robo de identidad, los compradores de deuda basura ni las estafas de deudas canceladas, pero si aplica el sentido común, si toma conciencia de los peligros y presta mucha atención a sus propios registros financieros y al reporte de crédito, usted puede reducir las probabilidades de ser la próxima víctima de ese delito.

Nosotros no somos víctimas. Ya no permitimos que los bancos y las compañías de tarjetas de crédito nos traten como si fuéramos sus víctimas. Se aprovecharon de nosotros durante demasiado tiempo y es hora de que los pongamos en su lugar.

Usted no necesita poderes sobrenaturales para vencer a la industria de los créditos de consumo ni para recuperar el control de sus deudas. Puede poner en práctica algunos consejos básicos que forman parte del sentido común que aplicamos en la vida cotidiana. Además, están los secretos que revelo en este libro. Los acreedores y los prestamistas no desean divulgar sus tácticas retorcidas por una sola razón: el dinero. Si usted sabe de qué manera trabajan, sabrá cómo ganarle al sistema.

Estas palabras màgicasle funcionarán a una gran cantidad de consumidores. Sin embargo, si no se aplican a su situación en particular, aún existe una vía legal para salir de la deuda: la bancarrota. La quiebra es una opción totalmente legítima y legal, así que no se sienta avergonzado si declaró la quiebra o si lo está haciendo en este momento.

Cuando todo lo demás sea infructuoso, solicite el consejo de los asesores legales y financieros. Si ellos creen que la bancarrota es un camino viable para su situación, téngalo en cuenta. Hay cientos de miles de personas por año que optan por la quiebra para salir de la deuda. Tal vez haya más "fórmulas mágicas" por descubrir. Los lectores comparten el éxito de sus historias. Quizás usted tenga su propia historia con su propia fórmula mágica.

Tome el control

Sé que muchos de nosotros nos sentimos frustrados con el sistema. Nos enojamos y queremos decir ciertas palabras que no pueden imprimirse en este libro. Es posible que insultar a los bancos o a los acreedores alivie un poco la tensión, pero eso no produce un efecto real que sirva para mejorar su economía.

Para encargarse del asunto hay que tomar el control.

CAPÍTULO 13

Comienza la clase

"La educación no es llenar el cubo, sino encender el fuego."
William Butler Yeats

En el capítulo 3, "Nada por aquí, nada por allá", conté acerca del escándalo de los préstamos estudiantiles. Es probable que quien ahora se encuentre ante la posibilidad de obtener un préstamo estudiantil no se sienta muy optimista con respecto al factor confianza. Y hace bien.

Una cuestión de confianza

El primer consejo que le daré es justamente eso que le dice su instinto: no confíe en el departamento de finanzas de la facultad o de la universidad. Hechos recientes nos demostraron que los encargados de guiar a los estudiantes hacia los mejores préstamos no hacían más que llevarse tajadas directamente a sus bolsillos. Tanto los estudiantes como los padres se sienten lógicamente abrumados por los costos de la facultad y las decisiones a tomar respecto de ellos; por lo tanto, recurren a la facultad en busca de ayuda. Escuchan lo que les dice el asesor financiero de la facultad, para enterarse más tarde que al asesor poco le importa cuál es la agencia que tiene la mejor oferta para los estudiantes, sino que sólo le interesa saber cuál es la que tiene el mejor negocio bajo cuerda para él.

A partir de abril de 2007, seis reconocidas universidades (St. John's, Syracuse, Fordham, New York University, University of Pennsylvania y Long Island University) aceptaron más de tres millones de dólares en reembolsos a los alumnos debido a los acuerdos de reparto de ingresos que ellas tenían con las agencias privadas de préstamos estudiantiles. Está claro que a estos estudiantes no se les estaba dando la mejor oferta.

Siguiendo con mi lema de que "el conocimiento es poder", permítame darle algunas pautas básicas sobre la industria de los préstamos estudiantiles. Ésta es una de esas áreas en la que será mejor que piense dos veces antes de actuar, y que traiga sus lentes de aumento. Lea la letra pequeña antes de firmar cualquier cosa. El director de finanzas de la facultad le colocará un manojo de papeles enfrente y le dirá: "Bien, aquí está su paquete de "asistencia financiera". Firme aquí". Sabe Dios lo que le pueden estar haciendo firmar. Nadie le advierte que todo es negociable y que usted tiene derecho a investigar el mercado para saber qué agencia le ofrece las mejores tasas.

Préstamos garantizados por el estado

Usted puede conseguir préstamos garantizados por el estado (que es lo que a usted le conviene, enseguida sabrá por qué) a través del Ministerio de Educación o de compañías tales como Sallie Mae. Estos préstamos federales por lo general no cubren la totalidad del dinero que se necesita, por eso muchas personas solicitan además un préstamo privado. Si se observa lo que cuestan las matrículas y la cantidad de estudiantes que se inscriben en la facultad, no resulta sorprendente que el mayor crecimiento en el mercado de deuda lo haya experimentado el área de los préstamos estudiantiles privados. Es un GRAN NEGOCIO, así, en letra mayúscula.

Los préstamos garantizados por el estado son los más convenientes. Ofrecen las mejores tasas de interés y las mejores condiciones. Le otorgan el préstamo a precio de costo, y ninguna empresa privada se lleva dinero extra a expensas suyas ni le pasa dinero bajo cuerda a ningún cómplice maniobrero. En Internet, cada año se procesan más de seis millones de solicitudes de asistencia federal que los estudiantes completan para intentar acceder a parte de los 67 mil millones de dólares que el Ministerio de Educación otorga en préstamos, becas y asistencia para estudiantes. Para más información, comuníquese al 1-800-4-FED-AID (1-800-433-3243) o visite la página web http://www.ed.gov.

Permítame darle un breve panorama general sobre los préstamos federales para estudiantes. El préstamo estudiantil básico es el llamado "préstamo Stafford". En esta categoría recaen dos tipos de préstamos. El "Programa Federal de Préstamos Directos para Estudiantes" (FDSLP, por sus siglas en inglés) consiste en préstamos estudiantiles que provienen directamente del gobierno. El "Programa Federal de Préstamos para la Educación de la Familia" (FFELP, por sus siglas en inglés) se trata de préstamos otorgados por prestamistas privados pero que son garantizados por el gobierno federal.

A ambos se los considera préstamos Stafford, y tienen una tasa de interés fija (que actualmente es del 6,8 por ciento). Todos los prestamistas cobran la misma tasa, pero usted puede conseguir un descuento si hace sus pagos a través de algún medio electrónico. Estos préstamos también tienen una comisión establecida del 4 por ciento, la cual proviene directamente del dinero que usted recibe. El plazo habitual para la cancelación del préstamo es de diez años, y se debe empezar a pagar seis meses después de la graduación.

El mayor atractivo de los préstamos estudiantiles es que usted no paga ni un centavo mientras está en la facultad. Algunos préstamos Stafford están subsidiados por el gobierno, lo que significa que si usted tiene dificultades económicas, el gobierno paga los intereses mientras usted está estudiando. Aunque usted no sufra de dificultades económicas, igual puede acceder a un préstamo Stafford. No estará subsidiado, y usted deberá pagar los intereses junto con la cuota después de la graduación. La mayoría de los estudiantes que reciben préstamos con subsidio de intereses provienen de familias que perciben un ingreso menor a cincuenta mil dólares. Sólo alrededor de una cuarta parte de los estudiantes que reciben este tipo de préstamo provienen de familias con un ingreso de entre cincuenta y cien mil dólares.

> ...usted no paga ni un centavo mientras está en la facultad.

Existe otro tipo de préstamo federal llamado "préstamo Perkins". En este caso, las facultades poseen un fondo provisto por el gobierno para estos préstamos. Ellas son las que resuelven y les otorgan el préstamo Perkins a estudiantes con dificultades económicas graves. Este préstamo, con una tasa de interés de sólo un cinco por ciento, es el mejor préstamo que existe en el mercado, pero solo quienes tienen necesidades graves lo consiguen.

Si los préstamos que usted logra conseguir a través del gobierno no son suficientes para cubrir todos los gastos universitarios, entonces además necesitará sacar un préstamo estudiantil privado. Para los préstamos federales no se tiene en cuenta el puntaje de crédito. Sin embargo, los préstamos privados entran en la categoría de préstamos regulares al consumidor, y la tasa de interés que le cobrarán dependerá de su puntaje de crédito. Si su puntaje de crédito FICO es menor a 650, es posible que usted no pueda acceder a un préstamo privado. Ésa es otra razón por la cual tener una calificación alta es importante. A veces, una simple diferencia de treinta o cincuenta puntos puede hacer que usted consiga una tasa mejor. Como dijimos anteriormente, conseguir la mejor tasa de interés es muy importante: usted tendrá que pagar menos y podrá hacerlo en menos tiempo.

Día de graduación

El gran día llegó, y usted se graduó de la facultad. En seis o nueve meses —depende de cuál sea su préstamo— usted debe comenzar a pagar su préstamo estudiantil. Recibirá una carta con la fecha de vencimiento y el monto total a pagar. Como bien debe saber, usted cargará con sus préstamos estudiantiles hasta que los liquide, o bien, hasta el día de su muerte. No existe cláusula liberatoria. Caer en quiebra no lo libera de la deuda por el préstamo estudiantil.

> Cuando de préstamos estudiantiles se trate, lo perseguirán hasta el día del juicio final.

Pero ¿qué sucede si usted está en aprietos y no puede pagar su préstamo estudiantil? Para empezar, si usted no paga su préstamo estudiantil, el Servicio de Impuestos Internos puede retenerle los reintegros de impuestos. También le puede embargar el sueldo. Y si está pensando en comprar una casa más adelante, sepa que no podrá solicitar un préstamo hipotecario federal a través de la Administración Federal de Vivienda (FHA, por sus siglas en inglés) ni de la Administración de Veteranos (VA, por sus siglas en inglés).

Programas de rehabilitación

Cuando de préstamos estudiantiles se trate, lo perseguirán hasta el día del juicio final. Sin embargo, algo que pocos saben es que a usted le pueden condonar la deuda en caso de incapacidad permanente. Pero, no es así como pretendemos escapar del pago de nuestros préstamos.

Supongamos que, por algún motivo, usted entra en mora en el pago de su préstamo y ahora tiene a los sabuesos recaudadores detrás de usted. Ellos le dirán:

—Entréguenos el dinero ya mismo. Queremos el total del saldo pendiente. Páguemelo todo a mí.

El hombre trabaja a comisión y pretende obtener una enorme ganancia a expensas suyas. La única cosa con que usted le contesará es:

—No puedo.

En lugar de pagar todo de una sola vez, usted debería utilizar el programa federal de rehabilitación que está disponible. Los términos y condiciones son bastante simples. Si usted tiene un préstamo garantizado por el estado, éste es el camino a seguir.

Usted deberá hacer pagos mensuales por un monto acordado —por ejemplo, cien dólares— durante un año. Nunca podrá retrasarse en el pago ni dejar de pagar durante este período de rehabilitación. Además, usted tendrá que realmente hacer los pagos; no podrán ser descontados de su sueldo. Una vez cumplido este período de prueba, su préstamo será devuelto al centro de administración de préstamos estudiantiles regular, y el hecho de que usted alguna vez estuvo en mora DESAPARECERÁ de su reporte de crédito, como si nunca hubiera sucedido.

Si usted hubiera pagado el total del saldo, como el recaudador le pedía, en su reporte de crédito habría aparecido una obligación en mora cancelada, pero que habría seguido figurando en el informe durante siete años. Al elegir la vía de la rehabilitación, ¡zas! ¡Desaparece!

Este método está disponible para todos los préstamos que son garantizados por el estado. Los recaudadores de la agencia de cobro no le informarán de todo esto. Quieren que usted les pague todo a ellos. Ojalá que usted nunca se encuentre en mora. Pero si llega a sucederle, trate de encontrar la manera de hacer los pagos mensuales del programa de rehabilitación y así poder normalizar su situación. Una vez que usted logra ponerse al día y realizar los pagos mensuales en fecha, además recuperará los reintegros del Servicio de Impuestos Internos. Para más información, visite la página http://www.ed.gov/offices/OSFAP/DCS/rehabilitation.html.

Consolidación

Usted también debe ser consciente de que la consolidación del préstamo estudiantil se permite una sola vez. En el transcurso de su formación académica, es probable que usted solicite varios préstamos. Generalmente, los préstamos se otorgan cada seis meses, así que durante sus cuatro o cinco años de facultad, usted puede llegar a acumular hasta ocho o diez préstamos de diferentes montos y con distintas tasas de interés. Al graduarse, usted tendrá la posibilidad de juntarlos y convertirlos en un solo préstamo con un solo pago. El valor promedio ponderado de todas las tasas de interés determinará la nueva tasa de interés, y el valor del monto total del préstamo hará que se extienda el plazo para realizar los pagos. Por ejemplo, si ahora el total del préstamo asciende a diez mil dólares, le pueden dar diez años para cancelarlo; si el total asciende a cien mil dólares, puede conseguir un plazo de treinta años para pagarlo. Para más detalles, consulte la página http://loanconsolidation.ed.gov/ o comuníquese con el Ministerio de Educación de los Estados Unidos al 1-800-557-7392. Consolidar el préstamo es una decisión inteligente: ¿para qué hacer ocho pagos cuando puede hacer uno solo?

Algo para tener en cuenta: usted puede pagar sus préstamos estudiantiles por adelantado. Supongamos que su cuota mensual es de cien dólares pero que usted puede pagar el doble. Los cien adicionales se imputan directamente al capital y así se reduce considerablemente el plazo y el monto total de interés que usted paga. Si usted está en condiciones de pagar por adelantado, ¡no lo dude, hágalo!

Programas de cancelación y condonación de la deuda

Los préstamos estudiantiles no se condonan por caer en quiebra, pero pocos saben que existen algunos programas que, de hecho, pueden eliminar sus préstamos estudiantiles. Una manera es por medio del propio gobierno federal. La Oficina de Administración de Personal (OPM, por sus siglas en inglés) autorizó a ciertas agencias gubernamentales a implementar programas de cancelación de préstamos estudiantiles y contratar candidatos con una excelente preparación para que trabajen para el gobierno. No es un mal negocio en absoluto. El empleado sólo tiene que aceptar trabajar para el gobierno durante al menos tres años y así los préstamos estudiantiles garantizados por el Estado pueden liquidarse hasta un total de diez mil dólares por año para un máximo de sesenta mil dólares. No se considera condonación sino cancelación de la deuda. Es un buen negocio. Para mayor información sobre estos programas, visite la página web http://www.opm.gov/oca/pay/StudentLoan/.

También existen varios programas de condonación de la deuda que muy pocos conocen. Usted puede lograr que le condonen la deuda —lo que significa que se la cancelan, que desaparece, adiós, *bye-bye*— haciendo trabajo voluntario, enseñando, sirviendo en el ejército o siguiendo alguna carrera legal o médica. Visite la página web http://www.finaid.org/loans/forgiveness.phtml y déjeme resaltarle algunos puntos importantes:

Trabajo voluntario

AmeriCorps. Usted debe servir al menos doce meses para recibir 4725 dólares para la cancelación de su préstamo. (800-942-2677)

Peace Corps. Usted sirve durante al menos dos años y así puede aplazar sus préstamos estudiantiles. (800-424-8580)

Volunteers in Service to America (VISTA). Usted debe servir 1700 horas para recibir 4725 dólares. (800-942-2677)

Enseñanza

Aquellos que deseen dar clases en áreas de bajos recursos recibirán una condonación parcial de la deuda todos los años durante cinco años. Algunos estados, además, tienen programas que ofrecen la condonación o cancelación de la deuda a profesores que quieran enseñar en áreas de escasos recursos. Usted tiene disponible un listado de los programas en la página web de la American Federation of Teachers, AFT [Federación Estadounidense de Docentes] en http://www.aft.org/teachers/jft/loanforgiveness.htm.

Servicio militar

La Guardia Nacional del Ejército tiene un programa de cancelación de préstamos estudiantiles de hasta diez mil dólares. Los veteranos de guerra, las personas a su cargo y todos aquellos que estén interesados en servir en el ejército deberían consultar la página http://www.finaid.org/military/.

Carreras legales y médicas

A aquellos interesados en servir a los demás, algunas facultades de derecho pueden condonarles la deuda. Consulten la página web http://www.equaljusticeworks.org/. Los médicos y enfermeros que trabajen durante un cierto período en áreas necesitadas pueden conseguir una condonación de la deuda a través de algunos programas que ofrece el Departamento de Salud y Servicios Humanos de los Estados Unidos. Visiten la página web http://nhsc.bhpr.hrsa.gov/ y, en el caso de enfermeros, la página http://bhpr.hrsa.gov/nursing/loanrepay.htm.

Hay una gran demanda de terapeutas ocupacionales y de fisioterapeutas, y la posibilidad de condonación de la deuda es una herramienta para atraer gente. Consulte la página http://www.apta.org//AM/Template.cfm?Section=Home y http://www.aota.org/. Todo estudiante de medicina que esté interesado en posibles programas de cancelación de la deuda debería visitar la página http://services.aamc.org/fed_loan_pub/index.cfm?fuseaction=public.welcome&CFID=7086849&CFTOKEN=264504b-ee8d996b-6b94-4aac-8449-0362f3450d85.

Algo nuevo

Algo nuevo que apareció es la College Cost Reduction and Access Act of 2007 [Ley de Reducción de Gastos Universitarios y Fomento de Acceso a los Estudios Superiores del año 2007]. Es un nuevo programa de condonación de deuda que promueve el trabajo en el servicio público, orientado a personas que tendrán un salario bajo, pero que decidieron hacer carrera en el servicio público. Es posible que su salario y su préstamo estudiantil sean polos opuestos. Por eso, para conservar a las personas en estos trabajos mal remunerados, pero muy necesarios, el gobierno diseñó este programa.

Se requieren diez años de trabajo de tiempo completo en el servicio público. Durante ese tiempo, la persona debe realizar los pagos mensuales de su préstamo estudiantil. El programa comenzó a implementarse a partir del 1 de octubre de 2007. Luego de haber realizado 120 pagos y prestado diez años de servicio, si resta algún saldo del préstamo, dicho saldo se condona. Demás está decir que este programa beneficia sólo a las personas que tienen plazos de pago superiores a diez años.

Los empleados del servicio público que califican para ser incluidos dentro de la College Cost Reduction and Access Act of [Ley de Reducción de Gastos Universitarios y Fomento de Acceso a los Estudios Superiores] son: docentes, bibliotecarios, personas encargadas del cuidado de niños, asistentes sociales, trabajadores del gobierno, personas que sirven en el servicio militar, policías, bomberos, personas que prestan servicios legales de interés público y personas que trabajan en salud pública. Para mayor información, consulte la página web http://www.finaid.org/loans/publicservice.phtml.

La clase terminó

Antes de que pasemos a otros temas que también nos conciernen, permítame darle otro consejo de *Curas Para Sus Deudas*. La universidad es muy costosa, exorbitantemente costosa, y no veo una solución factible. Pero existe una manera muy inteligente por medio de la que usted puede recibir su educación en una facultad de alto nivel sin pagar aranceles altos.

Supongamos que usted logra que lo acepte la UCLA (Universidad de Los Ángeles, California) o alguna otra universidad reconocida. Usted puede aplazar su incorporación por dos años —y asegúrese de que se lo confirmen por escrito. Durante esos dos primeros años, concurra a la facultad más cercana y curse todas las materias básicas necesarias. En la mayoría de los casos, las materias básicas son las mismas y hasta los libros de texto son los mismos. Así, en lugar de pagar diez mil dólares, usted pagará cien dólares por semestre. Vivir en su casa también puede ayudarlo a ahorrar mucho, y además allí tendrá comodidades para comer y lavar la ropa.

Como usted consiguió que se lo confirmaran por escrito, luego de esos dos años, transfiere todos sus créditos a la UCLA. Así, usted completa la segunda mitad de su carrera haciendo la especialización en una universidad de primerísimo nivel. El prestigio que otorga el diploma de la UCLA ya es suyo. Usted tiene la misma formación que si hubiera concurrido los cuatro años allí, pero habiendo pagado la mitad del precio.

Esa sí que es una decisión inteligente.

CAPÍTULO 14

Todo empieza por casa

"Hogar, dulce hogar."

Una de las formas más comunes que utilizan los bancos para intentar forjar una relación de por vida con usted es en forma de una hipoteca. Es un truco que les resulta efectivo, ya que muchos de nosotros queremos tener nuestra casa propia. Y de hecho podemos conseguirlo, pero sin necesidad de tener al banco dando vueltas a nuestro alrededor durante los siguientes treinta años.

Hay una vieja y conocida canción titulada *Breaking Up Is Hard To Do* que habla de lo difícil que es separarse.

En realidad, separarse no es tan difícil después de todo.

Ésta es una relación que usted desea terminar —¡y es mucho más fácil de lo que jamás haya imaginado!

Uno de los deseos más comunes de todo estadounidense es llegar a ser propietario. La mayoría de las personas aspira a tener su propio lugar, una sensación de seguridad, de estabilidad, un lugar donde asentarse. Un hogar es el lugar donde uno quiere formar una familia, donde uno quiere envejecer. Cada uno tiene diferentes razones por las que quiere tener su propia casa, y —desde el punto de vista económico— querer ser propietario es un objetivo inteligente.

En casi todos los casos, invertir en la casa propia es algo muy bueno. Desde el punto de vista económico, no tiene mucho sentido que usted desperdicie su dinero en alquileres durante años y años. Entonces, ahora ya está: compró la casa, le plantó algunas flores, y compró un perrito para que juegue en el jardín; o se compró el condominio con el que siempre soñó, frente al río, en el corazón de la ciudad. Felicitaciones. ¿Y ahora qué?

Ahí es cuando aflora el segundo deseo más común de todo estadounidense: ¡todos queremos cancelar nuestra hipoteca en menos de treinta años! ¡Y se puede!

Un dineral

Es lógico que quiera cancelar la hipoteca lo antes posible; todos lo queremos. El pago de la cuota de la casa suele ser el gasto más alto del mes, y la mayoría de las personas saca créditos a treinta años. Eso implica tener que pagar durante una gran cantidad de años. Si usted saca un crédito a un plazo menor, la tasa de interés puede ser mejor, pero la cantidad a pagar por mes será más alta. Quizás usted no pueda afrontar un gasto tan alto o quizás sólo prefiere ser precavido y por eso elige la hipoteca a treinta años. Quizás lo único que le ofrece su prestamista es la hipoteca a treinta años.

¡Cancele antes su hipoteca a treinta años!

Si utiliza los métodos de *Curas Para Sus Deudas*, ¡no tendrá que pagar ese crédito durante treinta largos años! Hay muchas opciones que le permiten cancelar la hipoteca mucho antes y ahorrarse MILES y MILES de dólares en intereses. El costo del interés en nada es más obvio que en el pago de la cuota de la casa. Y treinta años es mucho tiempo para estar pagándolo. ¡Resolver el rompecabezas del pago del crédito hipotecario previene muchos dolores de cabeza!

Con un crédito hipotecario tradicional a treinta años, el propietario termina pagando casi el doble del precio de venta de la casa. Eso es mucho dinero que se va en intereses, o a los bolsillos del banco, en vez de a los suyos. ¡Es posible cancelar ese crédito a treinta años en mucho menos tiempo! La estrategia de *Curas Para Sus Deudas* de cancelaciones rápidas le brinda todo lo que usted debe saber para lograr un impacto enorme e inmediato sobre el pago de su deuda hipotecaria.

Recorte años de su hipoteca

Cancele su hipoteca más rápido y elimine todo el interés que está saliendo de su cartera y yendo a parar a las de otros. ¿Cómo? Sin dudas, una de las maneras es pagando más capital todos los meses. Todo dinero extra se imputa directamente al capital y reduce el monto sobre el que está calculado el interés. Algunas personas pagan el doble del total de su cuota mensual; otros colocan de a cien dólares de más cada vez que pagan sus cuotas todos los meses.

Sin embargo, la mayoría de nosotros, sólo podemos costear el monto acordado. Ese monto es lo máximo que podemos pagar mensualmente, lo que nos lleva a pensar que estaremos varados en esa cantidad, año tras año, durante los próximos treinta años. Error. Pagando el mismo monto, pero utilizando la estrategia de *Curas Para Sus Deudas*, ¡usted puede, realmente, reducir considerablemente la duración de su crédito y el interés que está pagando!

Divida los pagos de su hipoteca

Frecuentemente, las mejores cosas de la vida son simples, fáciles y gratis. Caminar por la playa. Mirar el cielo en una noche estrellada. ¡Dividir su cuota hipotecaria mensual en cuotas semanales!

¿Qué puede ser más fácil que eso? Pagar cuotas semanalmente suele ser la mejor opción para las personas que tienen un presupuesto reducido para todo. Tener que hacer un solo pago grande a principios de mes puede ser un problema y hasta puede resultar algo deprimente ver cómo se esfuma esa enorme suma de dinero de su chequera.

Analicemos el ejemplo de Manuel. Su cuota hipotecaria vence el 1 de cada mes, como nos sucede a la mayoría. Su cuota mensual es de cuatro mil dólares. Manuel solía pagar con un cheque el 1 de cada mes, o cerca de esa fecha. Supongo que eso es lo que hacemos la mayoría, porque nunca nos dijeron que había otra alternativa.

La mayoría de los créditos hipotecarios aceptan pagos anticipados, y lo que Manuel aprendió a hacer fue a dividir los cuatro mil dólares en cuotas semanales de mil dólares cada una. Tiene permitido hacer pagos por adelantado y no quiere que se le pase la fecha y le cobren una comisión por pago fuera de término. Para la cuota que vence el

1 de agosto, Manuel realiza pagos semanales de mil dólares los días 7 de julio, 14 de julio, 21 de julio, y el pago final lo hace el 1 de agosto. Para el 1 de agosto, ha pagado el monto en su totalidad, así que no le cobran la comisión por pago fuera de término.

¡Esta técnica, tan increíblemente sencilla pero tan poco conocida, es una de las geniales soluciones de este libro!

Sencillo, pero increíble

No parece posible hacer diferencia alguna al pagar su hipoteca de esta forma, pero la hace, y es una diferencia tremenda. El total de intereses que usted paga todos los meses se reduce considerablemente porque el banco o compañía hipotecaria reciben una buena parte de su pago antes de tiempo. Usted no paga tanto de intereses, e imputa más al capital. ¡Realmente funciona!

¡Puede recortar muchos años de su crédito hipotecario! ¡Y AHORRARSE MILES Y MILES DE DÓLARES! ¿Para qué pagar tanto interés cuando no es necesario hacerlo? Los gastos mensuales de su casa no cambiarán, e incluso le puede resultar más fácil organizarlos. Saber que cada semana pagará un cuarto de la cuota total puede resultarle más fácil que hacer un solo pago grande.

¡Reduzca su hipoteca sin pagar un solo dólar extra!

Benjamín y Viviana cobran dos veces al mes, así que quisieron saber si podían aplicar la misma técnica, pero en lugar de pagar por semana, pagarían bimensualmente, con cada sueldo.

Para la cuota que vence el 1 de agosto, Benjamín y Viviana pagarían dos mil dólares el 15 de julio y otros dos mil el 1 de agosto. La idea es la misma que en el ejemplo anterior. Su cuota mensual no cambió en cuanto al monto ni a la fecha de vencimiento. Para el 1 de cada mes, tienen pago el monto total. Benjamín y Viviana no tuvieron que poner dinero extra de sus bolsillos, pero recortaron SIETE años de su hipoteca. ¡Así de fácil! Y eso significa MILES y MILES de dólares que se ahorran en intereses.

Otro método rápido y fácil es hacer todos los años *un solo* pago extra en concepto de capital. ¿Que no le parece que esto sirva de mucho? Piénselo bien. Al hacer este pago extra, usted puede recortar hasta *tres años* de un crédito hipotecario a veinte años con tasa fija. Eso se traduce en mucho más dinero para sus bolsillos —y menos para los de los prestamistas. ¡Son miles de dólares que usted se ahorra haciendo simplemente un pago extra como pago de capital cada doce meses! ¡Éste es un método simple que le dará *años* de ventaja!

Conozco a un tipo que destina dinero "extra" al pago de su hipoteca siempre que se le presenta la oportunidad. Si recibe un reintegro de impuestos, lo usa para pagar la hipoteca. Algún plus del trabajo, algún obsequio en efectivo de su querida Tía Edna, alguna buena racha en el casino; cualquiera sea la fuente, es dinero con el que él no contaba, entonces lo utiliza para reducir el saldo de capital de la hipoteca de su casa.

Cada quien tiene su manera de matar pulgas — ¡y de pagar su hipoteca!

No sé cuál será el origen del refrán, pero a lo que apunto es a que hay muchas maneras de alcanzar el objetivo de cancelar antes su crédito hipotecario.

- ✔ Consiga que un familiar le dé un préstamo para pagar el capital. Lo que se ahorre en intereses le permitirá devolverle el dinero a su generoso pariente.

- ✔ Si paga puntos de descuento, páguelos por adelantado, no los incorpore al préstamo. Si no los paga por adelantado, se verá obligado a cargar con un saldo mayor, sobre el cual estará pagando intereses todos los meses.

- ✔ Considere la posibilidad de obtener un préstamo mediante su plan 401k para cancelar la hipoteca. Si consigue una tasa de interés más baja que la de la hipoteca, es una buena táctica. Y se devuelve dinero a usted mismo.

- ✔ Utilice su casa como una cuenta de ahorros forzosa. Haga un pago mayor todos los meses; por ejemplo, pague quinientos dólares más directamente como pago de capital. Así logra aumentar rápidamente su capital contable y reducir el interés. Si necesita dinero, en lugar de tenerlo inactivo en una caja de ahorros, use un préstamo sobre el valor líquido de la vivienda o una línea de crédito sobre el valor líquido de la vivienda. Una vez más, generalmente ofrecen buenas tasas de interés y ese interés además es deducible de impuestos como interés hipotecario.

✔ Si está en condiciones de hacerlo, considere la posibilidad de pagar todo el año de hipoteca por adelantado todos los años. Se ahorrará miles de dólares en intereses y no tendrá la carga de una cuota hipotecaria todos los meses.

La solución es pagar por adelantado

La mayoría de los bancos le permitirán pagar su préstamo por adelantado. En caso de que no sea así, entonces este método no es para usted. Asegúrese de averiguar. Eso es lo único que usted debe saber. Si no encuentra la cláusula sobre pago por adelantado en su contrato de hipoteca, simplemente llame a su prestamista y pregúntele. Si, por algún motivo, su préstamo actual no cuenta con la opción de pago por adelantado, pídala. ¡Aprendimos mucho acerca del poder de preguntar! ¡Muy a menudo, una simple pregunta resulta ser una gran *Curas Para Sus Deudas!*

Si usted está sacando un crédito hipotecario por primera vez o refinanciando el que ya tiene, chequee y asegúrese de tener esta posibilidad de pagar por adelantado antes de firmar en la línea de puntos. Si, por algún motivo, la compañía hipotecaria le niega esa opción, busque un nuevo prestamista. Existen muchos bancos y entidades de crédito. ¡No se obligue a cargar con una hipoteca a treinta años sin gozar de esta fascinante opción!

¡No importa cuán altas sean sus tasas de interés; este método puede permitirle ahorrar cantidades increíbles de dinero!

Use alguna de las técnicas que le mencioné anteriormente y su hipoteca a treinta años puede estar liquidada en la mitad de ese tiempo, o incluso menos. ¡Eso vale la pena un festejo! ¿O no? Tener una casa propia es el sueño americano. ¡Pagar su casa en la mitad del tiempo es mejor que un sueño!

¿Alguna vez escuchó hablar de un "acelerador de hipoteca"? Son préstamos que usan cuentas especiales para alentar a los prestatarios a que destinen cualquier dinero extra que tengan al pago de sus hipotecas. ¡El ahorro puede ser enorme!

Si a usted le gustaría cancelar su crédito hipotecario, pero no tiene la disciplina suficiente para hacerlo, ¡un acelerador de hipoteca puede ser una muy buena opción para usted! Todo lo que debe hacer es refinanciar su vivienda y sacar una línea de crédito sobre el valor líquido de la misma. Una vez hecho esto, estará a mitad de camino. El último paso consiste en organizar todo esto de manera que le depositen su sueldo directamente en su nueva cuenta de crédito. Es muy similar a su cuenta corriente habitual, pero con una particular ventaja: el dinero de la cuenta reduce el saldo de la hipoteca y todo dinero que no utilice en el pago de facturas se imputa al saldo de capital.

¡Con este préstamo especial, se reduce el saldo de capital, y usted termina ahorrando un dineral en intereses! Entonces, básicamente, su sueldo se destina a la liquidación de la hipoteca de su casa.

El dinero que no usa para el pago de las facturas habituales no le serviría de mucho en una caja de ahorros, pero en este marco, lo ayudará a reducir —en términos generales— la duración de su hipoteca. ¿Qué significa esto? Que usted ha sacado ventaja. Es como si fuera una manera automática de cancelar la hipoteca —puede que usted tenga muy buenas intenciones, pero cuando uno tiene dinero extra suele gastarlo en un café o demás pequeñeces. Con el acelerador de hipoteca, el dinero extra se destina a su hipoteca antes de que usted tenga siquiera la oportunidad de gastarlo en otra cosa.

Si usted de todos modos necesita ese dinero extra, es suyo. La cuenta es una línea de crédito o préstamo sobre el valor líquido de su vivienda, así que no tiene que hacer nada en especial: tiene pleno acceso a él. El acelerador de hipoteca es un producto fantástico. Actualmente, en los Estados Unidos existen dos compañías que ofrecen este tipo de préstamo. Para mayor información, puede chequearlo usted mismo en la página http://articles.moneycentral.msn.com/Banking/HomeFinancing/ANewWayToPayOffYourHouse.aspx.

Un producto similar es el programa "Money Merge Account" (cuenta de fusión de dinero). Combinando su cuenta de ahorros y su cuenta corriente con una línea de crédito avanzada, este sistema lo ayuda a cancelar su hipoteca en la mitad o en un tercio del tiempo habitual. No implica refinanciación ni cambios en el monto de sus cuotas mensuales.

Fíjese en este ejemplo (explicado con más detalle en la página web http://www.unitedfirstfinancial.com): Usted tiene un crédito hipotecario a treinta años, por un total de 136 mil dólares y con una tasa de interés del 5,25 por ciento. Si usted pagara cuotas mensuales durante treinta años, pagaría un total de 270784 dólares —casi el doble del costo de la casa. Éste es el procedimiento básico que lleva a cabo mucha gente, y los bancos están muy contentos de que continúe siendo así. El programa "Money Merge Account" simplemente imputa su dinero al pago de capital constantemente y puede ayudarlo a que cancele la misma hipoteca en sólo once años. Y el pago total sería de 181217 dólares —¡un increíble ahorro de 89566 dólares! La misma hipoteca, la misma tasa de interés, pocos cambios —o casi ninguno— en sus gastos mensuales, pero ¡vaya, qué suma interesante!

Es asombroso lo que se puede lograr al imputar dinero al pago del saldo de capital. ¡Incluso si destina la minúscula suma de quince dólares a su hipoteca dos veces al mes se puede reducir el plazo en un año y medio! ¡Eso sí que es un gran incentivo! Todo suma.

El puntaje importa

Otra de las ventajas importantes de tener el mejor puntaje de crédito posible es que eso le permitirá conseguir una mejor tasa de interés para su casa. Ya que uno nunca dejará de tener un puntaje de crédito, hay que sacarle provecho. El prestamista hipotecario se fijará en su puntaje FICO, a la espera de sacudirlo con una alta tasa de interés. A usted le conviene tener un puntaje alto para poder conseguir una tasa de interés baja. Con la diferencia entre lo que una persona con buen puntaje paga en el transcurso de su hipoteca y lo que una persona con bajo puntaje FICO paga durante treinta años se podría, prácticamente, comprar otra casa.

Eche un vistazo a estas dos personas y vea cómo el puntaje hace la diferencia. Lo que sube hace que el interés y las cuotas bajen.

David utilizó los métodos de *Curas Para Sus Deudas* recomendados en estas páginas y elevó su puntaje de crédito a 720. Eso le permitió acceder a una excelente tasa de interés del 5,5 por ciento, lo cual lo puso muy feliz. Diana aún no había aprendido las soluciones propuestas en este libro. Debe trabajar arduamente para ordenar su reporte de crédito; y tiene un puntaje FICO de sólo quinientos. Eso se considera poco y, por lo tanto, le cobran una tasa de interés del 9,3 por ciento.

Diana tampoco se da cuenta de la diferencia abismal que existe entre su tasa de interés y la de David. Incluso preguntó: "¿Cuál es el problema de tener un porcentaje un poco mayor?".

Éste es el gran problema.

Puntaje FICO	Tasa de interés	Pago	Interés total en treinta años
500	9,3%	$1651	$394362
560	8,5	$1542	$355200
620	7,3	$1373	$294247
675	6,1	$1220	$239250
700	5,6	$1151	$214518
720	5,5	$1136	$208853

Lección aprendida

Diana echa un rápido vistazo a la tabla, sin prestar atención a la última columna, que muestra el total de interés acumulado. Nota que su cuota mensual es de alrededor de 1650 dólares, mientras que David paga sólo 1100 dólares por un crédito hipotecario de doscientos mil dólares —el mismo monto que el banco está prestándole a ella.

—¿Dices que, simplemente porque tengo un puntaje más bajo en mi reporte de crédito, todos los meses tengo que pagar quinientos dólares más que tú?

—Así es.

—¿Y que entonces todos los años tengo que pagar seis mil dólares más por mi casa que tú por la tuya, que está al lado de la mía?

—Así es.

—¡Pero eso no es justo! ¡Es mucho dinero!

—Así es.

—¿Es todo lo que tienes para decirme?

—No. Puedo decirte muchas cosas. Por ejemplo, que si capitalizas el interés durante treinta años, el resultado da un total incluso mayor que seis mil dólares al año más que lo que yo tendré que pagar. Al finalizar los treinta años, habré pagado casi 209 mil dólares en intereses. Eso es mucho dinero. Tú, en cambio, ¡terminarás pagando casi 395 mil dólares! ¡Solo en intereses!

Se escucha un ruido sordo.

Es Diana, que acaba de caerse al suelo.

Cuando Diana volvió en sí, se dio cuenta de que debía hacer algo. Era hora de tomar las riendas de sus asuntos económicos. David hizo que ella empezara a implementar las técnicas de *Curas Para Sus Deudas*.

Despídase del PMI

Al comprar una casa, las personas muchas veces pasan por alto el tema del seguro de hipoteca privado (PMI, por sus siglas en inglés). ¿Usted no tiene suficiente dinero para hacer un pago inicial del veinte por ciento? Lo castigarán con una comisión extra llamada PMI. La teoría que subyace a esto es que, como usted no tiene dinero para hacer un pago inicial considerable, eso significa que usted no ha "invertido" mucho en esa propiedad, por lo cual existen grandes riesgos de que usted se desentienda de la deuda. Bueno, eso es lo que ellos dicen. En nombre de todas las personas que compraron su primera casa y no podían hacer un pago inicial del veinte por ciento, estoy seguro de que a usted le gustaría abofetearlos y gritarles: "¡Si tuviera el dinero para pagar el veinte por ciento, lo haría! ¡No quiero pagar el maldito PMI! ¡Esto es todo lo que puedo pagar, idiotas!".

El PMI es simplemente otra estafa para sacarle dinero. Es dinero que a usted se le va de las manos, y son otras lujosas vacaciones a las que ellos se van. Y no hay nada que usted pueda hacer al respecto.

¿O sí?

Húyale como a la peste

Si le es posible, no pague el PMI. Cuando busque una casa, ¡trate de encontrar alguna dentro de un margen de precios en el que usted sepa que podrá hacer un pago inicial de al menos el veinte por ciento! Cuanto más grande sea el pago inicial que usted pueda hacer, mejor será la tasa de interés que conseguirá, más bajo será el saldo de capital que tendrá, más bajas serán las cuotas que tendrá que pagar, y menor será el monto total que pagará durante el transcurso del préstamo.

¿Quién quiere pagar esta cosa extra que inventaron llamada PMI?

Si, por alguna razón, a usted no le alcanza para hacer un pago inicial del veinte por ciento o ya compró una casa y se encuentra actualmente pagando el PMI, preste mucha atención. Haga todo lo que pueda para conseguir más dinero y elevar su valor líquido a un veinte por ciento. Pídale prestado a sus padres, a sus hijos, venda pasteles en la puerta de su casa. Como sea, consiga el dinero.

¿Usted está pagando el PMI?

En caso de que no pueda conseguir el veinte por ciento en su totalidad, no se deprima. Con el tiempo, sus pagos mensuales regulares elevarán el valor líquido a un veinte por ciento. Cuando eso suceda, llame a su banco acreedor o compañía hipotecaria para que le quiten el PMI. Usted tiene que seguir esto de cerca y avisarles cuando haya alcanzado el veinte por ciento. Si no lo hace, pueden seguir cobrándoselo todos los meses durante los treinta años.

Otra opción mediante la cual usted puede liberarse del PMI es haciendo tasar nuevamente su casa si el valor aumenta o si el precio que usted pagó se encuentra por debajo del valor de mercado. El aumento en el valor real de su propiedad por sobre lo que usted pagó por ella se conoce como revalorización. La revalorización refleja cuándo un bien suyo, en este caso su casa, aumenta de valor. Es dinero por el que no tuvo que hacer esfuerzo alguno y al que puede darle un buen uso. Sólo debe llamar a su compañía hipotecaria y solicitar que se vuelva a tasar su casa porque se encuentra subvaluada. Si su prestamista no accede a hacerlo, ¡otro lo hará! Tome usted el control.

Para hipotecas posteriores al 1 de agosto de 1999, se supone que el prestamista debe dejar automáticamente de cobrarle el PMI una vez que el valor líquido de la casa haya alcanzado el 22 por ciento. Pero eso no significa que lo harán. Si usted pagó fuera de término u omitió algún pago, ellos pueden continuar estafándolo y cobrándole el PMI todos los meses.

Deshágase de él

Puede que el PMI no parezca ser mucho por mes, pero es una comisión inútil. Pagarlo no representa ningún beneficio para usted en absoluto. Básicamente, es una multa que le cobran todos los meses. ¡Para un saldo hipotecario de doscientos mil dólares, usted podría pagar más de mil dólares al año en concepto de PMI! ¡Son mil dólares de su dinero que se esfuman!

Una técnica efectiva para liquidar la hipoteca más rápidamente y pagar cuotas mensuales más bajas es deshacerse del PMI. Pídale prestado a su familia para poder llegar al veinte por ciento o simplemente llame y pida que se lo quiten. ¡Esos mil dólares son suyos!

Despídase del interés

Puede que algunos vean un poco más difícil la posibilidad de acortar su hipoteca de treinta a diez años cuando escuchan a ciertas personas hacer comentarios con "tono bancario" tales como: "Muchos propietarios tienen préstamos de amortización negativa con una tasa variable".

Esto significa que aunque el propietario paga sus cuotas, en realidad, su saldo de capital aumenta. Las tasas variables son algo delicado. Cuando las tasas de interés del mercado suben, la tasa de interés de su hipoteca también se eleva. Al aumentar la tasa de interés de su hipoteca, las cuotas aumentan significativamente. Estas personas son víctimas de los bancos y las compañías financieras porque los atrapan al principio con una tasa de interés muy tentadora pero luego esas tasas se van por las nubes. Los prestamistas no les dicen a estas personas: "Oye, te estamos estafando. Deberías refinanciar tu préstamo".

¡Pero yo sí lo digo!: Oiga, lo están estafando. Debería refinanciar su antigua hipoteca.

Refinancie

Ilustremos con un ejemplo. Eduardo y Susana compraron su casa cinco años atrás por trescientos mil dólares con una hipoteca de tasa variable. Su cuota hipotecaria mensual original era de 2500 dólares. Ahora que pasaron cinco años, las tasas de interés aumentaron, al igual que el capital. Ahora pagan 3100 dólares al mes, y el saldo es de 315 mil dólares.

Entonces, ¿cuál es la solución para este embrollo? Eduardo y Susana tendrían que seguir pagando los 3100 dólares, la cuota mensual que pagan actualmente. Pero deberían salir a buscar a alguien que les refinancie la hipoteca a una tasa de interés fija. La tasa que tienen ahora es gigantesca. La tasa baja que pagaban al comienzo se perdió en el tiempo y ahora pagan una altísima tasa de interés del doce por ciento. Eduardo y Susana pueden conseguir una tasa de interés fija del seis o siete por ciento. Como ya hemos visto, eso reducirá considerablemente el total del interés a pagar. Esa solución tan simple les permite ahorrar toneladas de dinero. El suficiente como para comprar un barco nuevo. O invertir en un nuevo negocio.

> ¡Refinanciar su hipoteca puede ayudarlo a ahorrar miles de dólares!

Al perder el antiguo crédito hipotecario —de tasa variable— y pasar a uno nuevo —de tasa fija—, el capital no aumentará, tampoco el saldo ni las cuotas mensuales. Lo que sí aumentará es su tranquilidad. Ellos continuarán pagando las mismas cuotas mensuales de siempre y ahora podrán liquidar el pago de su casa mucho, pero mucho más rápido.

Si usted tiene una hipoteca de tasa variable, ¿qué tasa está pagando? ¿Qué tiene que hacer? ¡Refinancie!

Otro de los beneficios de refinanciar consiste en esa pieza esencial del rompecabezas —la revalorización. Luego de algunos años, la mayoría de las casas se han revalorizado. La nueva valorización puede ayudarlo a demostrar que usted ahora tiene una casa con un valor de mercado más alto y que tiene un capital contable mayor con ella. Esto lo puede conducir a tener una mejor tasa de interés. Trate siempre de conseguir la tasa de interés más baja del mercado. ¡Preguntando no pierde nada!

Otra manera de reducir el pago —tanto para los que sacan una hipoteca por primera vez como para los que refinancian la antigua— es pagar un monto lo más alto posible en el pago inicial. Sé que no es algo fácil de hacer, así que ésta es una excelente oportunidad para que le pida ayuda a su familia. ¡Cualquier suma que ellos puedan prestarle le ayudará a ahorrar toneladas de dinero en intereses! Cuanto más alto sea su pago inicial, obviamente será menos la cantidad que tendrá que pedir prestada, y además puede acceder a una mejor tasa de interés. Ahorrar en intereses es como ahorrar dinero una y otra vez; mejor que esté en sus bolsillos y no en los de ellos.

Las cifras hablan por sí solas

Permítame ilustrarles con un ejemplo. Un prestatario, llamado Sergio, tiene un préstamo que es igual al ciento por ciento del valor estimado de su propiedad y tiene un puntaje FICO de 620. Por las tendencias actuales del mercado, suponemos que el valor de la casa no ha subido ni bajado desde que adquirió la propiedad. Después de los primeros cinco años en los que sólo pagó intereses, la tasa se ha ajustado a un 9,5 por ciento, y las cuotas se convirtieron en capital e intereses, a amortizarse durante los veinticinco años que quedan de hipoteca. También suponemos que la tasa ajustada de 9,5 por ciento permanecerá estable durante el resto de la hipoteca.

Como Sergio sólo pagó intereses durante cinco años, el saldo de capital no se redujo en este tiempo. Sergio tendrá que seguir pagando el PMI porque el saldo del préstamo no ha descendido del 80 por ciento del valor de la propiedad. Un amigo mío, cuyo nombre no es Sergio, hizo estos cálculos y me mostró la hoja donde figuraban los dólares y los centavos.

Hipótesis A:

La cuota mensual de Sergio es de 3901,45 dólares: 3494,74 dólares de capital e intereses y 406,67 dólares de PMI. Pagando esta suma por mes, no le quitarán el PMI sino hasta que haya pagado 137 cuotas mensuales.

Una vez que le quiten el PMI, si Sergio hace pagos mínimos de capital e interés de 3494,79 dólares al mes, el crédito no estará cancelado por completo sino hasta finales del año número veinticinco.

Si Sergio elige seguir pagando 3901,45 dólares al mes —con esos 406,67 dólares del PMI ahora destinados al pago del saldo de capital— el préstamo estará liquidado totalmente en veintidós años y seis meses. Si continúa pagando 3901,45 dólares todos los meses, una vez que le hayan quitado el PMI, Sergio ahorraría alrededor de 53750 dólares en intereses.

Hipótesis B:

Si Sergio pagase cada dos semanas en lugar de pagar una sola vez al mes, haría dos pagos al mes de 1950,73 dólares: 1747,39 dólares de capital e intereses y 203,33 dólares de PMI. Pagando esta suma cada dos semanas, le quitarían el PMI después de que hayan pasado 89 meses de pagos.

Una vez que le quiten el PMI, si Sergio paga 1747,39 dólares cada dos semanas cancelaría el préstamo totalmente en diecinueve años y tres meses, lo que lo ayudaría a ahorrar alrededor de 181730 dólares en intereses.

Si Sergio prefiere seguir pagando 1950,73 dólares cada dos semanas —con los 203,33 dólares del PMI ahora imputados al capital— el préstamo estaría liquidado en diecisiete años y un mes. Con un pago de 1950,73 dólares cada dos semanas, incluso después de que le hayan quitado el PMI, Sergio ahorraría alrededor de 221750 dólares en intereses.

Hipótesis C:

Si Sergio decide hacer pagos semanales de 975,36 dólares —873,70 de capital e intereses y 101,67 de PMI— le quitarían el PMI después de que hayan pasado 89 meses de pagos.

Una vez que le quiten el PMI, con el pago semanal de 873,70 dólares Sergio cancelaría totalmente el préstamo en diecinueve años y un mes y ahorraría aproximadamente 181730 dólares de intereses.

Si Sergio opta por seguir pagando 975,36 dólares semanalmente — con los 101,67 dólares ahora imputados al saldo de capital—, cancelaría totalmente el préstamo en diecisiete años y ahorraría aproximadamente 222600 dólares de intereses.

¡Uf!

Métodos para solucionar las deudas

Si Sergio usa los métodos de *Curas Para Sus Deudas* y aumenta su puntaje FICO a 750, puede refinanciar su préstamo a uno con 5,5 por ciento de tasa de interés fija a veinticinco años. Aún tendría que pagar PMI, pero lo haría con una tasa de interés reducida, porque su puntaje FICO es considerablemente más alto.

En las siguientes hipótesis, vamos a suponer que Sergio mejoró su puntaje de crédito y que refinanció su préstamo con los términos y condiciones descriptos arriba, pero que sigue pagando un total de 3901,45 dólares por mes. Bajo estas nuevas circunstancias, veamos con qué rapidez cancelará su crédito hipotecario.

Hipótesis A1:

El pago mensual es de 3901,45 dólares —3578,12 dólares de capital e intereses y 323,33 dólares de PMI. Le quitarían el PMI después de que hayan pasado 42 meses de pagos.

Después de que le quiten el PMI, con un pago mensual mínimo de 3578,12 dólares de capital e intereses, el préstamo estaría liquidado totalmente en trece años y tres meses, y Sergio ahorraría 483093,03 dólares en intereses.

Si Sergio paga 3904,45 mensualmente —con los 323,33 dólares de PMI ahora destinados al pago del saldo de capital— el préstamo estaría cancelado en su totalidad en doce años y un mes, y Sergio ahorraría alrededor de 497060 dólares.

Hipótesis B1:

Si paga cada dos semanas en lugar de hacer un pago al mes, haría dos pagos al mes de 1950,73 dólares: 1789,06 dólares de capital e intereses y 161,67 dólares de PMI. Le quitarían el PMI después de 37 meses de pagos.

Una vez que le quiten el PMI, con pagos de 1789,06 dólares cada dos semanas cancelaría el préstamo totalmente en once años y nueve meses, lo que lo ayudaría a ahorrar alrededor de 502770 dólares en intereses.

Pagando 1950,73 dólares cada dos semanas, el préstamo estaría liquidado en diez años y diez meses, y Sergio ahorraría aproximadamente 515255 dólares en intereses.

Hipótesis C1:

Si paga todas las semanas en lugar de hacer un pago al mes, haría pagos semanales de 975,36 dólares cada uno: 894,53 dólares de capital e intereses y 80,83 dólares de PMI. Le quitarían el PMI después de que hayan pasado 36 meses de pagos.

Luego de que le quiten el PMI, podría reducir el pago de capital a 873,70 dólares por semana. De este modo, Sergio cancelaría el préstamo totalmente en once años y siete meses y ahorraría alrededor de 506350 dólares en intereses.

Si Sergio prefiere seguir pagando los 975,36 dólares por semana, el préstamo estaría liquidado en diez años y nueve meses, y Sergio ahorraría alrededor de 515530 dólares en intereses.

A algunas personas les gusta analizar todos esos cálculos. Otras prefieren una versión resumida: se puede ver el proceso. Pagando cada dos semanas se ahorra más en intereses que pagando una vez al mes; pagando todas las semanas se ahorra más en intereses que pagando cada dos semanas. Reducir el saldo de capital afecta directamente al interés a pagar.

¡De hecho, Sergio podría cancelar su hipoteca aún más rápido si quisiera! Podría pagar antes en el mes, en lugar de pagar semanalmente. Además, con un buen puntaje, Sergio podría encontrar un crédito hipotecario con una tasa de interés más baja (dependiendo de lo que haya disponible en ese momento). Hay muchísima gente que paga tasas mayores al 9,5 por ciento, y eso no debería suceder. No se quede de brazos cruzados. ¡Use los métodos de *Curas Para Sus Deudas* y refinancie y liquide su hipoteca hasta en menos de diez años!

Haciendo lo que hizo Sergio, usted podría conseguir un mejor puntaje FICO —lo que a la vez le permitiría conseguir una mejor tasa de interés. Eso se traduce en menos dinero para el banco y *más dinero* para usted. Si miramos las hipótesis C y C1, con la tasa del 9,5 por ciento, el mayor ahorro en intereses que Sergio puede hacer es de 222600 dólares; con la tasa del 5,5 por ciento, ahorra 515500 dólares. Ambas sumas son muy buenas, pero la mejor tasa de interés le brinda a Sergio 292900 dólares extra.

Sergio adora las *Curas Para Sus Deudas*. Los bancos no.

La historia continúa

Además de la refinanciación y de todas las opciones de pago por adelantado que se discutieron anteriormente en este capítulo, existen otras técnicas. En esta época de hipotecas "basura" o de alto riesgo, sé que algunos de ustedes desean una solución que funcione.

El número de ejecuciones hipotecarias es inconcebible. En 2008, se ajustarán quinientos mil millones de dólares de hipotecas —la hipoteca de tasa ajustable (ARM, por sus siglas en inglés) por algo se llama así— y dicho ajuste será fatal para mucha gente. Más de trescientos mil millones de dólares de este dinero de hipotecas corresponden a hipotecas de alto riesgo. Muchas personas no podrán costear los pagos con la nueva tasa de interés, y los precios de las casas están bajando en todo el país. Eso significa que la gente deberá más dinero de lo que su casa realmente vale ahora. No es una situación agradable.

Mi explicación es simple y llana: se otorgan las hipotecas de alto riesgo a personas que no tienen un puntaje bueno. Es una práctica muy común entre muchos prestamistas, y no estoy de acuerdo en lo más mínimo con ella. Ellos prevén que estas personas con malos puntajes finalmente no podrán hacer los pagos de su hipoteca en término. ¿Y qué sucede entonces? El banco recupera la casa, para volver a venderla al minuto.

Con lo mal que la está pasando la industria inmobiliaria en este momento, estos codiciosos prestamistas están viendo fracasar sus planes. Ahora, cuando ellos recuperan estas casas, les resulta imposible obtener con ellas el valor del préstamo original. La "crisis de las hipotecas "basura"" sigue dando que hablar, ya que muchos de estos prestamistas están cayendo en quiebra. Ellos desde un principio no deberían haber dado esos préstamos, pero permítanme hacer una digresión. Si usted se encuentra en esta situación, no pierda la fe. Quizás no le ejecuten la casa en lo absoluto.

Existe una opción llamada "venta en descubierto". Cómo funciona: usted, el propietario de la casa, necesita venderla, pero no puede ganar con dicha venta lo que aún debe de la casa; el banco acepta una oferta menor al monto total adeudado para cancelar el crédito, con lo cual quedará "en descubierto". Normalmente, cuando usted vende la casa le paga al banco, pero aún le queda algo de valor líquido. En este caso, no le queda valor líquido y aún le debe algo (¡o mucho!) al banco, pero igual ellos permiten la venta. Eso evita la ejecución hipotecaria y le ahorra dolores de cabeza a largo plazo a todo el mundo. En muchas ocasiones, alguno de sus conocidos comprará la casa a un precio más bajo y luego se la volverá a vender a usted cuando las condiciones mejoren.

Por ejemplo, tomemos el caso de Victor. Su tía le compra la casa en descubierto por un precio bajo, para luego volver a vendérsela cuando tenga su crédito nuevamente bajo control. Ahora, él ya no necesita sacar una hipoteca de tasa ajustable. Él puede sacar una hipoteca con una buena tasa de interés fija porque ha implementado las técnicas presentadas en *Curas Para Sus Deudas* para poner su crédito en orden. Su préstamo es menor, su interés es más bajo. Su historia tiene un final feliz. La suya también puede tenerlo. Para mayor información sobre ventas en descubierto, visite la página web http://www.mortgagenews-daily.com/wiki/Short_Sale_Defined.asp

De este modo, usted puede sacar un préstamo de bajo interés, y el costo de la casa (y el monto del préstamo) es menor al precio original de compra y al monto original del préstamo. Pero, usted igual puede pagar el monto que pagaba cuando recién compró la casa, para poder cancelar la hipoteca mucho más rápido. Así es: ¡adhiérase a las estrategias de *Curas Para Sus Deudas* y usted puede liquidar esa hipoteca en menos de diez años!

Otro método para evitar la ejecución hipotecaria es la modificación del préstamo. Es algo similar a la refinanciación en cuanto a que es un cambio permanente en su préstamo. Usted puede negociar una tasa de interés distinta o un plazo mayor para conseguir un pago que pueda costear y no perder la casa. Usted puede cambiar los términos y condiciones del crédito y ahorrar miles de dólares. Es diferente a la refinanciación en cuanto a que no hay costos de cierre, impuestos ni comisiones. Normalmente, los bancos no se inclinarían a hacer esto porque significaría menos dinero para ellos. Sin embargo, no vivimos en tiempos normales. Ellos se dan cuenta de que algo es mejor que nada, y que si usted se queda en su casa es mejor para ellos. Si ellos la ejecutan, tienen que venderla y esperar obtener lo suficiente como para cubrir lo que usted les debe.

Más vale pájaro en mano... Si el banco accede a su pedido de modificación del préstamo, puede que le soliciten que pague una tasación. Eso es razonable y vale la pena el pequeño gasto para quedarse en su casa y conseguir una cuota que pueda costear. Citando a Winston Churchill: "jamás se rinda". Mantener su casa vale la pena el esfuerzo.

Los bancos y los prestamistas no quieren que sepamos que podemos reducir nuestros pagos, nuestros intereses y la duración del préstamo. Los bancos quieren que todas estas estrategias sigan siendo un secreto así ellos pueden seguir apoltronados en sus sillones, contando nuestro dinero durante los próximos treinta años.

No, gracias. Prefiero contar mi dinero yo solo, muchas gracias. Creo que dejaré de pagar tantos intereses y empezaré a usar mi dinero para mis propios objetivos. Por ejemplo, empezar a amasar una pequeña fortuna.

CAPÍTULO 15

Dígale "no" a la quiebra

"¡Hay un abogado de quiebras en su área, listo para contactarlo!"
Eslogan de una página web
de abogados especialistas en quiebra

Son pocas las ocasiones en las que la quiebra puede ser la mejor opción para usted. La mayoría de las veces, no lo es. Sin embargo, usted nunca podría saberlo. ¡La publicidad sobre quiebras es casi tan frecuente como la de tarjetas de crédito!

No es extraño que mucha gente opte por la quiebra. Las deudas están fuera de control y, cuando la presión crece, puede ser difícil pensar con claridad. Los comerciales en la radio mientras viaja al trabajo, los comerciales en televisión mientras mira su programa favorito por la noche, la guía telefónica y la Internet están repletos de anuncios sobre abogados que se especializan en quiebras. Encontrar un abogado que maneje situaciones de quiebra es más fácil que encontrar un peluquero.

Hacen que parezca un lecho de rosas. Si usted no se ha declarado en quiebra, sería bueno que conociera a alguien que sí lo hizo. Hable con alguien y pregúntele: ¿La quiebra hizo desaparecer mágicamente todos sus problemas?

PRUEBA SORPRESA
Verdadero o falso

1. Las comisiones de las tarjetas de crédito aumentaron 160 por ciento durante los últimos cinco años.

2. Se hacen 2,2 millones de compras por hora con las tarjetas de crédito.

3. Las deudas de consumo exceden a la deuda pública.

4. Un director ejecutivo de Providian dijo: "El objetivo es conseguir ingresos exprimiendo a nuestros clientes y que ellos se queden de brazos cruzados".

5. En 2004, treinta estados demandaron a bancos por prácticas abusivas.

6. La Comisión Federal de Comercio solía tener dos abogados para manejar los casos relacionados con agencias de cobro. Hoy en día, son más de cien los abogados que se encargan de estos casos.

7. El 83 por ciento de los divorcios están atribuidos a problemas monetarios.

8. La principal causa de quiebra son los gastos relacionados con cuestiones de salud.

9. Entre 1994 y 2004, más de diez millones de estadounidenses se declararon en quiebra.

10. Que usted esté en deuda ahora no significa que lo estará para siempre.

Si usted contestó "verdadero" a todos los puntos, está en lo cierto. Si contestó "triste, pero real" a todos menos al último, también está en lo cierto.

Mundo cruel

Dichas estadísticas son sorprendentes. Somos una sociedad adicta a las tarjetas de crédito. La comodidad es maravillosa. Las comisiones no lo son. La industria ha hecho que sea demasiado fácil conseguir tarjetas y crédito. Muchas personas creen erróneamente que la compañía de tarjetas de crédito o el banco no le darían una tarjeta si no pudieran costearla. "Me debe estar yendo bien. El banco me acaba de dar otra tarjeta de crédito."

A usted sí le está yendo bien, pero desde el punto de vista de ellos. La antigua broma que se hacía sobre el sufragio corrupto en Chicago era "vote antes, vote a menudo". La industria de las tarjetas de crédito podría tener un lema similar —"pague poco, pague tarde, pague eternamente".

La fortuna que están amasando gracias a las descabelladas cuotas que cobran es increíble. ¡El aumento más grande en el ingreso se produjo gracias a las comisiones! Y el que manda en uno de los bancos más importantes escribió en un correo electrónico que quiere que nos quedemos de brazos cruzados mientras él nos "exprime". Una vergüenza. Pero, como ya dije, ésta es la compañía que gastó cuatrocientos millones de dólares para llegar a acuerdos en las acusaciones por fraude y otras escandalosas actitudes contra sus propios clientes. ¡Cuánto más ridículo puede tornarse todo!

¿Y qué me dice del hecho de que treinta estados presentaron juicios contra los bancos más importantes que otorgan tarjetas de crédito por sus prácticas absurdas y el gobierno federal de dichos estados se puso del lado de los bancos? Las agencias de cobranza también construyeron un imperio. Creen que están más allá de la ley. ¡Se necesitan cien abogados para manejar las causas que se inician contra estos hombres, y el gobierno no interviene y no hace más estrictas las leyes!

> ¡Usted no debe quedarse de brazos cruzados a esperar que lo expriman!

Es un mundo cruel, realmente cruel.

La última opción

En lugar de pensar que la quiebra es la única opción, considérela la última opción. Entiendo la tentación. Usted tuvo una racha de mala suerte y ahora está tapado de deudas. Su matrimonio se derrumba, su salud se resquebraja, y los gastos médicos ya son devastadores; ¡ya no soporta más! Puede parecer que la quiebra es la única salida.

Usted no es el único que piensa así. Millones de personas se declaran en quiebra. Se supone que los Estados Unidos es una nación de riqueza, y mire cuántos de nuestros ciudadanos están dándose por vencidos y declarándose en quiebra.

A la vista de los bancos y de las compañías de tarjetas de crédito, era demasiada la gente que se declaraba en quiebra. ¿Qué les importaba? ¡Ellos no recibían el pago de las comisiones! Entonces, los bancos recurrieron a sus amigos del gobierno y, en 2005, el gobierno federal hizo que fuera más difícil para la gente declararse en quiebra. Para eso están los amigos.

No es un alivio

Si habla con las personas que se declararon en quiebra, le dirán que la vida no es "color de rosa". Ahora tienen una mancha en su reporte de crédito, y los depredadores arrasan como buitres para rescatar migajas. Estas personas ahora entran en la categoría de personas con "riesgo de insolvencia"; los bancos no pueden esperar cobrarles altas tasas de interés por el "favor" de trabajar con ellos.

Éstos fueron los mismos banqueros "serviciales" que los llevaron a la quiebra. En el documental *Maxed Out,* a un juez de quiebras se le preguntó acerca de todos los casos que le había tocado examinar con respecto a cuánto de lo que se adeudaba por tarjetas de crédito correspondía a capital y cuánto correspondía a intereses y comisiones. El juez dijo que, en promedio, el monto adeudado era el triple del capital.

Jim y Juanita perdieron sus empleos y ninguno tenía apartado un fondo de emergencia para pagar los gastos cotidianos básicos. Usaron sus tarjetas de crédito para pagar las facturas y terminaron pidiendo prestado de tarjetas para pagar las otras. "Comenzamos robándole a Pedro para pagarle a Pablo...", le contaba Juanita al periodista en el documental *Secret History of Credit Cards [La historia secreta de las tarjetas de crédito]*, que salió al aire en PBS. Las multas y las comisiones comenzaron a acumularse rápidamente.

Ellos habían sido buenos clientes durante años, pero cuando se vieron en aprietos económicos, nadie les demostró ni un poco de amabilidad por todos esos años en los que habían hecho sus pagos en término. Los castigaron con comisiones por pago fuera de término y por exceder el límite de crédito. La tasa de interés se disparó de un nueve por ciento a un 25 por ciento. Como dijo Jim: "Se olvidan del hecho de que uno tuvo la tarjeta de crédito por muchos años y la pagaba regularmente, sin atrasarse nunca. Y no bien dejas de pagar una vez, es como si se acabara todo tipo de trato".

En no mucho tiempo, ellos llegaron a tener una deuda de ochenta mil dólares en diez tarjetas de crédito. Se les hizo imposible de pagar y se declararon en quiebra. Y Jim y Juanita aún siguen recibiendo ofrecimientos de tarjetas de crédito en su buzón.

Hay un alivio

Existen literalmente millones de personas como Jim y Juanita. Personas que están buscando una solución. Lo triste es que no había necesidad de que llegaran a eso. Si los bancos dieran marcha atrás con sus comisiones agresivas, quizás no tendrían que preocuparse por las personas que se declaran en quiebra.

La buena noticia es que existe una esperanza para todos, ya sea que usted se haya declarado en quiebra o no. Con las *Curas Para Sus Deudas,* usted verá que puede eliminar su deuda, o negociarla, y recortar sus tasas para reducir el monto total adeudado a la mitad o más. Usando estas técnicas usted puede ahuyentar a los buitres y su necesidad de que las personas caigan en quiebra.

CAPÍTULO 16

Un gran negocio

"Un negocio que no hace más que dinero es un negocio pobre."
Henry Ford

Como dije en el primer capítulo, las compañías de tarjetas de crédito le roban al ciudadano estadounidense; el gobierno federal, en lugar de defender los derechos de sus ciudadanos, se confabula con los banqueros y los prestamistas y los peces gordos, cuentan el dinero junto a ellos y permiten que todo suceda.

Una compañía de tarjetas de crédito calculó incorrectamente las comisiones por pago fuera de término —porque hacían que los empleados retuvieran o destruyeran los cheques de los clientes. Otra compañía, Providian, supuestamente les cobraba a los clientes por cosas que jamás habían pedido, como seguros de crédito. La empresa terminó pagando un acuerdo millonario, pero nadie fue a prisión, y el escándalo pasó casi desapercibido en los medios de comunicación. Providian pagó los acuerdos —cuatrocientos millones de dólares—, pero siguió operando. Algunos emisores de tarjetas de crédito se refieren a esta empresa como "el rey de los chicos malos".

¿Qué nos dice esto? Claramente, que hay otros chicos malos.

No sé si existe un pacto secreto o si se felicitan entre ellos, pero de acuerdo con http://www.bcsalliance.com y el abogado Robert Hinsley de http://www.consumersdefense.com la industria de los créditos de consumo está plagada de chicos malos.

"Chicos malos"

Una compañía de tarjetas de crédito (a la que llamaremos el Gran Banco) se dio el lujo de hacer algo realmente ruin: cambió las fechas de vencimiento en los resúmenes de cuenta mensuales de sus clientes. A nadie le avisaron del cambio; lo hicieron disimuladamente, y para muchos pasó inadvertido. Ésa sí que es una táctica vil.

> ¡Los Grandes Bancos creen que siempre pueden salirse con la suya!

Nosotros, que somos ciudadanos trabajadores y pagamos nuestras cuentas, nos acostumbramos a la fecha de vencimiento de cada factura. Mi tarjeta de crédito vence el 17 de todos los meses. Ahora bien, si yo hubiera sido un cliente del Gran Banco, me podrían haber cambiado la fecha de vencimiento en el resumen sin que yo me diera cuenta. Habría pagado el día 17 o alrededor de esa fecha. Si me hubieran modificado la fecha de vencimiento al día 13, habría pagado tarde, porque nunca habría notado el cambio de fechas. Muchos clientes no lo notaron, y ése fue el problema.

Los ciudadanos honestos no sabían que la fecha de vencimiento había cambiado. Por eso enviaron sus pagos como siempre, lo que ahora significaba que estaban pagando fuera de término. El Gran Banco los castigó con una comisión de veintinueve dólares a cada uno por pago fuera de término. Si pagaban fuera de término dos meses seguidos, el banco catapultaba sus tasas de interés a un exorbitante diez por ciento. ¡Ay, qué dolor!

El Gran Banco debe querer ser el rey de reyes, porque le jugó a sus clientes otra mala pasada. Dejó pasar todo un mes sin enviarles el resumen de cuenta mensual. Al no recibir un resumen que les hiciera acordar del pago, ese mes muchos pagaron fuera de término o no pagaron. El Gran Banco los reprendió con una comisión de veintinueve dólares por pago fuera de término.

Cuando los clientes se dieron cuenta de lo que había pasado, llamaron para quejarse. ¡No habían recibido ningún resumen! Atribuyéndolo a un error del sistema, ¡el Gran Banco no quiso quitar la comisión por pago fuera de término! Alegaron que ellos no estaban obligados a enviar un resumen mensual; que era responsabilidad del cliente saber cuándo debía pagar sus cuentas.

¡Estos tipos necesitan un curso de actualización sobre la responsabilidad de brindar un buen servicio al cliente!

Los aspirantes

Me gustaría poder decirles que el Gran Banco es el único que practica estas perversas técnicas, pero muchas de las compañías de tarjetas de crédito están echándose al ruedo en la competencia por convertirse en "chicos malos". De acuerdo con el abogado Robert Hinsley de ConsumersDefense.com, existen muchos dignos aspirantes al título:

- ✔ Acuerdo de 45 millones de dólares; Citibank; acusado de calcular incorrectamente las comisiones por pago fuera de término.
- ✔ Acuerdo de 36 millones de dólares; Sears; acusado de subir las tasas de interés luego de haber dicho que no las subiría.
- ✔ Acuerdo de 8 millones de dólares; MBNA; acusado de calcular incorrectamente las comisiones por pago fuera de término.
- ✔ Acuerdo de 7,2 millones de dólares; Advanta; acusado de cobrar tasas de interés más altas a clientes a quienes les habían prometido una tasa baja.

Fíjese que hay algo clave en todas las oraciones de arriba —en todos los casos se llegó a un acuerdo. Hicieron sus arreglos extrajudiciales y siguieron su camino. Después de todo, ¿qué son para Citibank 45 millones de dólares en multas? Ellos pueden pagar un acuerdo como ese y seguir figurando entre los integrantes más prestigiosos de la industria más rentable de los Estados Unidos.

Uno se imagina que es como los equipos NASCAR, haciendo alteraciones ilícitas a sus autos de carrera y esperando que nadie se dé cuenta. Y si alguien se da cuenta, reciben sólo un tirón de orejas, pagan una multa, y la vida continúa. Cuando alguien se enfrenta a los prestamistas, ellos pagan sus acuerdos, se salen con la suya y, a la semana siguiente, continúan con las prácticas abusivas. Las prácticas inescrupulosas parecen no tener fin, y el gobierno hace la vista gorda.

Y más chicos malos

Otro gigante de la industria que aparentemente también pelea por el trono es Capital One, a quien demandaron por sus supuestas estrategias de marketing. El periodista de MSNBC.com Bob Sullivan informó que desde la procuraduría del estado de Minnesota se había declarado que Capital One engañaba a sus clientes con promesas de tasas de interés fijas y que luego las subían... ¡en algunos casos, hasta un cuatrocientos por ciento!

El juicio se inició cuando una vecina de Minnesota solicitó una tarjeta de crédito de Capital One luego de ver un comercial por televisión. Ella preguntó específicamente si le mantendrían la tasa del 4,9 por ciento durante todo el tiempo que ella tuviera la tarjeta. Según parece, ellos le aseguraron que sí. Entonces, ella solicitó la tarjeta. Menos de un año después, y luego de haber pagado todas sus facturas mensuales en fecha, le aumentaron la tasa —a más del doble; de hecho, a casi el triple— al catorce por ciento.

Al parecer, Capital One había enviado por correo ofertas en las que aseguraba categóricamente que la tarjeta tenía tasa fija. Los avisos supuestamente afirmaban repetidas veces que la tasa era del 4,99 por ciento. ¡Los abogados contaron el adjetivo "fija" diecisiete veces! Parece que Capital One abusó del adjetivo y de la publicidad y que luego sigilosamente pasó a cobrar una tasa más alta esperando que sus clientes no se dieran cuenta. Si eso es cierto, ¿puedo yo decir "tramposos" diecisiete veces?

Si un cliente llamaba a Capital One para aceptar la oferta que había recibido por correo, los representantes de servicio al cliente, según parece, tenían un ayuda memoria para saber cómo evitar las preguntas directas. Aparentemente, aunque alguien publique que dará una tarjeta con una tasa de interés fija y lo repita diecisiete veces, ese alguien no tiene por qué cumplir y entregarle al cliente una tarjeta con tasa fija. O al menos con una tasa "baja". Bueno, si es uno de los chicos malos, no tiene por qué hacerlo. Al parecer, Capital One terminó cobrando tasas de interés del veinte por ciento, y algunas incluso llegaron al veintiséis por ciento. En los avisos nunca usaron las palabras "alta" o "le ofrecemos gato por liebre" o "cuidado, queremos embaucarlo".

Hubo otro conflicto de Capital One que sí recibió cobertura de los medios. Un hombre al que le habían tenido que practicar de emergencia una cirugía a corazón abierto envió tarde su pago a Capital One ese mes. Al parecer, Capital One lo recibió apenas un día tarde. Según el abogado Robert Hinsley, de Houston, Texas, cuando este ciudadano llamó para explicar el porqué de su pago fuera de término, "con mucha frialdad le dijeron "qué pena", y le subieron su tasa de interés de aproximadamente siete por ciento a 21 por ciento". ¿Quién es el que necesita la cirugía de corazón?

El 30 de septiembre de 2004, las deudas por tarjetas de crédito de Capital One ascendían a 46,1 mil millones de dólares. ¡Sus ganancias *trimestrales* eran de 414,4 millones de dólares! ¡Y eso representaba un cincuenta por ciento más que el año anterior! Con ganancias trimestrales como esas para un solo banco, queda claro que hay muchísimo dinero dando vueltas en la industria bancaria de créditos de renovación automática. ¿Escucha ahora esa voz que le susurra detrás de usted: "¡ganancias obscenas!"? No sé si obscenas, pero sin dudas es una terrible cantidad de dinero.

Y ellos, además, gastan una terrible cantidad de dinero. En 2004, Capital One gastó —sólo en los primeros nueve meses del año— 827 millones de dólares para publicitar sus tarjetas de crédito. Estaban gastando 827 millones de dólares en publicidad, y el año no había terminado siquiera. ¡Piense en la misma cantidad de dinero destinada a una buena causa! Sí que es obsceno; y descarado.

Sin solución a la vista

Los bancos y las compañías de tarjetas de crédito siguen con sus métodos descarados de cobrar tasas exorbitantes y comisiones a granel. No sienten vergüenza, sino orgullo, ya que continúan batiendo marcas de ganancias, y los ingresos por comisiones son la primera fuente de esas ganancias. Los ejecutivos hacen caso omiso de las críticas y dicen que actúan en total conformidad con las normas gubernamentales imperantes. Y los funcionarios del gobierno, lejos de ponerle un freno a los bancos, se convirtieron en defensores de la industria de los créditos de consumo. El hecho de que los bancos hagan importantes aportes para las campañas de muchos políticos no tendrá nada que ver, ¿o sí? ¿Usted qué cree?

En un artículo publicado en <u>reuters.com</u> en el año 2007, Elizabeth Warren —profesora y experta en quiebras de la Harvard Law School [Facultad de Derecho de Harvard]— señaló que: "Cualquier persona esperaría que el gobierno se pusiera de parte del consumidor. Sin embargo, el gobierno legisla a favor de los bancos... Los dólares del cabildeo están enteramente del lado de la industria. Por eso consiguen hacer todas las normas".

Con la actitud y los modos agresivos de la industria de las tarjetas de crédito, uno parece estar en un tren que se salió de control. Los estadounidenses están ahorrando menos porque necesitan destinar el noventa por ciento de sus ingresos disponibles al pago de las deudas de las tarjetas de crédito. Las declaraciones de quiebra y las ejecuciones hipotecarias alcanzaron niveles nunca vistos. La crisis de las deudas en los Estados Unidos es como un cáncer económico que crece y se propaga en silencio mientras nosotros dormimos.

Según Gabriel Stein, un economista que trabaja para Lombard Research, "las familias, en la búsqueda de fuentes para costear sus gastos, pasaron de los préstamos hipotecarios a las tarjetas de crédito. Esto fue una muy mala señal para la economía de los Estados Unidos en el transcurso del año 2007 e indica que las familias están apelando a los últimos recursos para conseguir algún tipo de crédito". ¿Quiénes son los responsables de echarle la soga al cuello a quienes se encuentran en un último suspiro económico? Mi respuesta: los bancos, las compañías de tarjetas de crédito y toda la industria de los créditos de consumo. Ésa es un área en la que puedo usar las palabras "responsable" e "industria de los créditos de consumo" en la misma oración.

Presente su queja

Las compañías de tarjetas de crédito confían ciegamente en la esperanza de que los ciudadanos promedio no sean conscientes de lo que está sucediendo o de que, en caso de que lo sean, la mayoría no haga nada al respecto. Eso sucede porque la mayoría piensa que no puede. Pero ahora sabemos que no es así.

Usted puede dar batalla y denunciar a los emisores de su tarjeta de crédito ante las autoridades correspondientes. En breve le daré esa información. Si nuestros funcionarios electos reciben suficientes quejas, quizás —sólo quizás— se promulgue alguna ley que le ponga un freno a la locura y a la codicia de la industria de las tarjetas de crédito.

A quién recurrir

1. **A la Procuraduría General del Estado.** La mayoría de las personas probablemente nunca considerarían la posibilidad de contactar al procurador general de su estado. La procuraduría es algo que parece demasiado oficial o intimidante; no parece algo a lo que un ciudadano común y corriente podría acercarse, pero ellos son, básicamente, los abogados de más alto rango dentro de su estado. Ellos trabajan para usted. Estos abogados saben lo que hacen, y son de armas tomar.

   Éste es exactamente el lugar por donde usted debería empezar. El procurador general escuchará su queja y, lo que es más importante, actuará en consecuencia. Ellos llevan un registro de todas las quejas que se presentan. Aunque usted sea el primero, luego de que el próximo presente su queja, y el próximo, todas sumarán. El procurador nunca estará al tanto de los manejos corruptos a menos que usted se lo informe a través de su queja.

   La mayoría de las demandas presentadas contra las compañías de tarjetas de crédito provienen de procuradores generales. Al caso de Providian lo puso en marcha el Procurador General de California. Y todo comenzó con una sola queja.

   Usted debería encontrar sin problemas los datos sobre la procuraduría general de su estado en la página web http://www.naag.org.

2. **Representantes electos.** Sí, sé que le dije que los funcionarios de Washington y los que trabajan en los bancos están ligados por el bolsillo. Y lo están. Los aportes para las campañas políticas mueven al mundo. Los políticos tienen su red de fieles amigos, y eso es un hecho. También es un hecho que esas personas son los funcionarios que usted eligió, y que si usted les hace pensar que su puesto de trabajo puede estar en peligro, quizás lo escuchen.

   Al ser sus representantes electos, ellos tienen una obligación hacia usted, y usted hacia ellos. Si usted no expresa su queja, entonces nunca se hará nada. Haga escuchar su reclamo. Hable.

Escriba. Puede que algún funcionario lea su carta y la arroje a una pila, pero si esa pila crece lo suficiente, entonces se hará algo. Si los funcionarios de Washington comienzan a recibir suficientes quejas, tendrán que hacer algo al respecto. Pero si no nos quejamos, ellos pueden ponerse cómodos, encender otro puro y seguir haciendo lo que hicieron hasta ahora: nada.

Las direcciones de correo electrónico y postal están disponibles en: http://www.house.gov y http://www.senate.gov.

3. **Reguladores bancarios.** El correo postal es: Division of Credit Practices, Bureau of Consumer Protection, Federal Trade Commission, Washington D.C. 20580 [División Prácticas Crediticias, Buró de Protección al Consumidor, Comisión Federal de Comercio, Washington D.C. 20580]; o presente una queja en línea en la página Web http://www.ftc.gov.

4. **Better Business Bureau** [Oficina Pro Honradez Comercial]. Contáctelos en línea en: http://www.bbb.org.

5. **Contraloría de la Moneda.** El número de teléfono es 202-874-4700.

Su voz y su voto cuentan

Quejarse está bien. Hay que quejarse, una y otra vez. Las compañías de tarjetas de crédito siguen actuando impunemente de manera abusiva porque muy pocos de nosotros, consumidores trabajadores, nos quejamos. Si su senador recibiera cientos de cartas de consumidores que amenazan con votar para que abandone el cargo, se alarmará y escuchará. Dicen que "el que no llora, no mama", así que empecemos a llorar.

¿Qué hay que decir?

Contáctese con sus funcionarios electos y comuníqueles lo que la compañía de tarjetas de crédito le hizo a usted específicamente. No haga un reclamo general contra el corporativismo en Estados Unidos. Dé su versión de cómo las prácticas codiciosas están arruinando su vida cotidiana. "Mi compañía de tarjetas de crédito elevó mi tasa de interés al veintidós por ciento. Fui un buen cliente durante mucho tiempo y siempre pago mis facturas. Ahora el pago mensual es tan alto que no puedo pagar mis servicios ni el seguro de mi coche". Cualquiera sea su motivo de queja, exprésalo. Detalle fechas, tasas, montos; presente su queja de modo profesional y cordial.

Usted puede ser audaz. Usted eligió a la persona que está en la Casa Blanca para que lo represente. Hágale saber a él o ella que usted es totalmente consciente de que muchos practican el cabildeo y muchos otros hacen aportes para las campañas. Usted puede preguntarles a quemarropa qué es lo que recibieron de los cabilderos y de las compañías de tarjetas de crédito.

No se deje intimidar. Dígales que usted quiere que se comience a regular la industria de las tarjetas de crédito y que quiere ver cómo votan en los asuntos relacionados con los bancos y las tarjetas de crédito. Dé su opinión de que las cláusulas de las compañías de tarjetas de crédito deberían darse a conocer en su totalidad. Ellas no deberían estar autorizadas a incluir furtivamente un aumento en las tasas. Tampoco deberían estar autorizadas a subir las comisiones continuamente.

Finalmente, asegúrese de mencionarles que usted emitirá su voto en las próximas elecciones, y que ese voto se lo llevará la persona que adopte una posición firme contra los bancos y la industria de las tarjetas de crédito.

¡Sólo hágalo!

Sus acciones cuentan. Informar a los trabajadores del gobierno sobre esto vale su tiempo y esfuerzo. Si queremos que las cosas cambien, tenemos que hacer algo al respecto. Si no nos quejamos, permitimos que la industria de las tarjetas de crédito y el gobierno federal se salgan con la suya.

¡Contacte a sus funcionarios electos de Washington! Haga correr la voz entre todos sus conocidos para que hagan lo mismo. La mayoría de las personas sufrió algún tipo de engaño por parte de su compañía de tarjetas de crédito. Envíele un correo electrónico a su senador y a su representante para informarlos del asunto. Si usted tiene una queja grave y específica, ¡comuníqueselo a su procurador general!

El incumplimiento de pago universal...

La estafa del incumplimiento de pago universal se extiende a lo largo y a lo ancho de gran parte de la industria de los créditos de consumo, y es algo que conmociona a muchas personas cuando les sucede. Tenga cuidado: si usted está en mora con una tarjeta de crédito o con un prestamista, el resto también se le puede venir encima.

El Congreso permitió durante mucho tiempo que los bancos y las compañías de tarjetas de crédito operen sin ningún tipo de control. Y ellos inventan todos los métodos posibles para cobrar más comisiones.

... es una estafa universal

Si la compañía de tarjetas de crédito lo pesca por incumplimiento de pago universal, tomará medidas drásticas y le cobrará la peor tasa de interés posible. La tasa de morosidad *promedio* es de alrededor del veinticuatro por ciento, lo que significa que algunas tarjetas cobran un porcentaje aún mayor. A las compañías de tarjetas de crédito el concepto no les genera ningún conflicto. Si el banco que está en la acera de enfrente le aumenta la tasa a un cliente porque ese cliente tuvo un mal día, entonces todos pueden hacerlo. Cualquier indicio de aplicación de un sistema de control de precios en otros ámbitos enfurece a todo el mundo. En otras industrias sí protestamos por eso. Pero la industria de las tarjetas de crédito parece hallarse en una burbuja protegida en la que pareciera que nosotros, los humildes ciudadanos, no podemos penetrar.

Todo el asunto del incumplimiento de pago universal me da ganas de gritar. Si alguien en una situación económica difícil efectúa un pago fuera de término o no efectúa un pago a uno de los bancos o compañías de tarjetas de crédito una sola vez, cualquiera sea el motivo y por más pequeño que sea el monto, el resto de sus compañías tarjetas de crédito y acreedores podría abofetearlo con una tasa de interés más alta. ¡Lo toman desprevenido! Todos los prestamistas lo castigan, y el castigo puede ser muy severo. Se genera el tan temido espiral descendente y la persona cae en incumplimiento de pago con todos sus acreedores. El círculo vicioso es realmente despiadado y vengativo. ¿Cómo diablos se supone que eso pueda ayudar a alguien?

¡Algo más increíble aún es que un error en el reporte de crédito pueda provocar el incumplimiento de pago universal! ¡Y que nada pueda prevenirlo!

Es muy probable que el ítem del reporte de crédito que los hizo decretar "incumplimiento de pago universal" sea en realidad información errónea. No interesa. Aunque usted corrija el error en su reporte de crédito (y después de leer este libro, por supuesto, lo hará), el proceso no es instantáneo. Puede que la corrección figure en su reporte de crédito, ¡pero las compañías de tarjetas de crédito aún pueden mantener alta su tasa de interés! Y usted no tiene ningún derecho amparado por la ley para obligarlas a que le vuelvan a cobrar la tasa que tenía antes del incumplimiento de pago universal. ¡Algo anda mal aquí!

¡Eso es cien por ciento estúpido!

Hagamos una comparación con el ejemplo de un profesor que comete un error en la libreta de notas en su examen final. Usted se sacó un sobresaliente, pero el profesor sin darse cuenta se equivoca al registrar las notas y le pone "desaprobado". Esto significa que usted reprueba la materia y debe volver a cursarla el año siguiente. Usted le muestra al profesor la nota que le puso en el examen y él corrige la libreta, pero no hace nada para solucionar la situación general, con lo cual usted igual reprueba la materia y debe volver a cursarla el año siguiente. Pero eso, en este caso, no sucedería. En este caso, existiría alguna medida a tomar para demostrar que el "desaprobado" fue producto de un error y que ahora el error ya está corregido. Y que lo dejen pasar de año. En este momento, el gobierno le da la espalda a los errores del incumplimiento de pago universal y no hace nada para que usted no repruebe.

Según una encuesta realizada en el año 2005 —la información más actual disponible—, del total de los bancos emisores de tarjetas de crédito que fueron encuestados, un 44 por ciento toman parte en el incumplimiento de pago universal. La encuesta se realizó sobre 45 bancos diferentes. Estos 45 bancos emitían 144 tarjetas de crédito diferentes. Eso representa muchos incumplimientos de pago universales. Revise el acuerdo de su tarjeta, la letra pequeña, para ver si su banco emplea esta política. Si dice que el banco o compañía puede aplicar "fijación de precios por incumplimiento basándose en la información de su reporte de crédito", entonces sí, esté preparado para el incumplimiento de pago universal.

Llegando al límite

En el documental *Maxed Out* [Llegando al límite], realizado en 2006, el director James Scurlock apuntó las cámaras hacia la industria de los créditos de consumo. Las personas a las que entrevistó —ciudadanos estadounidenses promedio— dijeron que "[los prestamistas] los estaban explotando, manipulando y exprimiendo a tal punto que ellos no podían siquiera tener la esperanza de recuperarse. Y que eso no estaba bien". Yo estoy de acuerdo con que no está bien, pero las personas deben saber que sí hay esperanza y que pueden recuperarse. Scurlock explicó que hizo este documental sobre la epidemia de las deudas en los Estados Unidos porque "las deudas nos afectan a todos —ricos o pobres, blancos o negros, homosexuales o heterosexuales, liberales o conservadores".

Scurlock y su equipo descubrieron muchas cosas interesantes. En la película, habló con un abogado especialista en defensa del consumidor que pasa la mayor parte de su tiempo enfrentándose a las agencias de reporte de crédito por los errores que cometen. En sus declaraciones, los abogados de las oficinas de crédito dijeron, frente a cámara, que más de un noventa por ciento de todos los reportes de crédito tienen errores. Otra vez, ésta parece ser un área donde el gobierno federal debería ponerse firme y exigir que los reportes se realicen de manera más diligente y precisa, exigir una puesta a punto, una limpieza del sistema. Sin embargo, no lo hace. Queda a cargo de nosotros ser los guardianes de nuestros reportes de crédito, porque ya aprendimos lo mucho que influyen sobre cada dólar que gastamos.

"¿Qué tiene en la cartera?" Otra cosa que impactó a los creadores de la película fue saber que la industria de los créditos de consumo explota a los más necesitados, a los inocentes estudiantes universitarios y a las personas que se declararon en quiebra. En el próximo capítulo, le llamaremos la atención —a la industria financiera— por ello.

Una nación de deudores

La mentalidad del uso de tarjetas de crédito está profundamente arraigada en nuestra cultura estadounidense. De acuerdo con la información reunida por la Oficina del Censo de los Estados Unidos, el estadounidense promedio tiene al menos nueve tarjetas de crédito. Las deudas de consumo hoy exceden a la deuda pública. Los ciudadanos estadounidenses debemos alrededor de 6,7 billones de dólares en concepto de deudas domésticas. De las más de mil millones de tarjetas de crédito que hoy se encuentran en circulación en los Estados Unidos, 600 millones son tarjetas de minoristas, 320 millones son tarjetas bancarias, 140 millones son tarjetas de compañías de gasolina y 30 millones son tarjetas de viaje y entretenimiento. Tenemos tarjetas para todo.

En 1980, la deuda por tarjetas de crédito era de cincuenta mil millones de dólares. A fines de 2000, el total de la deuda no garantizada por tarjetas de crédito era de 654 mil millones de dólares. Bienvenidos al nuevo milenio. Tres de cada cinco familias hoy tienen más de once mil dólares de saldo promedio en sus tarjetas de crédito. Si la ciudadana promedio Alma carga con ese saldo promedio de once mil dólares, y si ella hace sólo un pago mensual mínimo, con un interés del 24 por ciento, le llevará veintidós años cancelar los once mil dólares. Veintidós años. ¿Por qué? Porque hay 47 mil dólares en interés acumulándose en ese saldo de once mil dólares. Alma no quiere pasar los próximos veintidós años de su vida pagando once mil dólares de saldo de la tarjeta de crédito, junto con un interés que es cuatro veces mayor a ese monto. Alma está lista para descubrir las curas para sus deudas.

Los estadounidenses no estamos ahorrando

La mayoría de los estadounidenses no puede ahorrar ni con mucho para su jubilación. Por qué o adónde se está yendo su dinero no es ningún secreto. Si son como la ciudadana promedio Alma, están derrumbándose con una deuda por sus tarjetas de crédito que sigue creciendo y creciendo y creciendo, sin que hagan siquiera ninguna otra compra con la tarjeta. Es un sistema increíblemente injusto. Ahorrar para el futuro, para el día en que se jubile o para un fondo de emergencias puede parecer un sueño imposible cuando nos enfrentamos a la pesadilla diaria de los saldos de las tarjetas de crédito que crecen vertiginosamente.

En un artículo de Market Watch que salió publicado en Yahoo Finanzas en abril de 2007, se informó que el Departamento de Comercio de los Estados Unidos dio a conocer sus cálculos sobre los ahorros personales hechos durante 2006, y ¿adivinen qué?: los estadounidenses no estamos ahorrando. Lo triste del asunto es que las estadísticas del Departamento de Comercio de los Estados Unidos muestran cómo las personas de hecho gastan un uno por ciento más de lo que ganan.

> Los ahorros de los estadounidenses: "...los más bajos desde la época de la Gran Depresión".

Las personas están realmente cayendo en un pozo económico. Esos cálculos son los peores desde la época de la Gran Depresión, pero ¡escúcheme!, si les preguntan a los funcionarios del gobierno y a los prestamistas, todo marcha de maravilla. Quizás así sea para ellos, pero para el ciudadano estadounidense promedio, éstos son tiempos muy arduos.

De acuerdo con la página web CNNMoney.com, los gastos de consumo representan el setenta por ciento del producto interno bruto de los Estados Unidos. Dicha página web dice: "La economía mundial está endeudada con los consumidores estadounidenses. Y los consumidores estadounidenses están endeudados hasta el cuello". David Wyss, uno de los economistas más importantes de Standard & Poor's dijo lo siguiente: "Nunca hubo tanta gente que debiera tanto".

Revolución

Nadie está más contento que la industria de las tarjetas de crédito. La página Bankrate.com señala que un cuarenta por ciento de las ganancias de los emisores de tarjetas de crédito proviene de ingresos por comisiones. Se felicitan a ellos mismos por otro gran año y encienden un puro. Mientras tanto, el objetivo a cumplir más común para todos los estadounidenses al llegar a fin de año es "salir de las deudas". Objetivos que solían ser cosas típicas como "bajar cinco kilos", "encontrar mi verdadero amor" o "mantener la casa limpia". Ahora, la mayoría de los estadounidenses están tapados de deudas que se les salieron de control, simplemente porque la industria de préstamos está fuera de control; y la preocupación número uno para los ciudadanos que son trabajadores y que pagan sus impuestos es salir de las deudas.

Entretanto, las compañías de tarjetas de crédito aportan millones cada año para las campañas de los funcionarios del Congreso. No es extraño que toda ley que emana de Washington básicamente le dé carta blanca a las compañías de tarjetas de crédito para que le sigan robando al pueblo estadounidense hasta el último centavo.

George Orwell dijo una vez: "En épocas de un engaño universal, decir la verdad se transforma en un acto revolucionario". Llámeme revolucionario.

Las *Curas Para Sus Deudas* se escribieron específicamente para usted, para sacarlo del control de ellos. Ahora lo único que debe preocuparle a usted es pensar en un nuevo objetivo para fin de año.

CAPÍTULO 17

Robándoles dulces a los niños

"Los monstruos existen."

Stephen King

El consumidor estadounidense se encuentra mucho más profundamente sumergido en deudas que nunca antes en la historia de los Estados Unidos. El monto de las deudas crece a un ritmo de dos mil millones de dólares por año. No logro siquiera entenderlo. ¿Somos una nación de riqueza o nos hemos convertido en una nación de ciudadanos oprimidos por los bancos, las compañías hipotecarias, las compañías de tarjetas de crédito, las tiendas por departamentos, en fin, por toda la industria de los créditos de consumo?

La carrera por las carteras de los consumidores alcanzó niveles jamás vistos. La industria de préstamos está embriagada de poder y sedienta de comisiones; por eso, amplió sus mercados para poder meterse incluso en más carteras. Y debajo de los colchones. Y en las alcancías.

La Era de la Razón ya es historia

Hace mucho tiempo, en una galaxia muy, muy lejana, un cliente debía tener un riesgo de crédito bueno para poder conseguir un préstamo o una tarjeta de crédito. Si una persona tenía un historial crediticio malo, entonces lo más razonable era no darle dinero hasta que pudiera mejorar su situación y aprendiera a administrar su dinero. Las decisiones se tomaban basándose en prácticas comerciales sensatas y no en esquemas de prestamistas para hacer dinero rápido. El criterio de los antiguos banqueros era: "Le prestaré dinero y le cobraré un pequeño interés por el derecho que ahora tiene de usar ese dinero. Me lo devolverá en cuotas. Usted podrá realizar sus compras, y el monto de las cuotas será razonable. Yo lo habré ayudado; usted podrá devolverme, y yo habré sacado una ganancia del dinero que usted me devuelve. Los dos saldremos ganando y estaremos contentos".

El brillo halagüeño del respeto mutuo se apagó. El criterio de la industria de los créditos de consumo de este siglo sería más bien como esto: "Le prestaré dinero. Le cobraré el mayor interés que me sea posible cobrarle. Crearé comisiones para poder sacarle más dinero aún. Fijaré un monto bajo para sus cuotas mensuales así usted cree que le estoy haciendo un favor, pero lo hago para que usted siga pagándome todos los meses mientras yo sigo acopiando cargos financieros. A ver, ¿qué nombre puedo inventar para otra comisión? Usted usó el crédito una vez para poder salir de un mal momento, y ahora yo lo tengo en la palma de mi mano para siempre. Usted me gusta. Me gusta ganar dinero a expensas suyas. Usted me hace muy feliz. No me interesa lo que usted piense de mí. El gobierno federal es mi aliado y me deja hacer lo que se me antoje. Usted no debería quejarse. Usted debería agradecerme. Yo lo ayudé cuando estaba atravesando un mal momento, ¿lo recuerda?".

Me imagino a un personaje enorme y feo, del estilo de Jabba el Hutt, pronunciando ese monólogo.

Las nuevas matemáticas

No es poco realista que alguien como usted o como yo esperemos que, al pagar nuestras cuotas mensuales, nuestro saldo se reduzca. Debería ser matemática simple. *A* menos *B* igual a *C*. *C* es mi nuevo saldo. Lo vuelvo a hacer el mes próximo, y ahora esto es lo que adeudo: un monto menor al mes anterior. Todos los meses, lo que adeudo debería reducirse cada vez más.

Los prestamistas tienen sus propias matemáticas. Esto es lo que usted adeuda, y esto es lo que usted necesita pagar: sólo un dos o un cuatro por ciento del saldo total. Agréguele algunas comisiones todos los meses y ahora lo que usted adeuda es más que al principio. La ecuación parece ser: A - B + COMISIÓN + COMISIÓN + COMISIÓN = C, y ahora C es mayor que A. En mi mente algebraica, C es igual a un saldo abusivo, y COMISIÓN es igual a táctica turbia. La industria le llama "comisión" a su manera de ganar dinero. Yo le llamo "delito".

Los nuevos blancos

A la industria de los créditos de consumo no le resulta suficiente la incalculable cantidad de dólares en ganancias que percibe hoy en día. Ahora se aprovecha de mercados que, hace algunos años, los líderes de la industria habrían considerado inútiles, con falta de potencial, una pérdida total de tiempo. La nueva actitud es depredadora, y las compañías de tarjetas de crédito están acechando a nuevas presas: los estudiantes universitarios, los necesitados con un historial crediticio bajo o sin historial alguno y los inmigrantes ilegales.

La explotación de los inmigrantes ilegales

La noticia principal del periódico Wall Street Journal del 13 de febrero de 2007 reveló que el Bank of America [Banco de América] tiene una nueva tarjeta de crédito, especial y exclusiva para inmigrantes — extranjeros que están en el país ilegalmente y/o que no tienen registro de crédito o número del seguro social. Los ejecutivos de los bancos insisten con que no están

La industria de las tarjetas de crédito está fuera de control.

haciendo nada malo y que, técnicamente, no violan ninguna ley: sólo están encargándose de los vacíos legales. A puerta cerrada, imagino que se sentirán muy orgullosos de ser los primeros en echarle mano a las carteras de los once millones de inmigrantes indocumentados. Alguien probablemente haya recibido un aumento por habérsele ocurrido esa idea. Ellos sostienen que actúan en conformidad con todas las leyes estadounidenses relacionadas con asuntos bancarios y con el antiterrorismo. Los inmigrantes ilegales pueden dirigirse a, por ejemplo, el consulado de México y obtener una matrícula consular, que es una tarjeta de identificación que les permite a los extranjeros abrir cuentas bancarias. Un artículo publicado en BusinessWeek.com cita al gerente de sucursal de un banco, quien dijo que los tenedores de matrículas "nos traen todo el dinero que tenían debajo del colchón".

Pero dudo que el Bank of America haya tenido en cuenta las repercusiones de su nuevo programa, o que realmente le importen. Abrieron la caja de Pandora, y todo lo que les interesa en verdad es que tienen un nuevo grupo de personas a quienes cobrarles comisiones. Cuando se tiene el signo dólares en los ojos, es muy difícil ver más allá.

Las compañías de tarjetas de crédito son proveedores del sueño americano, para cualquiera a quien puedan vendérselo. No sólo es irónico que el banco que lanzó este programa haya sido el *Bank of America*; otro detalle interesante es que, de 2003 a 2005, el primer Director del Servicio de Ciudadanía e Inmigración de los Estados Unidos (USCIS, por sus siglas en inglés) del mandato del presidente Bush fue un hombre llamado Eduardo Aguirre. ¿De qué trabajaba antes? Era el presidente de la banca privada internacional del Bank of America. Usted una por la línea de puntos.

Nada es sagrado, y todos somos blancos legítimos. Los emisores de tarjetas de crédito son como drogadictos que hacen cualquier cosa por su próxima dosis. Años atrás, si alguien simplemente mencionaba a alguno de esos públicos a los que ahora apuntan, esa persona habría conseguido que se rieran de ella y la echaran de la reunión. Ahora, todo vale. Si veinte años atrás un ejecutivo hubiera dicho "vayamos a los barrios necesitados y a las zonas más pobres del país, y hagamos que nos soliciten nuestras tarjetas", a ese empleado se le habría señalado la puerta de salida. Ahora recibiría un premio.

La explotación de los pobres

James Scurlock, el creador del largometraje *Maxed Out* [Llegando al límite], explica que el descubrimiento más impactante para él fue enterarse de cómo la industria financiera explota a los necesitados de nuestra nación. Es increíblemente triste. Scurlock sostiene que el aumento en estas ofertas de crédito es lo que en realidad está generando pobreza.

Todas las mañanas, en lugar de comer cereales, los grandes prestamistas seguramente se desayunan su propia codicia, para así estar satisfechos por el resto del día. Scurlock y su equipo viajaron con un periodista a New York, Pensylvania y Mississippi. En un artículo escrito por Jessica Bennett y publicado en MSNBC.com, dice Scurlock, "si me hubieran dicho que Citigroup, uno de los grupos financieros más importantes del mundo, andaba a la pesca de clientes por regiones apartadas de Mississippi, no lo habría creído. Pero lo hacen; y están pescando gente. Andan recorriendo barrios y zonas muy pobres del país, en busca de personas que tengan algún capital propio, personas que hayan sido responsables, que hayan ahorrado, personas a las que les quede algo, y se lo están quitando".

¿Recuerdan a esa madre y a su hijo, el cual no podía siquiera firmar su propio nombre? ¿Recuerdan que tuvieron que enfrentarse a la posibilidad de perder su propia casa? Ellos fueron sólo una de las muchas familias que cayeron en las redes de los grandes bancos cuando éstos salieron en busca de peces pequeños.

La explotación de los estudiantes universitarios

Si hubiera que darle a algún grupo el título del más buscado por las compañías de tarjetas de crédito, ese grupo tendría que ser el de los alumnos universitarios. Las compañías los buscan cuando aún son jóvenes e inexpertos en el asunto de las deudas. Los chicos de diecinueve años no son tan sofisticados y sabios sobre los hábitos del mundo como ellos creen; y les gusta gastar. Como ellos no tienen mucho dinero propio, a duras penas si pueden realizar los pagos, y así quedan inmediatamente atrapados en la red. Es peor que robarles dulces a los niños. Es prepararlos para que fracasen incluso antes de que salgan al mercado laboral.

A Jesús lo atraparon cuando recién empezaba, en medio de la algarabía de la vida del campus universitario, y claro, sacó una tarjeta de crédito el primer fin de semana. La compañía tenía el nombre de la universidad en las tarjetas y estaba justo ahí, en los terrenos de la facultad con sus mesas instaladas, lanzando Frisbees y camisetas gratis al aire. Jesús supuso que todo era legal. Y, técnicamente, lo era. Jesús creía que él era un tipo responsable. Y, técnicamente, lo era. Tenía buenas calificaciones y, casualmente, planeaba especializarse en Economía. Hizo los pagos mínimos, y se le presentaron más ofertas, todas con atractivas ventajas. A fines del primer año, Jesús tenía cinco tarjetas y cinco mil dólares en deudas. Jesús y miles de estudiantes universitarios como él aprendieron la lección por las malas. Sus compras terminaron costando más de lo que nunca hubieran imaginado. Podrían haber comprado muchos Frisbees y muchas camisetas con lo que las tarjetas de crédito terminaron cobrándoles. El poco de dinero que tenían en las alcancías antes de empezar la facultad fue arrebatado por el gran lobo malo.

Los emisores de tarjetas de crédito adoran a los que viven en el campus porque resultan ser uno de los grupos más provechosos para la industria de tarjetas de crédito. A los estudiantes universitarios no se los evalúa de la misma manera que a todos los demás candidatos. Ni siquiera tienen reportes de crédito, así que el asunto del puntaje de crédito queda fuera de escena. Todo lo que necesitan para poder acceder a una tarjeta de crédito es el simple hecho de ser alumnos de una facultad o universidad. Las compañías de tarjetas de crédito saben que pueden embaucarlos. Algunos estudiantes universitarios hoy se gradúan teniendo préstamos estudiantiles altísimos y una importante deuda por tarjetas de crédito. No es casual que personas jóvenes, menores de veinticinco años, representen el veinticinco por ciento de todas las personas que se declaran en quiebra en la actualidad. Eso, para mí, es un delito, pero a nadie se hace responsable. Los emisores de tarjetas de crédito y el gobierno federal le dan la espalda a todo esto.

Imaginemos, por ejemplo, a hermanos mellizos, de dieciocho años. Ricardo va a la universidad y allí le entregan una tarjeta de crédito. Le permiten tener una por el simple hecho de ser estudiante. Armando decide esperar un año para empezar la facultad. Él tiene un empleo de tiempo completo, pero cuando solicita una tarjeta de crédito, no se la otorgan porque no tiene historial crediticio. Armando podría pagar su cuenta, por eso la compañía de tarjetas de crédito no lo quiere. En el absurdo reino del revés de las tarjetas de crédito, así es como funciona ahora el otorgamiento de préstamos a los jóvenes.

Hay que dar batalla

Futuros prometedores... finales trágicos.

A menudo se dice que las deudas nos afectan a todos en este país. Las deudas no discriminan. Quizás eso se deba a que las compañías de tarjetas de crédito se desviven por posar sus garras sobre todo el mundo. Los estudiantes universitarios no solían ser blancos de las tarjetas de crédito. Era ridículo. ¿Y los pobres? Vamos, hablemos en serio. ¿Y hacer lo imposible para darles tarjetas a los inmigrantes ilegales? ¿Qué se piensan? Diez o veinte años atrás, la industria de préstamos no apuntaba a estos grupos de "consumidores", y ellos —los consumidores— estaban mucho mejor gracias a eso. Ahora, cualquiera de nosotros puede entrar en el juego; salvo que el juego no es muy justo que digamos.

La mayoría de los padres no tiene idea de que sus hijos sacan estas tarjetas y se sorprenden mucho cuando se enteran de lo grande que se hizo la deuda de sus hijos. Generalmente, son los padres los que salen en su rescate y los ayudan a pagar los saldos. Los emisores de tarjetas de crédito lo saben, y de hecho cuentan con eso. Por desgracia, no siempre sucede así. En la película *Maxed Out* [Llegando al límite], dos madres contaron su historia. Estas madres no se conocían de antes. Una tenía un hijo; la otra, una hija. Concurrían a facultades diferentes, pero ambos son un ejemplo aleccionador de lo que está sucediendo en las universidades de todo el país.

Estos dos alumnos eran iguales a Jesús: chicos buenos e inteligentes. Como eran buenos, sentían vergüenza de lo que había crecido su deuda por la tarjeta de crédito, demasiada vergüenza para contarles a sus padres. Sus historias eran distintas, pero terminaron de la misma forma trágica: en suicidio. Todo lo que dejaron fueron disculpas y una pila de facturas de las tarjetas de crédito. Las madres se sintieron devastadas al perder a sus hijos y más devastadas aún al saber cuál había sido el motivo de tanta desesperación. Imaginen el dolor y la angustia de una de estas madres cuando, algunos meses más tarde, le llegó por correo una oferta de una tarjeta de crédito a nombre de su hijo fallecido. Dicha oferta decía: "Queremos que vuelva a elegirnos. 0% de tasa anual durante seis meses".

Nada debería provocar jamás que alguien tome una decisión tan drástica. Y ninguna madre debería sufrir jamás una pérdida tan desgarradora como ésa.

Un mundo loco

No permita que sus deudas le contaminen la vida. Los acreedores no son sus dueños. Puede que usted les deba algo de dinero, pero no su vida. Siempre hay una salida. Esos estudiantes eran muy jóvenes para darse cuenta de eso. Las dos madres se dirigieron a Capitol Hill para dar su testimonio de por qué les deberían prohibir el ingreso a los campus de las facultades a las compañías de tarjetas de crédito. Mientras esperaban su turno para hablar, se vieron rodeadas de cabilderos de la industria de tarjetas de crédito y demás personas influyentes que discutían sus puntajes en el golf y sus aportes para las campañas. Cuando estas madres escucharon a estos hombres de trajes costosos, se dieron cuenta de que no estaban actuando en igualdad de condiciones. Estas madres habían perdido a sus hijos por culpa de los funestos métodos de la industria de préstamos y, aún así, sus palabras caían en saco roto.

Padres buenos y decentes con hijos buenos y decentes terminan pisoteados por las altas apuestas del mundo de la política. Los oídos sordos de los legisladores sólo escuchan cuando el dinero empieza a hablar. Elizabeth Warren, la profesora y experta en créditos de la Harvard Law School [Facultad de Derecho de Harvard], está furiosa con la manera en que la industria financiera está desbocándose y arruinando la vida de las personas. En el documental de PBS, *Secret History of Credit Cards* [La historia secreta de las tarjetas de crédito], ella dice que las leyes no van a cambiar porque "son las compañías de tarjetas de crédito las que hacen grandes aportes políticos. Son ellas las que fueron los principales donantes de Washington. No fue la industria petrolera ni la farmacéutica, sino la industria de servicios financieros al consumidor. Aportan dinero en el Congreso, aportan dinero en las campañas presidenciales. ¿Por qué aportarían tanto dinero? Lo que quieren es preservar su capacidad de salir y vender tarjetas de crédito sin tener que explicar cuáles son las cláusulas y su capacidad de modificar dichas cláusulas una vez que las personas ya tomaron el crédito".

> Las compañías de tarjetas de crédito hacen grandes aportes políticos.

Ninguna otra industria tiene esa capacidad. Las palabras que me vienen a la mente son "ladrones" y "sinvergüenzas". Las audiencias de 2005 relacionadas con créditos al consumidor fueron una farsa. Se suponía que un comité del Congreso revisaría las prácticas de la industria de créditos de consumo, pero los miembros del Congreso tenían algo más importante que decidir o les aguardaba una rosquilla o algo por el estilo. En el largometraje *Maxed Out* [Llegando al límite], se muestra cómo algunos representantes de la industria de tarjetas de crédito, pertenecientes a distintos bancos importantes, hacen sus airosas declaraciones frente al micrófono, queriendo causar un efecto de "Dios, qué geniales somos. Le damos tarjetas de crédito a la gente, somos maravillosos". No se les formuló ninguna pregunta y allí terminó la audiencia. No pasó nada. No hubo debates, ni discusiones, ni propuestas claras de legislación u orientación. Nada, nada de nada. ¿De qué sirve una audiencia si no se va a hacer ninguna pregunta? Aún sigo devanándome los sesos para tratar de responder a esa pregunta.

Las cosas claras

Piense en cómo compramos a crédito. La mayoría de nosotros no puede hacer un pago completo en efectivo por nuestras casas o nuestros coches. Tenemos que pagarlos en el transcurso del tiempo, y debemos pagar un poco de interés por eso. Eso cualquiera lo entiende. Se sabe también que cualquiera entiende el hecho de que todos somos conscientes de lo que vamos a pagar.

En todos los contratos —salvo en el caso de las tarjetas de crédito— las cláusulas se determinan desde un principio y no cambian. Cuando Eduardo y Susana compraron su casa, convinieron una cláusula llamada de "veracidad en los préstamos". Les mostraron el monto que estaban pidiendo prestado, la tasa de interés y cuánto sería el total de interés que pagarían en el transcurso del préstamo.

La mayoría nos espantamos al ver la cifra total, pero nos la ponen delante de los ojos para que seamos conscientes de lo que pagaremos durante el transcurso del préstamo. Allí dice claramente cuál será la tasa de interés y cuánto será por cada año del préstamo. Las cláusulas están expuestas con claridad, y usted firma con su nombre en conformidad con ellas. Un mes más tarde, el corredor hipotecario no puede llamar a Eduardo y decirle: "Veo que están demorados treinta segundos en el pago de su coche, así que les aumentaré la tasa de interés en su préstamo hipotecario. ¡Más dinero para mí! ¡Lo lamento mucho! ¡Siempre es un placer hacer negocios con usted! ¡Adiós!".

Las mismas reglas contractuales básicas se aplican a los préstamos automotores. Cuando ellos compraron un segundo coche hace algunos años, Eduardo y Susana firmaron un contrato en el que las cláusulas eran muy claras. El monto solicitado, la tasa de interés y el monto total que pagarían durante el transcurso del préstamo. Así es como se supone que debería funcionar la ley contractual. En *Secret History of Credit Cards* [La historia secreta de las tarjetas de crédito], la profesora de Harvard Elizabeth Warren dijo: "Leí mi contrato de la tarjeta de crédito y no puedo entender las cláusulas. Yo enseño ley de contratos, y la premisa subyacente de dicha ley es que las dos partes del contrato entienden cuáles son las cláusulas".

Las compañías de tarjetas de crédito no están obligadas a jugar bajo esas reglas. Eduardo y Susana compraron un televisor hace unos años a 1200 dólares. Cuando su hijo se quebró la pierna, les surgieron gastos médicos que no esperaban y no pudieron pagar el saldo entero. Los castigaron con una tasa de interés más alta y una comisión por pago fuera de término por pagar un día tarde. Se tuvo que refinanciar el saldo por unos meses hasta que ellos pudieran cancelarlo, y ese televisor de 1200 dólares terminó costando casi dos mil dólares en muy poco tiempo.

Los emisores de tarjetas de crédito pueden subir las tasas de interés, bajar los límites de crédito y añadir varias comisiones aparentemente a su antojo. "Es martes; subamos las tasas". ¿Por qué hacen esto? Porque pueden.

Hay que encender la luz

¿Cuántas veces escuchó la frase "arrojemos un poco de luz sobre esto"? Cuando ponemos algo a la luz, vemos de qué se trata realmente. Cuando un niño está asustado, lo primero que hacemos es encender la luz y mostrarle que no hay nada que temer.

Cuando se trata de las *Curas Para Sus Deudas*, usted se ve favorecido con una brillante luz que deja expuesta a la industria de las tarjetas de crédito y muestra lo que realmente es. Ahora usted puede ver que no hay nada que temer. El monstruo que está debajo de la cama no es real, y el monstruo que está detrás de las comisiones de las tarjetas de crédito puede apaciguarse. Ellos pueden tratar de meterse con los incautos estudiantes universitarios o con las personas necesitadas, pero los matones nunca ganan. Al final, se llevan su merecido. Que paren de robarles dulces a los niños. Los dulces son suyos, y usted decide con quién compartirlos.

CAPÍTULO 18

Circo de tres pistas

"Algunos payasos se quedaron sin circo."

"Señoras y señores, niños de todas las edades, pónganse de pie y se sorprenderán. Delante de sus propios ojos, trataremos de hacer desparecer su dinero." Ésa sea quizás la frase favorita de los presentadores de circo y de la industria de tarjetas de crédito, pero nosotros estamos listos para los trucos del oficio. Se les está pidiendo que levanten lo números con perros y ponis y que se larguen de aquí.

(Sin ánimos de ofender a los trapecistas y acróbatas y demás grandes talentos del circo. Personalmente, me gustan más los domadores de leones.)

El circo de Yingling y sus amigos

En el documental *Secret History of Credit Cards* [La historia secreta de las tarjetas de crédito] se entrevistó al presidente de la American Bankers Association [Asociación de Banqueros Estadounidenses], Edward Yingling. Él es el tipo que anda con los políticos y que pelea para que la industria de los bancos y las tarjetas de crédito pueda seguir haciendo lo que está haciendo. Así es —tasas de interés atroces, comisiones exorbitantes y una mentalidad sancionatoria. A continuación, un fragmento de la entrevista:

—¿Alguna vez leyó el contrato que se envía con la tarjeta de crédito?

—Sí. Pero soy abogado. *[ríe]*

—¿Y lo entiende?

—Sí, lo entiendo. Pero creo que para mucha gente debe ser difícil de entender. Y creo que es una lucha constante el tratar de descubrir la manera de redactar las cláusulas y ese tipo de cosas lo más claramente posible para que todos las entiendan.

Los prestamistas hipotecarios y los hombres que nos dan los préstamos para nuestros autos descubrieron una manera de redactar un contrato que todos podamos entender. Suele no gustarnos la gigantesca cifra que representa el interés total que habremos pagado al final del contrato, pero al menos no hay sorpresas. Pagar intereses ya es bastante arduo cuando uno sabe lo que está pagando. Pagar comisiones sorpresivas y tasas de interés que aumentan mágicamente de la noche a la mañana como la nariz de Pinocho o como los frijoles mágicos de Juanito es algo un poco absurdo.

Ilusionistas expertos

¡Ellos quieren que usted siga con los ojos vendados!

Los contratos de las tarjetas están diseñados por los abogados de las compañías de tarjetas de crédito para que los bancos y demás emisores de tarjetas de crédito puedan seguir en el negocio. Si a nosotros, los consumidores, los ciudadanos corrientes, nos mantienen desinformados, a ellos no les importa. Cuando Yingling se refirió a las tarjetas de crédito y a la confusión que la mayoría de las personas tiene con respecto a las cláusulas, no lo hizo en absoluto con un tono de disculpa. Señaló que "el producto no consiste en una promesa de que prestaremos X cantidad de dinero para siempre a X tasa de interés". Las compañías de tarjetas de crédito simplemente no quieren que sepamos cuando las cosas cambian. Lo que no sabemos nos lastimará.

La profesora Elizabeth Warren sostiene que las compañías de tarjetas de crédito deberían colocar en el resumen de cuenta mensual, justo debajo del monto de pago mínimo, una oración de una línea que diga: "Le llevará X meses cancelar el saldo de X dólares a la tasa de interés actual del X por ciento". La plena divulgación debería ser tan sencilla, pero Yingling dijo que eso sería imposible. Él argumenta que hay demasiadas variables para efectuar un cálculo como ése para todos los resúmenes de cuenta, y el cliente seguiría comprando, lo que provocaría que el cálculo fuera dudoso. No era a eso a lo que se refería la señora Warren. Simple y llano: muéstrenme cuánto tiempo me llevará cancelar totalmente este saldo a esta tasa de interés. Si podemos enviar un hombre a la luna, y si las compañías de tarjetas de crédito de hecho pueden, con cualquier pretexto, calcular miles de puntajes de crédito FICO con complicados algoritmos, calcular un plazo de cancelación no debería ser tan difícil.

Pero ellos no quieren que usted lo sepa. Y siguen cambiando las tasas de interés.

Que entren los payasos

Sus amigos de Washington tampoco harán nada con respecto a la industria ni a todas las quejas. Se me viene a la mente el refrán: "El poder corrompe, y el poder absoluto corrompe absolutamente". Parece encajar.

Volvamos a la entrevista del señor Edward Yingling.

—¿Cuán rentable es la industria de las tarjetas de crédito?

—La industria de las tarjetas de crédito es rentable.

(Permítanme interrumpir un segundo. Ésa es la respuesta menos convincente a una pregunta que haya escuchado jamás en una entrevista.)

—Tenía entendido que era el sector más rentable de la industria bancaria.

—Supongo que eso depende de cómo se defina a los sectores...

(Otra interrupción. Cuando comenzamos diciendo cosas como "eso depende de cómo se defina...", suele significar que estamos evadiendo el tema.)

—Las ganancias del MBNA del año pasado fueron más del doble que las de McDonald's.

—Bueno, a McDonald's no le fue muy bien el año pasado.

(Perdón, pero tengo que interrumpir otra vez. Esta entrevista se realizó en septiembre de 2004. No investigué las ganancias de McDonald's de ese año, pero ¿acaso a McDonald's no le va bien todos los años? A los bancos que emiten tarjetas de crédito les va mejor que a McDonald's. Admítalo.)

—Sé que existen diferentes maneras de estimar la rentabilidad, pero parece que a ellas (las compañías de tarjetas de crédito) les está yendo bastante bien.

—Les está yendo bastante bien; estoy de acuerdo con eso.

—Citibank es más rentable que Microsoft y que Wal-Mart, y los ejecutivos cobran muy bien.

—Es cierto, es cierto.

Al comienzo de la entrevista, se le pidió a Yingling que describiera los beneficios de las tarjetas de crédito. Utilizó unos cuantos párrafos para hablar de todo lo que la industria hizo por el consumidor. Su conclusión: "Si te pones a pensar, es realmente un sistema increíble...".

Si le interesa leer la entrevista completa, puede hacerlo en http://www.pbs.org/wgbh/pages/frontline/shows/credit/interviews/yingling.html.

Números de animales amaestrados

No sólo a las compañías de tarjetas de crédito les gusta jugar con su dinero. "Echar una mano" ya no es el lema de la industria de los créditos. Los concesionarios de automóviles, los banqueros y todo aquél que está en posición de ganar dinero a costas de alguien ofreciéndole un acuerdo de financiación; se sabe que todos sacaron ventaja de sus confiados clientes. La tentación de llevarse un poco más de dinero si pueden es demasiado fuerte, y el cliente incauto se los hace demasiado fácil. Los banqueros, los departamentos de finanzas de la industria automotriz, prácticamente cualquier tipo de prestamista; todos tratarán de dar la impresión de que son sus amigos, de que usted puede recurrir a ellos cuando necesite ayuda económica. Con demasiada frecuencia, su supuesta "ayuda" conduce al confiado cliente a mayores deudas y mayores problemas.

Alberto tenía una hipoteca de doscientos mil dólares sobre su casa actual. Consiguió un comprador y un contrato para la venta de su casa. Alberto encontró otra casa para comprar en el campo, con un poco de espacio verde y lugar para caballos. Antes de que se hubiera concretado la primera venta, el banquero le dio a Alberto un nuevo crédito hipotecario —otros doscientos mil dólares— para la nueva propiedad. Los contratos de compraventa pendientes de ambas propiedades se manejaron como "venta por el propietario", sin la intervención de un agente inmobiliario.

La venta de su casa actual se cayó cuando a la empresa para la que trabajaba el comprador la absorbió una empresa extranjera. El comprador perdió su empleo. El banco no le daría un préstamo hipotecario si no tenía trabajo. Eso significó que no habría contrato. Alberto ya no tenía un comprador para su casa. El contrato de compraventa de Alberto de la casa del campo no estaba sujeto a la venta de su casa actual porque pensó que eso era algo seguro. Alberto ahora debía cargar con dos hipotecas que no podía costear.

Su banquero sabía que ésa era una posibilidad, pero aún así de muy buena gana le dio dos hipotecas completas; no le ofreció un préstamo puente y tampoco le dio un consejo amistoso de que el pago de dos hipotecas podía ser demasiado para el salario de Alberto. El prestamista tenía toda su información financiera e ignoró

> Usamos nuestras tarjetas de crédito 52 millones de veces al día.

las pautas básicas de servicio al cliente. Sólo vio el gran beneficio para él. Con una sonrisa, el banquero dijo: "Me alegra haberlo ayudado".

¿Quién ayudó a quién en esta situación? El banquero ahora recauda intereses de dos hipotecas. Alberto ahora carga con el pago de dos hipotecas. Para no entrar en mora con las cuotas de la hipoteca, los demás gastos los paga con la tarjeta de crédito. La situación es como un tren de mercancías a punto de descarrilarse. Quizás se podría haber evitado si el amistoso y solícito banquero le hubiera dado asesoría financiera o, simplemente, hubiera observado con atención el ingreso de Alberto y le hubiera dicho: "Lo lamento, pero usted no puede acceder a dos hipotecas". En cambio, sólo observó los dólares que ganarían él y su banco.

Existen más historias que a usted alguna vez le gustaría leer acerca de personas que quedaron atrapadas por las deudas. Sucede tan rápidamente. Algo nos pone en aprietos y recurrimos a nuestras tarjetas de crédito para solucionarlo. Imagino que si usted está leyendo las páginas de las *Curas Para Sus Deudas* es porque usted o alguien cercano necesita las soluciones y los métodos para salir de las deudas y ocuparse de lo que realmente importa: crear su propia riqueza. Todo lo que contiene este libro se aplica a todos nosotros. Salir de las deudas. Encontrar el camino a nuestra riqueza. Tal vez la industria de las tarjetas de crédito disfruta con nuestro dolor, pero nuestro dolor ya no es tal.

Los que escupen fuego y los que tragan espadas

Lo que me fastidia es que la industria de préstamos no tiene por qué ser tan codiciosa. Les está yendo bien, y los bancos emisores de tarjetas de crédito no tienen ni que preocuparse por la posibilidad de quebrar. Aquí en los Estados Unidos, usamos nuestras tarjetas de crédito 52 millones de veces al día. Eso significa que se hacen 36242 compras por minuto con tarjeta. En los centros comerciales, en las tiendas de comestibles, en los restaurantes, en las gasolineras, en los locales de comida rápida. Nuestras tarjetas de crédito tienen mucha actividad. Los emisores de las tarjetas de crédito reciben un porcentaje por cada compra. Más de 36 mil compras por minuto deberían permitirles cosechar un ingreso enorme.

Además —que conste— yo no tengo nada en contra de los bancos emisores de tarjetas de crédito que cobran tasas de interés razonables. Eso es parte del acuerdo cuando uno obtiene una tarjeta de crédito. Cobren algo de interés. Obtengan ganancias prósperas. Los bancos y las compañías de tarjetas de crédito tendrían cómodos ingresos sólo con ese factor, pero no se conforman con eso: quieren más. Ellos intentan conseguir —usted ya sabe lo que voy a decir— *ganancias obscenas*. Tengo dos palabras para decirles a ellos: golpe duro.

Podemos dar batalla. Y usted ya sabe cómo. Vaya y tome el teléfono.

Hombres bala

1. Llame a todas sus compañías de tarjetas de crédito y solicíteles que le bajen las tasas de interés.

El problema no es que usted utilice las tarjetas de crédito. ¡El problema es que los bancos y las compañías de tarjetas de crédito también están utilizando sus tarjetas! No es que se las roben de la cartera para hacer compras falsas, pero sin duda las están usando para su total provecho, para sacarle a usted todo el dinero posible en intereses. ¿Cómo puede dar batalla? ¡Negociando una mejor tasa de interés!

Belén tenía un saldo grande en la tarjeta de crédito y una alarmante tasa de interés del veintidós por ciento. Con un breve y sencillo llamado telefónico, Belén consiguió que le bajaran la tasa de interés. El representante de servicio al cliente fue muy agradable, y Belén le dijo muy amablemente: "Hola, estuve mirando el resumen de cuenta de mi tarjeta de crédito y noté que mi tasa de interés es más alta de lo que solía ser. Sé que cuando solicité la tarjeta tenía una tasa de interés inicial, pero ¿hay alguna manera de que me vuelvan a dar esa tasa?".

¡Lo único que debe hacer es preguntar!

Repita estas palabras: "¿Puede reducir mi tasa?". Saber esas palabras vale oro. La compañía de tarjetas de crédito redujo la tasa de interés de Belén. ¡Usted es una persona muy agradable y cordial, y estoy seguro de que puede conseguir lo mismo!

Usemos algunos cálculos estimativos para deducir el ahorro de Belén. En Internet, hay páginas en las que usted puede calcular intereses y préstamos. Yo sólo estoy tratando de ilustrar mi planteo, por eso mis cálculos son aproximados. A Belén le bajaron la tasa de interés del veintidós al nueve por ciento. Ella tenía un saldo cercano a los ocho mil dólares. ¡Aún haciendo pagos mínimos, ella podrá cancelar la deuda en la mitad del tiempo y ahorrar más de trece mil dólares en interés! ¡Es realmente asombroso!

Usted puede hacer esos llamados telefónicos y negociar sus propias cifras. Luego cuénteselo a todos sus amigos, así ellos también pueden ejercer ese poder.

Su teléfono es un arma estupenda, así que úsela. Apunten, disparen, ¡fuego!

2. Llame a todas sus compañías de tarjetas de crédito y pídales que le quiten las comisiones anuales.

Muchas tarjetas hoy en día no cobran comisiones anuales debido a la competencia entre emisores de tarjetas de crédito. Una vez que una compañía dejó de calcular la comisión anual, la mayoría siguió el ejemplo para no perder clientes. Sin embargo, las comisiones anuales solían ser estándares, y algunas compañías que ofrecen ventajas y beneficios, como millas para pasajes en avión, suelen cobrar una comisión anual; a veces, puede que esto no figure en el resumen de cuenta hasta después de un año o de un período inicial de seis meses. Revise sus resúmenes de cuenta todos los meses.

Eduardo y Susana todavía tienen una antigua tarjeta que les cobra una comisión anual, junto con algunas tarjetas de beneficios que también les cobran comisiones anuales. En el mercado, hoy existen muchas opciones diferentes de tarjetas de crédito para estar pagando una comisión anual. No la pague. Si usted ve que en su resumen de cuenta aparece una comisión anual, llame y pida que se la quiten. La mayoría de las veces, deberían quitársela. Dos minutos de su tiempo sin duda valen cincuenta dólares por tarjeta. "Hola, mi nombre es José Rodriguez. En mi resumen de cuenta veo que me cobraron una comisión anual y quería saber si pueden condonarla".

Si la primera vez no tiene éxito, inténtelo nuevamente. Hable con un gerente. Las probabilidades de que le quiten esa comisión están a su favor. Si no, deje de usar esa tarjeta. Es así de simple. Recuerde, la pelota está en su campo. Si usted les dice que transferirá su saldo a otra empresa, ellos suelen dejar de cobrar la comisión anual.

Dentro del panorama general de la vida y el dinero, usted podría llegar a pensar que el hecho de liberarse de una comisión anual no le representará un ahorro perceptible. Si usted tuviera una tarjeta con cincuenta dólares de comisión anual y lo pagara mecánicamente todos los años durante treinta años, estaría gastando 1500 dólares. Usted podría utilizar esos 1500 dólares para otros propósitos, o invertirlos, y con el tiempo, valdrán muchos miles más. Nunca tomaríamos un billete de cincuenta dólares para prenderlo fuego y observar cómo se convierte en cenizas. Sin embargo, eso es exactamente lo que hacemos si le pagamos comisiones anuales a nuestras compañías de tarjetas de crédito.

3. **Llame a todas sus compañías de tarjetas de crédito y pídales un límite de crédito más alto.**

Si usted es un buen cliente, uno del tipo de los que-cargan-con-el-saldo-pagando-el-mínimo-por-mes, el emisor de su tarjeta de crédito le aumentará el límite de crédito antes de que usted pueda decir "muchas gracias". Si ellos lo tienen a usted donde lo quieren tener, seguramente querrán retenerlo ahí. Usted no tiene que explicarles por qué quiere un límite mayor, pero si le preguntan, puede decirles la frase que adoran escuchar: transferencia de saldo. Dígales que usted planea hacer una transferencia de saldo de otra tarjeta y que quiere que le permitan poner el monto total en la tarjeta de ellos, pero que eso requeriría una línea de crédito más alta que la que usted tiene actualmente. Ayudarlo será un placer para ellos.

La verdadera razón por la que usted quiere una línea de crédito más alta es debido a su puntaje de crédito y a su propósito de mejorarlo de la forma que sea. Como ya se mencionó, los puntajes de crédito se reducen si sus saldos están muy cerca de los límites de crédito. Si usted tiene un límite de mil dólares en su tarjeta de crédito, y su saldo es de ochocientos dólares, eso se considera un factor negativo para el cálculo del puntaje FICO. Aunque a mí me parezca una estupidez, podemos manejarlo. Mantener bajos sus saldos, de ser posible en alrededor del 30 o 35 por ciento del crédito disponible total, es bueno para su puntaje de crédito. Entonces, haga sus llamados y consiga que le aumenten los límites. Con un nuevo límite de crédito de 2000 o 2500 dólares, los mismos 800 dólares de saldo de su tarjeta dispararán su puntaje de crédito.

Eduardo llamó a las compañías de sus tarjetas de crédito y le solicitó a cada una que le aumentara el límite de crédito. Algunas le preguntaron por qué y otras ni se molestaron en hacerlo. Todas accedieron a aumentárselo. Hacer esto puede que no le signifique un ahorro de dinero en el momento del llamado, pero mejorar el puntaje de crédito lo beneficiará en todos sus futuros negocios. ¿Y cuál es su plan para el futuro? ¡Generar riqueza! Un buen puntaje de crédito puede llevarlo a eso. De hecho, puede llevarlo directamente a convertirse en propietario de grandes extensiones de tierra.

4. **Llame a todas sus compañías de tarjetas de crédito y solicíteles que le quiten las comisiones por pago fuera de término.**

Ésta no es tarea sencilla. Si es la primera vez que le cobran una comisión por pago fuera de término, usted tiene altas chances de que se la quiten. "Hola, mi nombre es Adela Guzmán. En mi resumen de cuenta veo que este mes me cobraron una comisión por pago fuera de término. Nunca pagué fuera de término, así que espero que puedan dejarla sin efecto." Si usted tiene un buen historial de pagos con ese emisor, es muy probable que deje sin efecto la comisión como "cortesía". No fue muy "cortés" de parte de ellos cobrarle esa comisión en primer lugar, especialmente cuando usted es un cliente tan bueno. Pero lo hacen. Lo hacen todo el tiempo y esperan que usted ni siquiera se moleste en mirar el resumen de cuenta.

Si usted siempre paga fuera de término, las probabilidades son casi nulas. Pero nada pierde con llamar. Si no lo intenta, nunca tendrá la certeza. Explíqueles que usted envió su pago en fecha y que no tiene idea de por qué les llegó tarde. Si es la primera vez que paga fuera de término, ahorrarse 29 o 39 dólares definitivamente vale la pena un llamado. En la mayoría de los casos, las compañías deberían quitársela. Las probabilidades se achican con cada pago que usted haga fuera de término. ¿El bolsillo de ellos o el suyo? Haga la llamada.

Antes de leer este libro, usted probablemente suponía —como la mayoría de las personas— que pagar una vez fuera de término no era tan grave. Ahora sabemos que las compañías de tarjetas de crédito se abalanzan sobre ese único pago fuera de término y tratan de usarlo para tejer una red de comisiones. Ahora que lo sabemos, ya no les daremos esa oportunidad. Así de injusto como es, ese único pago fuera de término puede significar una comisión, el fin de una buena tasa de interés y un disparador del incumplimiento de pago universal. Así que llame y trate de eliminar todos los pagos fuera de término y luego deje de pagar fuera de término. Pague en fecha. Realmente le conviene.

El hombre forzudo (y la mujer forzuda)

¡Hay miles de ejemplos de personas felices que usaron las *Curas Para Sus Deudas* y tuvieron resultados reales inmediatamente! Con estos llamados no sólo ahorra dinero hoy, sino que ahorrará durante todo el período en el cual tenga el saldo. Un simple llamado al banco emisor de la tarjeta de crédito produce resultados increíbles. Si le bajan la tasa de interés, ¡su deuda se puede reducir a la mitad! O a veces más. Eso es satisfacción al instante, y es poder.

Dennis tenía un saldo de quince mil dólares en la tarjeta de crédito, con una tasa de interés del 14,99 por ciento. Con una llamada —que lo tuvo diez minutos al teléfono— consiguió una nueva tasa de interés del 9,9 por ciento. ¡Si hace sólo el pago mensual mínimo, Dennis puede cancelar el saldo casi dos años antes y ahorrar alrededor de cinco mil

> ¡Usted puede ser el protagonista de una de las miles de historias exitosas!

dólares! Ésa sí que es una manera estupenda de usar diez minutos de su tiempo. A veces, los ahorros no son tan grandes como el de Dennis, pero cada dólar que esté en su bolsillo le será más útil que si se lo paga a las instituciones prestamistas.

¡Usted puede ser el protagonista de una de las miles de historias exitosas!

Beatriz: ¡Con un rápido llamado telefónico, me redujeron la tasa del 12 al 6,9 por ciento! ¡Con eso me ahorraré casi 2500 dólares!

Abelardo: ¡Llamé a las compañías de mis tarjetas de crédito y las tres me aumentaron los límites de crédito y me bajaron las tasas de interés! Ahora tengo tasas de interés del 12 por ciento, 14,9 por ciento y 15,3 por ciento. No son las mejores, pero es un gran avance. ¡Volveré a llamar en un par de meses y pediré que lo vuelvan a hacer!

Jaime: Estuve al teléfono con la representante de atención al cliente alrededor de cinco minutos. ¡Ella fue muy amable, y fue muy sencillo! Ahora tengo una tasa del 12,99 por ciento —¡cuando antes era del 17,99 por ciento! ¡Con esto podré ahorrar cerca de 1200 dólares! ¡Qué alivio!

Gabriel: Tenía un crédito grande, siempre pagué las cuotas. Me sorprendí mucho al ver que mi tasa de interés había subido sin motivo alguno. Cuando llamé, me dijeron que había pagado fuera de término en otra tarjeta de crédito — ¡y que por eso ellos podían subir mi tasa! Me enojé muchísimo, pero el representante de atención al cliente me devolvió la tasa de interés que tenía antiguamente. A partir de ahora, prestaré más atención al resumen de cuenta todos los meses.

Yolanda: ¡No puedo creerlo! ¡Ahora mi tasa de interés es del 8,9 por ciento! ¡La tasa era altísima, del veintidós por ciento, y no tenía idea de que era tan alta! ¡Con esta tasa de interés más baja ahorraré miles de dólares! ¡Quizás hasta diez mil!

Josue: ¡Mi saldo, en lugar de bajar, aumentaba todos los meses! ¡Comisiones, comisiones y más comisiones! No tenía idea. Tenía una comisión anual y además estaba excedido del límite y no lo sabía. Estaban cobrándome una comisión de 35 dólares por exceder el límite de crédito.

Como "cortesía", me quitaron la comisión anual y la comisión por exceder el límite. ¡Ahora aprendí a prestar más atención al resumen de cuenta mensual y a revisar las comisiones! ¡Pagaré el saldo y volveré a llamar para pedir una tasa de interés mejor!

Adán: No lo creía, pero con un solo llamado, me quitaron las comisiones por pago fuera de término y por exceder el límite. Estoy atónito.

Blanca: Tenía un acuerdo promocional que se terminó. Llamé a mi compañía de tarjetas de crédito y pedí la misma tasa de interés, ya que aún me quedaba saldo. Ellos ya no podían darme la tasa especial del 4,99 por ciento, pero en lugar de subírmela al 13,9 por ciento, ¡me la dejaron en 9,9 por ciento! ¡Con esto ahorraré cerca de mil dólares!

Miguel: Llamé a mi compañía de tarjetas de crédito y pregunté qué tasa de interés tenía. Me dijeron que era del doce por ciento. Pregunté qué tipos de descuento ofrecían, ¡y ahora mi tasa es del 9,9 por ciento! Eso sí que es un descuento. ¡La muchacha me dijo que llamara todos los meses para ver si ofrecían algo mejor!

Dolores: En este momento, tengo un saldo muy grande en mi tarjeta de crédito —más de doce mil dólares. Sabía que el interés por sí solo estaba matándome. Tenía miedo de averiguar qué tasa de interés tenía, pero pregunté. Tenía una tasa del trece por ciento, pero el representante de atención al cliente la bajó a menos del diez por ciento —cualquier cifra menor al diez por ciento es muy buena para mí en este momento.

Concepción: De mi cuenta corriente todos los meses se debita automáticamente el pago de la tarjeta de crédito. Mi pago mínimo subió, y no lo sabía, así que lo que pagaba era menos del mínimo. ¡La compañía de tarjetas de crédito dijo que pagaba fuera de término y entonces me subió la tasa de interés! ¡Me puse furioso!

Pago en fecha todos los meses —¡se debita directamente de mi cuenta corriente para asegurarme de que así sea! ¡Y aún así me perjudicaron! ¡Me subieron la tasa de interés a casi el doble! Estaba tan enojado. Me tranquilicé y luego hice el llamado. Me devolvieron la tasa de interés que tenía antes, pero es muy injusto que puedan jugar con mi tasa de interés de esa manera. Siempre fui un buen cliente, pagué siempre en fecha. Por suerte, sabía que debía revisar el resumen de cuenta y que debía hacer ese llamado.

Podría seguir hasta el cansancio, pero espero que haya comprendido la idea. Estos métodos ayudaron a personas exactamente iguales a usted. Las historias de personas que tuvieron éxito son tan variadas como la población de todos los Estados Unidos, y cada una de ellas es un incentivo para que usted levante el teléfono. ¡Adelante! ¿Qué está esperando? ¡Las cosas más simples de la vida suelen ser de hecho las mejores, y esta simple técnica funciona! ¿Por qué pagar esas comisiones ridículas? ¡Usted no tiene necesidad de hacerlo! ¡Haga estos llamados! ¡Y luego cuéntenos lo bien que le fue!

Ahora usted es el presentador

Obviamente, los bancos, las compañías de tarjetas de crédito y toda la industria de los créditos de consumo no quieren que usted sepa que puede ahorrar miles y miles de dólares tan sólo llamándolos y haciéndoles estos simples pedidos. Ellos quieren que usted piense que son ellos quienes tienen el poder y que nosotros, las personas comunes y corrientes, somos los débiles. Eso no es cierto. Hasta el gran y poderoso mago de Oz terminó siendo un simple mortal. Usted no tiene absolutamente nada que perder, así que levante el teléfono y comience. Si es necesario, ensaye lo que piensa decir antes de llamar para darse confianza. Lo más importante que debe recordar: el conocimiento es poder. ¡Usted tiene el poder!

CAPÍTULO 19

Eliminando a los dragones

"Quizás sea más fuerte de lo que creo."
Thomas Merton

Los bancos y las compañías de tarjetas de crédito quieren tenerlo dominado, haciéndole creer que ellos tienen el control y que usted debe inclinarse ante cada una de sus órdenes. Ésas no son más que tonterías. A decir verdad, usted no está a merced de los bancos, ¡pero ellos no quieren que usted lo sepa!

Las compañías de tarjetas de crédito nos necesitan —a nosotros, las abejas obreras promedio, los ciudadanos honestos de los Estados Unidos. La competencia entre los bancos y las compañías de tarjetas de crédito es feroz, y ellos necesitan preservar a sus antiguos clientes y atraer nuevos. Si al bajar la tasa de interés se aseguran de mantenerlo como cliente, probablemente lo harán. Tal vez tenga que hablar con un supervisor, pero cuando es su dinero el que está en juego, hable con diez personas si es necesario. La amenaza de pasarse a otro emisor de tarjetas de crédito generalmente funciona. Es el emisor quien se enfrenta a una encrucijada: darle una tasa razonable y aún seguir ganando dinero; o bien no bajarle la tasa y no recibir ni un centavo más de esa cuenta, porque usted puede —y de hecho, lo hará— pasarse a otro emisor.

No se deje intimidar y no baje los brazos. ¡Persevere y triunfará! ¡Después del primer llamado exitoso, le garantizo que se sentirá lleno de energía! Así les sucedió a Eduardo y a Susana. Se plantaron ante cada una de sus compañías de tarjetas de crédito y como recompensa consiguieron que les redujeran las tasas, que les retiraran las comisiones y que les aumentaran los límites de crédito. Tuvieron que estar algunas horas al teléfono, pero valió la pena cada minuto. El aumento en el dinero que ahorraron fue igual al aumento de la confianza que ganaron en ellos mismos. En lugar de sentirse víctimas, se sienten triunfadores.

¿Qué hay en un número?

Muchas personas no entienden cuál es la importancia de las tasas de interés hasta que tienen los números delante de los ojos. Usaremos la cifra de ocho mil dólares, ya que ése es el saldo nacional promedio de las tarjetas de crédito en los Estados Unidos. Si el pago mínimo es del cuatro por ciento de ese saldo de ocho mil dólares, el pago mensual es de 320 dólares. Supongamos que usted le pidió prestados ocho mil dólares a su padre, y que él no le cobró ningún tipo de interés. Hasta los papás tienen permitido cobrar un pequeño interés, pero para este ejemplo, su padre no lo hizo. Si usted le devolviera 320 dólares por mes, le habría devuelto el préstamo por completo en veinticinco meses. Dos años y un mes. Sin intereses. Usted ahora está libre de deudas y tiene un padre fantástico.

Ahora, veamos qué sucede cuando usted le paga intereses a su compañía de tarjetas de crédito. El mismo saldo de ocho mil dólares y el pago mínimo mensual de 320 dólares. ¡Cada punto que usted logre que le bajen de la tasa de interés le permitirá ahorrar dinero!

Tasa de interés	# de meses necesarios para cancelar la deuda total	Total de interés pagado
6%	125 meses	$1125
8%	130 meses	$1575
10%	136 meses	$2071
12%	143 meses	$2622
16%	159 meses	$3131
20%	180 meses	$5612

Leti tiene una deuda de ocho mil dólares y sólo puede costear el pago mínimo mensual. Con algunos llamados telefónicos, logró que le bajaran la tasa al ocho por ciento. Al finalizar los pagos, habrá pagado 1575 dólares en tasas de interés. Monse no tiene idea de que puede llamar a sus acreedores y pedirles que le reduzcan la tasa. Tiene una tarjeta de crédito con una gigantesca tasa de interés del veinte por ciento. Le llevará 180 meses cancelar el saldo de ocho mil dólares. ¡Quince años! Terminará pagando 5612 dólares en concepto de interés. Eso es casi cuatro veces más de lo que Leti habrá pagado por un crédito del mismo monto. Alguien debe decirle a Monse que levante el teléfono y haga un llamado.

Su vida no siempre será así

Si usted tuviera el saldo promedio de ocho mil dólares y las compañías de tarjetas de crédito no le añadieran las comisiones ni las multas ni el interés, podría cancelar la deuda y vivir su vida sin la presión incesante de las cuentas y los acreedores y los cobradores. Es una lotería clandestina, y ellos quieren que usted no sea consciente, que de algún modo crea que está en falta por algo que ellos crearon. Usted no tiene nada de qué avergonzarse. ¡La deuda con la que ellos lo cargan es una ficción, fabricada por la industria de las tarjetas de crédito!

¿No hay una comisión que se llame "Esta noche no; me duele la cabeza"?

Vivimos en un país que le permite a los acreedores inventar comisiones, una por cada día de la semana, y dos los sábados y domingos: comisión por falta de pago, comisión anual, comisión por exceder el límite de crédito, comisión por pago fuera de término, comisión por financiación, comisión por disposición en efectivo, comisión por cheque devuelto, comisión por investigación del crédito...

¿Me faltó alguna? Usted comprende lo que quiero decir. Todas esas son comisiones que se pueden ver en el resumen de cuenta mensual. Yo no inventé ninguna. Los bancos lo hicieron. Además, en los últimos años las tasas de interés se fueron por las nubes y, muchas veces, el titular ni siquiera está enterado de que le subieron la tasa de interés. La deuda que se tiene con las tarjetas de crédito está fuera de control, y los cobradores de deuda también se salieron de control.

Evadir el problema de las deudas ≠ Deshacerse del problema de las deudas

Estar hasta el cuello de deudas es una situación espantosa, pero es sólo eso, una situación; y no olvide que es temporaria. Los bancos y las compañías de tarjetas de crédito pretenden que usted esté endeudado eternamente, pero con los métodos de *Curas Para Sus Deudas* usted podrá llegar al final del túnel.

El objetivo es deshacerse de las deudas y no sencillamente darles la espalda. No ignore sus problemas de deudas. Primero, usted debe liberarse de la deuda mala para luego poder generar riqueza. Tener eso siempre en mente lo ayudará a atravesar los momentos difíciles que acarrean las deudas y los cobradores.

Una reacción común a los problemas de deudas es la evasión. Espero que al leer estas páginas usted haya aprendido que evadir el problema no hace que desaparezca. A la larga, sólo empeorará las cosas, así que no esconda la cabeza. No se siente en el bar a pedirle a José otro bien cargado. Tomar el toro por las astas es lo mejor que puede hacer para encontrar la solución para sus deudas y fortalecer su confianza.

Excusas débiles

No invente excusas para darle a sus acreedores. Usted no tiene la culpa de nada; al contrario: usted tiene el poder de dar vuelta las cosas. Excusas débiles son las que dan ellos. Intente preguntarle a un representante de atención al cliente de una tarjeta de crédito qué es la "comisión por membresía" y le balbuceará un montón de cosas sin sentido, en vez de simplemente decirle que es una manera de cobrarle una comisión anual sin que usted sepa que está pagando una comisión anual. Ser miembro tiene sus ventajas. O algo por el estilo.

Algunos de nosotros, que ya tenemos cierta edad, recordamos cuando el humorista Steve Martin tenía el cabello oscuro y una flecha en la cabeza. Hacía un pequeño *sketch* cómico en el que prometía contar cómo ser millonario y nunca pagar impuestos. Así es: cómo ser millonario y nunca pagar impuestos. "Primero, consiga un millón de dólares." Carcajadas. "Luego, cuando el Servicio de Impuestos Internos lo llame para avisarle que usted no pagó los impuestos, simplemente dígales: "¡Me olvidé!"."

Desde luego, el Servicio de Impuestos Internos no opera de ese modo, y sus acreedores tampoco. Usted tiene razones reales por las que le cuesta cancelar las deudas, pero la única verdad es que a las instituciones prestamistas no les interesa cuáles sean sus motivos. Ellos quieren su dinero; no sus excusas, ni sus historias, ni sus bromas.

La próxima batalla

Los vecinos de Eduardo y Susana, Esteban y María, comenzaron a vivir momentos muy duros desde que ambos perdieron el empleo. Esteban y María habían creído que era una muy buena idea que los dos trabajaran en el mismo lugar. Sólo tenían que tener un coche, con lo cual ahorraban en gastos de transporte. Como eran muy responsables con el dinero, hasta tenían el coche pago. Esteban y María nunca se imaginaron que ambos se quedarían sin empleo, sin previo aviso. Cierto día, se presentaron a trabajar y no había compañía para la cual trabajar. Al estar los dos desempleados, las cuentas se acumularon tan rápidamente que les dio terror. Permitieron que el pánico se apoderara de ellos y comenzaron a preocuparse por todo. En medio de ese pánico, equivocadamente creyeron que la quiebra era la única manera de salir del embrollo económico en el que inesperadamente se habían visto envueltos.

Lo primero que Eduardo y Susana les aconsejaron a Esteban y a María fue que hicieran a un lado la preocupación y el miedo. No contribuyen en lo más mínimo a arreglar las cosas. Quedarse en vela por las noches o discutir con la pareja no ayuda a solucionar el problema que generan las deudas. Lo próximo que hicieron fue darles una copia de este libro.

Eduardo y Susana estaban tan fortalecidos por el éxito de sus llamados a las compañías de tarjetas de crédito —con los que habían ahorrado miles de dólares— que alentaron a Esteban y a María para que hicieran lo mismo. Les dijeron que fueran incluso un poco más allá y que llamaran a sus compañías de tarjetas de crédito y negociaran un acuerdo.

Desde el punto de vista económico, Esteban y María estaban realmente con la soga al cuello. Les asombró saber que negociar un acuerdo con las compañías de tarjetas de crédito era siquiera una posibilidad. Habían pedido una cita con un abogado especialista en quiebras y nadie les había preguntado nada por teléfono; sólo les dijeron: "Nos vemos la próxima semana". Se sorprendieron al saber que podía haber otras alternativas. Las compañías de tarjetas de crédito quieren su dinero y, en lo posible, no quieren tener que recurrir a los cobradores. Adelántese y gáneles la mano.

Esteban llamó a su compañía de tarjetas de crédito y les explicó que no había hecho sus pagos porque él y su esposa se habían quedado sin empleo y que, de hecho, tenían cita con un abogado de quiebras la semana siguiente. Explicó que actualmente no tenían ingresos y que habían gastado sus ahorros en el pago de la hipoteca. Basándose en los consejos de *Curas Para Sus Deudas*, Esteban envió los estados financieros donde figuraba su capital contable, para demostrarles que no estaba en condiciones de pagar. Tuvo que hacer algunos llamados y enviar algunas cartas, ¡pero Esteban y María pudieron llegar a un acuerdo para terminar pagando la mitad de lo que debían! ¡Cincuenta centavos por dólar no está nada mal!

Tome nota

Tome nota de las conversaciones que mantiene con los acreedores y los cobradores y anote nombre y apellido de todas las personas con las que habla. Puede grabar las conversaciones telefónicas, si quiere, dependiendo del estado en el que viva. En California, Connecticut, Delaware, Florida, Massachussets, Maryland, Michigan, Montana, Nevada, New Hampshire, Pennsylvania y Washington, es ilegal grabar una conversación telefónica sin el consentimiento de la otra persona. En los 38 estados restantes creo que está permitido (¡pero corróborelo con su abogado!).

Asegúrese de tener el acuerdo por escrito antes de enviar ningún dinero, y asegúrese de tener a alguien que le preste el dinero para poder efectivamente hacer los pagos en las fechas estipuladas. Si usted no le paga a la compañía de tarjetas de crédito antes de las fechas de vencimiento estipuladas, ellos pueden cancelar el acuerdo.

Los acuerdos con las compañías de tarjetas de crédito son una oportunidad poco conocida, de la que muy pocas personas son conscientes. Si usted recurre al tribunal de quiebras, las posibilidades de la compañía de tarjetas de crédito de llevarse algo prácticamente se evaporan. Así que, por lo general, ellos estarán dispuestos a negociar con usted.

Otra razón por la que es bueno negociar directamente con los acreedores es para evadir a los dragones de la industria de los créditos financieros: las agencias de cobranzas de deudas. Escupen fuego y hasta pueden comerse a los más pequeños. Y apuesto a que muchos de esos tipos están cubiertos de escamas.

Ya eliminamos al dragón

El dragón parecía muy grande, muy temerario, muy poderoso. Nos encogimos de miedo en una esquina del calabozo y supusimos lo peor: que nos prendería fuego y luego nos comería en la cena. Hasta que llegó el asesino de dragones, tranquilo, frío, sereno. Notó que, aunque el dragón era peligroso, no era tan fuerte como nos habían hecho creer. El asesino de dragones no traía una espada ni un extintor de incendios. Bajo el brazo, traía un libro llamado *Curas Para Sus Deudas,* que de hecho resultó ser un arma muy poderosa. El miedo desapareció del reino y sus habitantes recobraron la prosperidad. El adivino llegó al pueblo y predijo: "En el futuro, veo que les depara una enorme riqueza".

les pague a comisión, entonces cuanto más lo expriman a usted, más reciben ellos y más recibe la compañía. El nombre del agente pasa a figurar en la cima del marcador que tienen en la oficina, también conocida como la guarida de los lobos.

El "antro de las mentiras"

Hay un pasaje de una antigua canción que dice algo así como: Mamás, no dejen que sus bebés se conviertan en vaqueros cuando crezcan. Yo agregaría: Mamás, no dejen que sus bebés se conviertan en empleados de agencias de cobranzas cuando crezcan. Estos hombres y mujeres son los secuaces de la industria de los créditos de consumo. Puede que en el diccionario no haya una palabra para referirse a las mujeres secuaces, pero que las hay. Estos hombres y mujeres son mezquinos y despiadados y se rebajarán hasta donde sea necesario para sacarle hasta el último centavo. Creo que podrían comer rocas y no les caerían mal al estómago. No existe raza humana más fría en todo el planeta Tierra.

Son interminables las historias que demuestran lo hipócritas que son, y aún así no se hace nada para detenerlos. No es un secreto que algunas agencias de cobranzas violan la ley, pero sin embargo día tras día, sus crueles tácticas continúan. Si usted no llegó al punto de tener que tratar con agencias de cobranzas, mejor así. Siga los consejos que le dimos hasta ahora y se mantendrá fuera del alcance de sus garras. Para aquellos que sí se encuentren en la guarida de los dragones, existe una salida.

Contrariamente a lo que opina el saber popular, el dinero no es la raíz de todos los males; el amor por el dinero lo es. La codicia, ese horrible deseo de acaparar todo a toda costa es lo que arruina a las personas. En el currículum de un cobrador de deudas probablemente se destacarían estas tres cualidades: ser descaradamente poco ético, sentirse orgulloso de tener conductas reprochables y funcionar como especialista en hostigamiento. Muchas personas cometen el error de tratar de razonar con su cobrador de deudas. Muchos cobradores de deudas no son personas razonables.

Prácticas justas

Ya lo escuchamos de nuestros padres, de nuestros maestros y de nuestros mentores: la vida no siempre es justa. Eso lo sabemos. La

Detengamos a
cobradores de deu

"Miserable, descarada, sucia y vil."
(Descripción de una película llam
The Debt Collector [El cobrador de deud

Todas las agencias de cobranzas pueden funcionar de d
Puede que la compañía de tarjetas de crédito los contrate p
los sicarios, los tipos que lo amenazarán con zapatos de ceme
que usted pague. Cuando se contrata a la agencia de cobr
como cazarrecompensas, al cobrador se le paga un porcenta
logra cobrarle a usted. Cuanto más dinero pueda sacarle, po
cualquier táctica, más dinero recibirá en concepto de com
le entregan el dinero cobrado al acreedor y se guardan la co

A veces, la compañía de tarjetas de crédito le vende la
cobrador de deudas. Esta práctica es cada vez más común
praventa de deudas" se está convirtiendo en una operació
para muchos conspiradores corruptos. Básicamente, la co
tarjetas de crédito le vende su derecho de cobrar la deuda a
de cobro, y la agencia termina quedándose luego con lo q
logre cobrarle a usted. El acreedor recibe su dinero en prim
se olvida del asunto. Entonces, otra vez, cuanto más dinero
sacar usted, más dinero va a parar a sus cajas de terciopelo,
que a los agentes que trabajan para las compañías de cobro

manera en que la industria de las tarjetas de crédito hace negocios no es para nada justa, pero es legal, entonces seguimos adelante. Nosotros, que somos ciudadanos de buen carácter, no tenemos que sublevarnos precisamente. Organizar una protesta del estilo del motín del té en Boston, en la cual todos cortamos nuestras tarjetas de crédito y las arrojamos al océano o al pozo negro local, no es la solución.

El crédito por sí mismo no es el enemigo. Más adelante hablaremos del crédito bueno versus el crédito malo y de cómo podemos usar el crédito bueno para generar una increíble riqueza. El crédito no es el mal que se necesita combatir. Las tácticas de toda la industria de los créditos de consumo son los perversos recursos que deben mejorarse.

Porque la deuda por tarjetas de crédito está más alta que nunca, y las comisiones y las sanciones y las tasas de interés están más altas que nunca, las morosidades de las tarjetas de crédito están en plena floración. Las agencias de cobranzas están encantadas. El negocio funciona a las mil maravillas para ellos. Las deudas son un gran negocio, y los acreedores y los cobradores son los tiburones que giran en círculos porque huelen sangre.

Conozca sus derechos

Los cobradores de deudas tienen reglas a las que se supone que deben atenerse, pero eso no significa que lo hagan. Sin embargo, si usted conoce sus derechos, podrá comprender que el dragón que escupe fuego es en realidad pura palabrería.

Conforme a una ley que se aprobó con el nombre de Fair Debt Collection Practices Act [Ley de Cobranza Imparcial de Deudas], los cobradores de deudas NO DEBEN:

- ✔ Contactarlo antes de las 8 a.m. o después de las 8 p.m.
- ✔ Contactarlo por teléfono una vez que usted les solicitó por escrito que dejen de hacerlo.
- ✔ Contactarlo en su lugar de trabajo a pesar de saber que su jefe no está de acuerdo.
- ✔ Contarle a otras personas, como su jefe o su familia, que usted debe dinero.
- ✔ Decirle que le embargarán su salario.

✔ Decirle que pueden arrestarlo.

✔ Decirle que lo demandarán. (Sólo sus acreedores pueden demandarlo.)

✔ Enviarle papeles que semejen documentos judiciales.

✔ Hablar con nadie excepto con usted. (No tienen permitido hablar con sus hijos.)

Esta ley se sancionó porque en 1977 el Congreso llegó a la conclusión de que había "abundantes pruebas de que muchos cobradores de deudas utilizaban prácticas de cobranza abusivas, engañosas e injustas. Las prácticas de cobranza abusivas contribuyen a la creciente cantidad de quiebras personales, la inestabilidad marital, las pérdidas de empleo y las invasiones a la propiedad privada".

No hable; ellos lo usarán en su contra.

Es cierto, y las intenciones de la ley fueron buenas, pero lo de "abusivas, engañosas e injustas" depende de quién lo mire. Se calificaron como hechos "abusivos" que le griten, lo insulten o lo hostiguen telefónicamente, pero aún hay muchas zonas grises. Los cobradores de deuda presionan. Usted puede presionar también.

Discúlpenme la expresión, pero usted no tiene por qué soportar sus pendejadas. Ahora que conoce las reglas básicas del juego, usted se encuentra mejor preparado para tratar con los detestables cobradores de deudas, quienes olvidaron el corazón —y los modales— en algún otro lugar antes de salir a trabajar.

La lección más importante que debe recordar es que usted no debe hablar con el cobrador de deudas hasta que esté listo para enfrentarlo, provisto de conocimiento. Es tan fácil como cortarles el teléfono. Usted no está obligado a contestar sus llamados. Hasta que esté listo, no hable con ellos. Ellos quieren que usted crea que tienen una bola de cristal y que saben cada uno de sus movimientos. No es así. No les dé ningún tipo de información. ¡Recuerde —y revise— los métodos de *Curas Para Sus Deudas* que se detallaron en el Capítulo 4, donde se explica cómo puede eliminar sus deudas!

Prácticas injustas

Estos cobradores están entrenados para ser agresivos y mentir. Trabajan en una sala de calderas con un tablero de cuentas que está ahí para mostrar quién fue el que logró mayor cantidad de presas —o cobros. Para ellos, aprovecharse de usted es una inyección de adrenalina. En la película *Maxed Out* [Llegando al límite], un cobrador cargado de poder dijo que "se siente fenomenal". Comparó lo bien que se sentía con "hacer el pase de gol y que me paguen por eso". Ganaba un buen sueldo y pagaba sus facturas aprovechándose de personas que tenían problemas para pagar las propias. Llamó al infierno de las cobranzas "una industria divertida. Es competitiva y uno se gana su sueldo". El marcador diario era un gran aliciente para él para hostigar a personas como usted.

Algunos empleados de las agencias de cobranzas van en la dirección contraria —o al menos eso pareciera. Les enseñan a trabajar sobre sus emociones y hacerlo hablar. Usan el enfoque "comprensivo" para conseguir que usted se abra con ellos. Algunos le darán un nombre falso, pero lo que quieren es que usted "confíe" en ellos. Harán de cuenta que se interesan por sus problemas y lo escucharán. Tenga cuidado. La información que usted les dé será usada en su contra.

Estefanía cayó en esta trampa. Por teléfono, el cobrador emanaba amabilidad y compasión. Le hizo preguntas que parecían inocentes, y él parecía identificarse con las dificultades de ella. Hasta le dijo que ella le recordaba mucho a su propia madre. Estefanía le contó que tenía un trabajo de medio tiempo como mesera para tratar de llegar a fin de mes. Ahora él sabe el nombre del empleador de Estefanía y cuál es el sueldo que cobra, todo porque ella le facilitó la información.

Tenga amor propio

La información es poder. No se las entregue. El abogado Richard DiMaggio señala que "el cobrador no es su amigo y nunca lo será... No le cuente nada. Ellos no se preocupan por usted, y usted debe ignorar cualquier pregunta que ellos le hagan. Puede que usted deba una factura, pero al cobrador no le debe nada —ni siquiera respeto".

¡No les permita que jueguen con su dignidad!

Además, algo a tener en cuenta: según la Fair Debt Collection Practices Act [Ley de Cobranza Imparcial de Deudas], los cobradores *deben* dejar de llamarlo por teléfono una vez que usted se los *pida*. Luego de eso —y de acuerdo con las estipulaciones de dicha ley—, escriba y envíeles una breve nota en donde repita sus "pedidos": deje de llamarme a mi casa, deje de llamarme a mi lugar de trabajo.

Póngalo por escrito

Es muy importante llevar un registro de todas las comunicaciones. Lleve un registro escrito desde el primer llamado telefónico que reciba acerca de cualquier supuesto intento de cobro de deudas. Tenga una sencillo cuaderno donde anote detalladamente la fecha y hora del llamado, el nombre del agente de cobranzas (bueno, cualquiera sea el nombre que le haya dado), el nombre de la compañía y lo que él o ella haya dicho. Mantener un registro diario es mucho más fácil que intentar acordarse más adelante, y si usted entabla una demanda, su cuaderno tendrá toda la información que necesita.

Simplemente escriba algunas líneas como:

10 de enero de 2007. 8:10 p.m. Llamado telefónico de Martín Mala de la Agencia de Cobranzas de Mentirosos Expertos. Martín reclamaba el pago a MegaBanco de una deuda por una tarjeta de crédito. Me dijo que la deuda era de cuatro mil dólares. Yo le dije que no tenía conocimiento de esa deuda. Él siguió hablando. Le dije que una deuda con MegaBanco no me sonaba y le pregunté si podía enviarme toda la información que tuviera acerca de la supuesta deuda. Le dije que no me llamara a mi casa ni al trabajo. Le pedí que se comunicara conmigo sólo por escrito. A Martín no pareció gustarle mucho, pero no fue agresivo. Martín dijo que dejaría asentado mi pedido.

Este cuaderno es una muy buena manera de empezar. Fíjese que el agente de cobranzas hizo una cosa que se supone no debe hacer: lo llamó después de las 8:00 p.m. Generalmente, los agentes de cobranzas no se rinden ante el primer intento. Martín volvió a llamar.

> *11 de enero de 2007. 8:30 p.m. El agente de cobranzas Martín volvió a llamar. Le dije que le había pedido que no me llamara y que había enviado una carta hoy en la que presentaba mi pedido por escrito. Me interrumpió y me dijo que aún no había recibido ninguna carta. Me dijo que esta cuenta estaba seriamente en mora y que esperaba que le pagase. Dijo que su trabajo era seguir llamando hasta que la deuda estuviera cancelada. Se puso agresivo y dijo que llamaría a mi jefe y embargaría mis sueldos para poder cancelar la deuda. Le dije que, conforme a la Fair Practices Act, él no tenía derecho a hacer eso. Le dije que dejara de llamarme y que si no lo hacía, presentaría una queja ante el procurador general y ante la Comisión Federal de Comercio. Y colgué.*

Llevar un registro como éste es algo muy fácil de hacer. Otra vez, el agente de cobranzas llamó después del horario permitido y, esta vez, profirió una amenaza falsa. Cuando se trata recién del primer llamado, usted no sabe cómo va a desarrollarse la conversación, así que lleve un registro. Trate de anotar fragmentos exactos de lo que dijo el agente de cobranzas, como por ejemplo "Llamaré a su jefe".

No permita que lo intimiden. Con los métodos que se exponen en *Curas Para Sus Deudas,* usted puede librarse de los agentes de cobranzas de una vez por todas.

Piratas modernos

Los empleados de la agencia de cobranza se sienten orgullosos de su tenaz capacidad para utilizar el miedo o la humillación con las confiadas presas. Las antiguas tácticas para infundir miedo suelen surtir efecto sobre la gran mayoría de las personas. Graciela estaba segura de que perdería la casa porque el cobrador de deudas se lo dijo.

> Ellos mienten, amenazan e intimidan. ¡No se deje engañar!

El cobrador violó la ley al decirle eso, pero él imaginó que Graciela era ingenua, y tenía razón. Rafa era un hombre digno que creía que si no le pagaba a la agencia de cobranzas, en cierto modo, era menos hombre. Manolo se sintió humillado cuando el cobrador comenzó a llamar a su jefe, a sus vecinos y a los miembros de su familia. El cobrador les hizo preguntas acerca de Manolo y de su empleo. Fue una vergüenza enorme para Manolo cuando la madre y la hermana lo llamaron para preguntarle qué sucedía y por qué estaban recibiendo estos llamados relacionados con él.

Un joven muy engreído hizo alarde de sus habilidades como agente de cobranzas y dijo ser un experto en su oficio. Se comparó con un pirata en un barco, y el deudor es a quien obligan a caminar la plancha. "Quieres obligarlos a llegar al borde de la plancha pero que no salten."

Monstruos modernos

Un cobrador le dijo a una mujer: "Usted no debería tener hijos si no va a poder costear los gastos del hospital". ¡Él no tiene derecho a hacer ese comentario! No hay absolutamente ningún motivo por el que debamos tolerar un abuso como ése. Estos gánsteres de las cobranzas creen que pueden decir lo que se les venga en gana. La retorcida sensación de poder que tienen por haberse salido con la suya durante tanto tiempo los hace pavonearse como si fueran una especie de villanos de dibujos animados. Los cobradores le harán afirmaciones ilegales. Le mentirán directa y descaradamente. Tratarán de avergonzarlo y humillarlo. Amenazarán con demandarlo, cuando no tienen base legal alguna donde apoyarse. ¿Y sabe qué? Si lo hacen, ¡usted puede dar vuelta las cosas y demandarlos *a ellos!*

La mayoría de las personas no lo sabe, y por eso aceptan ese terrible abuso por parte de los agentes de cobranza. Los cobradores se especializan en hacerlo sentir culpable si no paga su deuda. Juegan con su decencia humana básica, algo de lo que ellos no tienen ni una pizca. Ellos saben que usted es una persona buena, honesta y respetuosa de las leyes y usarán cada uno de los sucios trucos que les enseñaron para tratar de que usted se sienta mal consigo mismo. Quitarle su dignidad es su procedimiento básico. No les permita hacerlo.

El manual de jugadas engañosas

Cada oficio tiene sus trucos, y cada profesión tiene sus conferencias y seminarios de capacitación. Los cobradores de deudas no son diferentes. Ellos quieren mejorar los métodos para acercarse a usted. Así como hay campamentos de exploradores, hay grupos de hombres y mujeres —hombres adultos y mujeres adultas— que concurren a una especie de campamento militar para cobradores de deudas. Estos son dos ambientes totalmente distintos.

Un grupo aprende a hacer nudos; el otro grupo aprende cómo amarrar a las personas. Los campistas cobradores de deudas aprenden qué decir y cómo decirlo. Están altamente entrenados para saber cuándo simular compasión, cuándo simular enojo y cuándo salir a matar. Estudian métodos para sacarlo de quicio. Puede que incluso les arranquen la cabeza a los pollos, pero no puedo asegurarlo.

Ellos son muy conscientes de que cualquiera que haya llegado a la etapa de las cobranzas sin dudas tuvo que atravesar algún momento difícil —la pérdida del empleo, un problema de salud, un divorcio, o hasta una muerte en la familia. Estos hombres y mujeres no tienen ningún escrúpulo a la hora de golpear a un hombre caído.

No subestime las mentiras y los engaños de un cobrador de deudas. Ellos se degradarán como ningún otro profesional. Un agente de cobranzas de San Diego fue a prisión en el año 2006 porque mintió al decir que era abogado y que podía encerrar a los supuestos deudores en la cárcel a menos que le pagaran. Ése es uno de los trucos más antiguos del "manual de jugadas engañosas"; sin embargo, muchas personas inocentes aún se dejan engañar con él. ¡No se deje engañar!

Amenazas comunes

Si el hostigador lo llama y amenaza con hacer que lo arresten, le está mintiendo. Usted no puede ir a prisión por causa de ninguna supuesta deuda. El cobro de deudas es una cuestión civil. La supuesta deuda que usted tiene no conforma un caso penal, por lo tanto, usted no puede ir a prisión. Cuando lo amenazan diciéndole "¡haré que lo arresten!", están mintiéndole, lisa y llanamente. Yo siempre solía decir que se debía enviar a la cárcel a los cobradores de deudas por mentir de esa manera; da

Ellos no pueden quitarle la casa ni mandarlo a prisión.

gusto saber que eso sucedió. Esperemos que sea el comienzo de una nueva tendencia.

Existe una extensa lista de amenazas que los cobradores se caracterizan por lanzar al aire. Una de las favoritas de todos los tiempos es: "¡Embargaré su sueldo!". La verdad es que no, la agencia de cobranza de deudas no embargará su sueldo. La mayor parte del tiempo, ellos no cuentan con ningún poder para tocar su sueldo. *Nil, none,* nada. Ellos deben tener un fallo en su contra para poder hacerlo. Un fallo significa que hubo una demanda en su contra y que dicha demanda llegó a la corte. Usted se habría dado cuenta perfectamente si alguien hubiera ido a la corte y hubiera ganado un juicio para embargarle su sueldo. Ni demanda, ni embargo de sueldo. No permita que ellos lo convenzan de lo contrario. Y créame: tratarán de hacerlo.

Otra táctica de intimidación sumamente común es amenazar con que él o ella pueden quitarle la casa. ¡Son demasiadas las personas que creen que éste es un verdadero peligro! Se enferman de preocupación al creer que van a perder la casa. La agencia de cobranzas no puede quitarle la casa, a menos que la deuda por la que están molestándolo tanto sea una deuda garantizada por su casa. Eso sucedería solamente en el caso de un préstamo hipotecario o un préstamo sobre el valor líquido de la vivienda. La mayoría de los demás préstamos no están garantizados por su casa. Ellos adoran esta táctica artera porque con ella logran que la gente pague. Ellos no tienen derecho ni poder alguno para ir tras su casa. ¡No les crea!

Triste, pero cierto. Todavía se siguen utilizando las amenazas violentas para cobrar las deudas. Los agentes de cobranza modernos continúan utilizando amenazas apenas veladas, tales como "¡sabemos donde vive!", como si un enorme matón fuera a aparecer en su casa, sacarlo a empujones y arrojarlo a la cajuela de un gran auto negro. No le quebrarán las rótulas ni terminará en el fondo de un río. Algunos de estos cobradores son malos como bestias y, a veces, sí amenazan o dan a entender que usted puede sufrir algún daño. Pero sólo quieren asustarlo. Las amenazas como esas son ilegales y usted debe presentar una queja ante la Comisión Federal de Comercio.

Amenazas vanas

No crea sus amenazas vanas. Usted tiene problemas por las deudas en este momento, punto. Fin de la cuestión. Esto también pasará. El tipo que lo llama y lo hostiga quizás gane fácilmente un ingreso de seis cifras y no tiene compasión verdadera por usted ni por lo que usted está viviendo. Sus desgracias lo aburren. Él sólo está pensando en cómo gastará su próxima bonificación. Por eso la gente permanece en el oficio del cobro de deudas: por el dinero. Ellos no creen que estén salvando la economía mundial ni haciendo un acto noble. A ellos les gusta el ingreso que tienen, así de simple y sencillo.

El cobro de deudas es una industria multimillonaria. A los cobradores no les importa un comino ni usted ni su situación. Sus circunstancias no le interesan. Para ellos, usted es sólo otra historia lacrimógena, y lo único que les interesa es el marcador que está por sobre sus cubículos. Usted llamará su atención sólo cuando esté en condiciones de hablarles de dinero.

Entonces, hablemos de dinero.

Una solución

Damián y Martina comenzaron a tener dificultades económicas cuando el negocio de Damián quebró. Aún podían seguir pagando la cuota de la casa, del coche y las ortodoncias de la hija, pero el dinero era muy escaso. El sueldo de Martina apenas les había permitido subsistir, pero se estaban retrasando con el pago de la tarjeta de crédito. Todos los días, por correo llegaba un nuevo resumen, las comisiones aumentaban, y ellos comenzaban a sentirse abrumados, al igual que la mayoría de las personas que están plagadas de deudas.

Damián y Martina tenían un amigo abogado que los ayudó a redactar su balance general y su estado de resultados. Reunieron toda la documentación, donde constaban sus deudas originales y todas las comisiones que se habían acumulado desde que el negocio de Damián quebró. En algunos casos, contactaron directamente a los acreedores para negociar un acuerdo. En otros, negociaron con la agencia de cobranzas. ¡Redujeron sus deudas totales en un cincuenta por ciento! Les pidieron dinero prestado a los padres de Martina, quienes permitirán que se lo devuelvan cuando ellos se recuperen. Lo que parecía una crisis imposible de superar pudo manejarse implementando con calma las *Curas Para Sus Deudas.*

Capital contable

Una vez que aprende que esto es una lotería, usted también debe jugar. Aunque lo llamen de la agencia de cobranzas, usted todavía puede contactar al acreedor original. Si ellos aún no liquidaron su deuda, quizás estén dispuestos a negociar con usted. Cuénteles su historia, pero muéstreles los números. Los números son los que hablan en este tipo de conversaciones. Aquí es donde los estados financieros personales, su balance general y su estado de resultados entran en juego. Quizás todo lo que necesite sea una carta muy sencilla de su contador. Bastante a menudo, eso funciona a las mil maravillas. Sepa cuál es su techo y no acceda a pagar más que eso. Acceder a pagar una suma que usted no será capaz de costear no lo sacará de las arenas movedizas, así que sea realista.

Si el acreedor ya está fuera de escena, es porque vendió su deuda a la agencia de cobranzas a cambio apenas de centavos de lo que valía. Cualquier monto que usted le pueda pagar a la agencia es prácticamente ganancia pura para ellos. La mayoría de la gente da por sentado que usted no puede negociar. Usted no sólo puede, sino que debe hacerlo. Muéstreles sus deudas originales; muéstreles todas las comisiones arbitrarias que se acumularon debido a la demencia despiadada de la industria de las tarjetas de crédito; y muéstreles cuál es su situación financiera y cuánto es lo que puede pagar. Bien podría ser que usted no pueda pagar absolutamente nada. Muéstreselos por escrito.

El cobrador de deudas verá sus estados financieros y leerá su carta, en la que consta claramente: *éste es mi capital contable, compuesto por estos activos —mi casa, mis coches y los anillos de bodas— y estos pasivos —deuda por préstamo hipotecario, deuda por préstamo automotor, deuda por tarjeta de crédito #1, deuda por tarjeta de crédito #2, deuda por préstamo estudiantil, etcétera.* Luego de ver esto, el cobrador será más accesible y realista en sus pedidos. Dejará de insistir con que usted pague los ochenta mil dólares que debe en su totalidad, porque está claro que todo lo que podrá pagar serán a lo sumo diez mil dólares. Y quizás todo lo que usted podrá pagar sea nada. Si usted tiene un capital contable negativo, muéstreselo también.

No me cansaré de repetirlo: el dinero es el que habla. Si usted no tiene dinero, ellos tendrán que callarse la boca.

Inténtelo

Presénteles el caso de modo profesional a los cobradores de deudas y observe cómo su actitud altanera se transforma en una actitud práctica para ver cuál es la mejor manera de llegar a un acuerdo y aún así ganar algún centavo con su deuda. Ellos quieren terminar el asunto y largarse, así que ayúdelos en su objetivo.

Si todavía no lo hizo, redacte sus estados financieros y una sencilla carta de dos líneas. En el apéndice encontrará modelos de carta, balance general y estado de resultados para que los utilice como guía.

Esta fórmula exitosa funciona. ¡En sólo veinticuatro horas —prácticamente de la noche a la mañana— usted puede reducir su deuda a los dos tercios, a la mitad o hasta a un tercio! Pídale ayuda a algún amigo con experiencia contable o legal para redactar la carta y los estados financieros.

La agencia de cobranzas no tiene poder sobre usted. Usted no debe tenerle miedo. Usted puede darle batalla. Y puede ganar.

Angélica era muy escéptica y no creía que se pudiera aleccionar a los cobradores de deudas, de una vez y para siempre. Ella debía cerca de cien mil dólares y creía que la única salida era la quiebra. Un amigo la convenció de que preparara un estado de resultados, un balance general y una carta para enviarle a la agencia de cobranzas. Las deudas de Angélica descendieron a los treinta mil dólares que debía originalmente. Ahora Angélica les aconseja a todos que dejen a un lado los miedos y que apliquen los métodos de *Curas Para Sus Deudas*. ¡Técnicas simples que cualquiera puede seguir para obtener resultados sorprendentes!

Tiene derecho a permanecer callado... O a hablar

No olvide que usted tiene derecho a demandar a la agencia de cobranza en caso de que ellos violen la Fair Debt Collection Practices Act [Ley de Cobranza Imparcial

¡Conozca sus derechos!

de Deudas]. Si ellos fueron "engañosos, injustos o abusivos" y usted documentó su caso, ésa podría ser una jugada inteligente. Los acreedores y las agencias de cobranzas se sienten francamente sorprendidos cuando los demandan, y es algo que les resulta muy costoso. Cuando comparan los dólares que tendrán que gastar en honorarios por asesoramiento legal con el monto de la deuda que intentan cobrarle, casi siempre será mejor para ellos llegar a un acuerdo con usted. Si usted de hecho los demanda y llega a un acuerdo, la cláusula más importante que usted debe pedir que figure en el acuerdo es la promesa de que ellos borrarán de su reporte de crédito la etapa de cobranza. Ellos pueden borrar esta información negativa para que usted pueda empezar de cero con un reporte limpio. A veces sólo eso puede valer cualquier honorario por asesoramiento legal en que usted haya incurrido para iniciar la demanda.

El número de quejas en contra de las agencias de cobranzas de deudas está aumentando vertiginosamente. Usted no tiene necesidad de llegar al extremo de adoptar las prácticas agresivas de ellos. Conozca sus derechos y lo que ellos pueden hacer y lo que no. Tome nota del nombre, la agencia, la fecha y la hora cada vez que hable con un cobrador, si es que efectivamente habla con ellos. Será mejor que lleve un buen registro de todas las comunicaciones, aún cuando logre solucionar el asunto enseguida y llegar a un acuerdo amigable con ellos. Usted no tiene que ser un imbécil sólo porque ellos lo sean. Nada más debe saber cuáles son los pasos a seguir.

Sin rodeos

No los deje sacarle ventaja. Créame, lo intentarán. El procurador general de New York demandó a una agencia nacional de cobranza de deudas por cobrar miles de deudas que ni siquiera estaba demostrado que fueran reales o cobrables. No sólo usan cada uno de los trucos del manual, sino que además los inventan en el camino. La Comisión Federal de Comercio ganó un juicio de 10,2 millones de dólares contra una compañía de New Jersey por sus prácticas de cobro ilegales. La compañía exageró las deudas y utilizó todas las amenazas ilegales de las que hablamos anteriormente. Entonces, no se deje engañar sólo porque una persona lo llame por teléfono y sin rodeos le diga que usted le debe dinero. Y no tenga miedo de presentar su queja.

Una luchadora

A veces, lo único que le queda a una persona por hacer es dar batalla. El periódico *New York Times* publicó un artículo sobre una mujer a quien pusieron en la lista negra del cobro de deudas por cargos que ni siquiera eran suyos. Consiguió que el banco estuviera de acuerdo en que ella nunca había incurrido en esos gastos, pero la deuda ya se había entregado a un agente de cobranza que avanzaba a todo vapor. El artículo dice:

> Una víctima de la ciudad de New York, Judith Guillet, realizó una denuncia policial en el año 2003 luego de recibir una factura de una tarjeta de crédito de Chase por 2300 dólares que incluía cinco cargos de gasolineras Amoco en el Bronx. Ella nunca tuvo coche ni licencia de conducir.
>
> El banco estuvo de acuerdo en que los cargos no eran válidos, pero el caso siguió porque el banco lo trasladó a una agencia de cobranza. El pasado noviembre, la agencia obtuvo una orden judicial que le permitió congelar la cuenta bancaria de la señora Guillet, aún cuando no habían podido demostrar que la deuda fuese válida.
>
> "Me sentía impotente", dijo la señora Guillet, una enfermera que está retirada por incapacidad permanente. "No podía pagar la renta, ni la cuenta de la luz ni comprar la comida".

Le llevó dos años a esta pobre señora descongelar su cuenta bancaria. Se sentía confundida y tenía miedo y, como ella misma dijo, se sentía impotente. Ésa es la razón por la cual usted debe armarse con la información que le damos en este libro, para que no se sienta confundido ni con miedo y que nunca, jamás, se sienta impotente. Controle su reporte de crédito regularmente y revise siempre el resumen de cuenta mensual de su tarjeta de crédito. Si algo no le cierra, llame a su compañía de tarjetas de crédito.

Detenga a los sabuesos

Puede que los cobradores de deudas lo acosen al principio, pero usted puede cortarlos de raíz y detenerlos definitivamente. En veinticuatro horas, usted puede convertir una situación desesperante en una situación reparadora. Los acreedores y cobradores de deudas escuchan cuando los números hablan. Si los números de su balance general y de su estado de resultados gritan "no tengo nada", el cobrador se dará cuenta de que es en vano seguir amedrentándolo. Se volverán mucho más razonables cada vez que traten con usted.

Cuando usted era chico y le pedía dinero prestado a su hermano, y él le decía que no tenía, quizás al principio no le creía. Seguía preguntándole y molestándolo incesantemente. Pero él insistía en que no tenía nada. Entonces usted le revisaba la alcancía y la cartera —ésa que escondía creyendo que usted no la iba a encontrar— y confirmaba que, de hecho, las dos estaban vacías. Usted terminaba por comprender que él realmente no tenía dinero para prestarle. Entonces, ¿qué hacía? Lo dejaba en paz.

Las medidas para reducir las deudas son sencillas. Usted tiene todo el derecho del mundo de sacar pleno provecho de estas soluciones. Ellos lo saben. Ése es el motivo por el cual los bancos y las compañías de tarjetas de crédito no quieren que este libro circule. La industria de los créditos de consumo seguramente preferiría que me guardara estas tácticas para mí. Perdón, muchachos, pero eso no será posible.

Ya está bien. Si ellos se conformaran con ganancias que ya son suculentas y retomaran las prácticas imparciales de cobranza, yo me callaría la boca. Si ellos continúan con sus vergonzosos métodos de robarle hasta el último centavo al ciudadano estadounidense, entonces seguiré sacando a relucir lo que realmente son.

Una industria detestablemente codiciosa debe quedar en evidencia. Si ellos deciden cambiar sus métodos, seré el primero en celebrarlo.

CAPÍTULO 21

Alcanzar la riqueza

"La riqueza es la capacidad de vivir plenamente la vida."
Henry David Thoreau

Hace mucho tiempo escuché una frase que decía algo como: "Ser rico es tener dinero; ser afortunado es tener tiempo". Es una frase muy elocuente. Ése es mi deseo para usted: que tenga tiempo para disfrutar de su dinero, de la riqueza que usted genera y que se relaje y se dé cuenta de que la sombra de las deudas malas no le opacarán la vida para siempre. Las deudas malas pueden quedar en el pasado y no tienen por qué volver a enseñar su horrible rostro por aquí.

Al principio

Al principio, cuando Eduardo y Susana comenzaron a leer este libro, sentían que los arrastraba una avalancha. Llegaban las cuentas y ellos pagaban, pero nunca lograban salir del pozo. Cada vez que necesitaban algo de dinero "extra", ya fuera para gastos médicos o un horno nuevo o frenos para el auto, tenían que recurrir a las tarjetas de crédito y, entonces, nunca llegaban a cancelar los saldos.

Todos los meses, algo nuevo parecía surgir, y debían usar la tarjeta de crédito para tapar el hueco. Parecía una montaña rusa que todo el tiempo giraba y daba vueltas y vueltas. Una persona puede perder el equilibrio cuando nunca llega a pisar suelo firme, y así es como se sentían Eduardo y Susana. Se sentían atrapados en un espiral descendente.

Ambos tenían trabajo y por eso podían pagar la cuota de la casa y comprar las cosas básicas de todos los días. Sus hijos no pasaban hambre y tenían ropa y útiles escolares. Trabajaban duro y no hacían gastos innecesarios, pero aún así no podían ahorrar para casos de emergencia, para los gastos universitarios de sus hijos o para su propia jubilación. Eduardo y Susana no lograban salir nunca del pozo y para ellos eso era realmente frustrante.

Sus vecinos, Esteban y María, se sentían más que frustrados. Tenían terror. Ambos habían perdido el empleo al mismo tiempo, y las cuentan parecían acumularse a la velocidad de la luz. Al igual que millones de estadounidenses, ellos tenían un saldo en las tarjetas de crédito antes de quedarse sin trabajo. Cuando empezaron a recurrir a las tarjetas de crédito para pagar el gas y la comida, sin perspectivas inmediatas de conseguir empleo, entraron en pánico. Las facturas de las tarjetas de crédito aumentaron rápidamente hasta convertirse en un gran desastre y el interés agravó el problema. Llegaron a la conclusión de que la única salida era la quiebra.

Tenemos compañía

Apuesto a que si le pregunta a cualquier persona que conozca, tendrá una historia para contarle en la que las deudas son las protagonistas. Todas las probabilidades están en contra del ciudadano trabajador promedio. Ya se mencionó que el estadounidense promedio tiene ocho mil dólares en deudas por tarjetas de crédito. En algunos sitios publicaron que incluso ascendía a once mil dólares. No importa: lo que importa es que cargamos con enormes deudas con las tarjetas de crédito. Agréguele el préstamo automotor, y la deuda aproximada asciende a 18700 dólares por familia estadounidense. Ahora agréguele un préstamo hipotecario, y no resulta extraño que, hoy en día, hacerse cargo sólo de la vivienda, la comida y el transporte sea una tarea muy difícil para la mayoría de las familias.

La mayoría de los libros sobre deudas y créditos que hoy se encuentran en el mercado se refieren a la manera de solucionar las deudas restringiendo los gastos y "suprimiendo lo más grueso". Le hacen creer que fue algo que usted hizo lo que generó el enorme problema que tiene por las deudas. No es difícil ver que la verdadera crisis no es culpa de los hábitos de consumo del pueblo estadounidense, sino de las prácticas agresivas de la industria estadounidense de los créditos de consumo. La mayoría de las personas no está en deuda por problemas de juego o de compra compulsiva. Esos casos son excepciones, no son la regla.

Gente común y corriente

¿Y qué me dice de la historia de personas como Beto y Cheli? Cheli trabaja en la construcción y Beto en una guardería. Sobreviven y pagan todas las cuentas. Tienen un hijo de dos años, y Beto acaba de dar a luz a otro bebé. La lavadora que tenían desde hace diez años se rompió, y Cheli no quiere que Beto tenga que llevar a un niño pequeño y a un recién nacido a la lavandería. Cualquiera que tenga un bebé sabe bien que esa pequeña personita genera una pila enorme de ropa para lavar. Cheli compró una nueva lavadora y tuvo que cargarla en la tarjeta de crédito.

También está el caso de Ellena, una profesora de música retirada. El marido manejaba todas las cuentas, por eso cuando murió se sintió desorientada. Nunca tuvieron hijos, así que en realidad no tiene a nadie que la ayude, excepto por un sobrino que le corta el césped y le cambia los focos. Ellena toma medicamentos recetados que ni el seguro ni Medicare le cubren totalmente y que cuestan cientos de dólares por mes. Un contratista inescrupuloso se aprovechó de

> El uso de las tarjetas de crédito no debería acarrear deudas eternas.

ella y le cobró doble por un techo nuevo. Además, necesita una nueva bomba de gasolina para el auto. Ellena recibirá su cheque del seguro social recién dentro de unas semanas, así que tuvo que cargar el arreglo del auto en la tarjeta de crédito.

¿Y qué me dice de Jorge? Los honorarios del abogado que lo asesoró en el divorcio fueron más costosos de lo que jamás hubiera imaginado y, además, tiene que pagar la pensión alimenticia y la manutención de sus hijos. La ex esposa se quedó con la casa y tiene un trabajo muy mal remunerado. El calentador de agua empezó a gotear, así que ella llamó a Jorge para que lo solucionara. Sus hijos necesitan agua caliente para bañarse, por lo tanto, él compró un calentador de agua nuevo, pero tuvo que cargarlo a la tarjeta de crédito.

Estas personas no pueden "suprimir lo más grueso".

El problema es que las personas trabajadoras comunes y corrientes no pueden manejarse sin tener que usar las tarjetas de crédito de vez en cuando. Y una vez que lo hacen, la trampilla se cierra y quedan atrapados en un laberinto de comisiones. Y escaparse para siempre de allí parece ser tan complicado que la gente puede sentirse abrumada o confundida o aterrada.

El dinero de sus impuestos

Para sumar a la frustración que sentimos, sucede que tanto usted como yo vamos a trabajar todos los días para ganar un sueldo que termina esfumándose antes de que llegue el próximo. Ocuparse sólo de los gastos básicos ya es difícil. Los Estados Unidos son una nación de deudores. La deuda con las tarjetas de crédito que nunca se termina es lo que nos succiona el dinero. Algunas personas gastan el noventa por ciento de sus ingresos disponibles en el pago de sus tarjetas de crédito y demás deudas. No es que gastemos como locos. ¡Es que ellos *nos cobran* como locos!

El gobierno federal es consciente de la crisis que acarrea la industria de los créditos de consumo, pero se niega a hacer algo al respecto. Todo el mundo sabe acerca de las prácticas agresivas y predatorias de los prestamistas y cobradores. "Política" es el nombre del juego. Usted y yo no hacemos grandes aportes para las campañas. La industria de los créditos de consumo sí. Los grandes bancos emisores de tarjetas de crédito les dan grandes cantidades de dinero a los funcionarios de Washington. A cambio, los funcionarios de Washington les permiten salirse con la suya.

Depredadores sueltos

En 2004, treinta estados demandaron a los grandes bancos por los métodos predatorios que utilizaban en la emisión de tarjetas de crédito. ¡Treinta estados! Eso le bastaría a cualquier persona razonable para saber que efectivamente se empleaban prácticas predatorias. No debe haber gente razonable en Washington. ¿Qué sucedió? Nada. ¡Los funcionarios del gobierno defendieron a los bancos! Los bancos emisores de tarjetas de crédito continúan acumulando las comisiones, las sanciones y las ridículas tasas de interés. Estos prestamistas siguen apuntando a estudiantes universitarios y a personas que apenas pueden pagar las cuotas, para poder atraparlos con pagos mínimos y que les lleve veinte años cancelar el saldo.

La tarea de instruir a nuestros hijos acerca de los créditos de consumo recae solamente en nuestras manos, los padres. Cualquiera sea el nivel, en la educación pública no se enseña a los alumnos sobre la administración del dinero. Los estudiantes se gradúan de la secundaria y de la universidad con poco o ningún conocimiento acerca de las finanzas personales. Con los miles de millones de dólares —literales— que se gastan en educación, el gobierno y el gremio docente nada hacen para destinar parte de los recursos al tratamiento del cáncer del crédito en los Estados Unidos.

¿Por qué sucede eso? D-i-n-e-r-o. Los políticos aceptan aportes para sus campañas por parte de las instituciones prestamistas más importantes y, a cambio, acuerdan que mantendrán desinformadas a todas las futuras generaciones. ¿Para qué educar a la gallina de los huevos de oro cuando ellos pueden seguir sacándole los huevos? Esto es sólo otro ejemplo de cómo perjudican al pueblo estadounidense. Qué ironía que el dinero de sus impuestos y de los míos se destinen a un sistema educativo que no sólo falla en las áreas de lectura, ciencia y matemáticas, sino también en la de las finanzas personales.

Ellos quieren perjudicarnos. Yo digo que seamos nosotros los que los perjudiquemos a ellos. Está bien que se ponga furioso, siempre y cuando después se ponga a trabajar.

Ocupémonos del asunto

Podemos quejarnos todo lo que queramos, pero la mejor manera de dar batalla es, bueno, dando batalla. Sabemos lo que se traen entre manos y podemos contrarrestar.

En páginas anteriores, muchos párrafos se dedicaron al tema de los reportes de crédito y los puntajes de crédito. Ahora usted sabe que debe:

✔ Conseguir su reporte de crédito.

✔ Revisar su reporte de crédito atentamente.

✔ Corregir errores/borrar información falsa.

El noventa por ciento de los reportes de crédito contienen errores, así que será mejor que se convenza de que vale la pena revisar el suyo de arriba abajo. Muchos puntajes de crédito son malos simplemente porque el reporte de crédito contiene información errónea. Discuta. Corrija. Controle. Su reporte de crédito sigue en desarrollo, por eso usted necesita revisarlo periódicamente.

Su puntaje de crédito —un número de tres dígitos— es el único número que debe preocuparle en este momento. Olvídese de su promedio de bateo del colegio secundario, de su coeficiente intelectual o de lo que la balanza del baño le mostró esta mañana. El puntaje de crédito es la libreta de su informe financiero, y a usted le conviene tener buenas notas. Mejore su puntaje de crédito de la noche a la mañana siguiendo los pasos detallados en el Capítulo 11. Una vez que haya incrementado el puntaje, manténgalo así, es decir:

1.   Pague en fecha.

2.   Nunca deje de hacer un pago.

3.   Haga al menos el pago mínimo, o más si le es posible.

Haga correr la voz

> ¡Los métodos descriptos aquí pueden significar un ENORME progreso para usted!

Uno de mis métodos favoritos de *Curas Para Sus Deudas*, si puedo tomarme la libertad de elegir favoritos, ¡es que usted puede ahorrarse miles de dólares inmediatamente, con un simple llamado telefónico! Cualquiera puede hacerlo, y cualquiera puede beneficiarse. Cualquiera que tenga un saldo en la cuenta de las tarjetas de crédito o cualquier otro tipo de deuda puede hacer estos llamados telefónicos y reducir drásticamente su deuda. No importa si usted debe cinco mil, diez mil o cincuenta mil dólares; ¡usted podría reducir esa cifra prácticamente de la noche a la mañana! ¡Algunas personas recortaron su deuda a la mitad! ¡Y algunas incluso más! Es indoloro, sencillo y lo ayuda a ahorrarse miles de dólares. Nada lo coloca más en el camino del éxito que una pequeña muestra de cómo se siente tenerlo.

En el fondo, usted está tomando conciencia de que puede ser autosuficiente. No necesita pagarle a nadie para que haga estos llamados por usted. Puede negociar con los acreedores y los prestamistas sin tener que pagar ninguna comisión. ¡Las comisiones son lo que estamos intentando sacarnos de encima! Puede aprender a confiar en usted mismo, a creer en usted mismo. ¡Eso es importante en todos los aspectos de la vida!

Estas técnicas de autoayuda pueden asistirlo en todos los acuerdos financieros que usted haga en el futuro. Reducir o eliminar las deudas son sensaciones maravillosas. Saber que fue usted quien soportó toda la presión y se enfrentó al monstruo gigante de la codicia es directamente inspirador. Siéntase inspirado. Usted se lo ganó. ¡Ahora tome el coraje que adquirió y prepárese para construir su riqueza!

¿Ahora comprende por qué estas soluciones me hacen sentir tan bien?

Haga correr la voz. Dígale a todos los que conoce que simplemente llamen a todos sus bancos emisores de tarjetas de crédito y les soliciten que:

1. Les bajen las tasas de interés.
2. Les quiten las comisiones y sanciones.
3. Les aumenten el límite de crédito.

Eliminación de las deudas

Si tuviera que elegir un método favorito de *Curas Para Sus Deudas,* sería éste. La sola idea de eliminar las deudas del cien por ciento es una gran inspiración y un estímulo emocional. Podría asegurar que antes de leer este libro, el 99 por ciento de los lectores no tenía idea de que esto era siquiera posible. Espero que ahora el cien por ciento de los lectores les cuente a todos lo que saben.

Si su mejor amigo tiene una deuda de miles de dólares que podría sacarse de encima por completo, totalmente, cada centavo, PARA SIEMPRE, ¡él necesita conocer este método!

Quizás es usted quien está lidiando con una antigua deuda y un cobrador de deudas malhumorado que lo saca de las casillas. No se ponga fastidioso. Tranquilícese. Sólo piense en esta frase: existe la ley de prescripción. Las agencias intentan cobrar deudas falsas todo el tiempo. Pero ahora nosotros somos conscientes. Esta solución le otorga un beneficio doble: usted no tiene deuda que pagar y tiene la satisfacción de que el malvado cobrador de deudas no gane ni un centavo a costas suyas.

O, si la supuesta deuda aún no venció, sólo dígales que le envíen toda la información correspondiente a esta supuesta deuda, porque usted no está seguro de que sea suya. Usted no quiere pagar una deuda que no es suya. Algunos cobradores de deuda no siempre son confiables, así que es mejor que usted se proteja.

Reducción de las deudas

Bueno, tengo otro favorito. El libro *Curas Para Sus Deudas* le enseña a utilizar sus estados financieros como herramienta para reducir drásticamente las deudas. *Curas Para Sus Deudas* no trata acerca de la consolidación de las deudas. Esa técnica agrupa todas las deudas, pero no las hace desaparecer. ¡*Curas Para Sus Deudas* trata acerca de la eliminación y la reducción de las deudas y del auto-fortalecimiento! Está bien, guardaré el megáfono y los pompones, pero ésta es información valiosísima, y se justifica el entusiasmo.

Simplemente al preparar estados financieros básicos, o con una simple carta de dos líneas escrita por su contador público de confianza, usted tendrá en sus manos la herramienta más poderosa para demostrar cuál es su verdadero puntaje. Y usted es el vencedor. Prepare un simple balance general y un estado de resultados que muestre cuál es su capital contable y cuáles son los recursos reales que tiene para cancelar la deuda. Siga la fórmula descrita que lo llevará al éxito y demuestre con mucho tacto y de manera profesional qué es lo que tiene y lo que no. Usted no puede pagar lo que no tiene. ¡Observe cómo desaparece su deuda y logre que los acreedores y cobradores no vuelvan a molestarlo nunca más!

Prepare:

1. Un balance general
2. Un estado de resultados
3. Una carta que detalle su capital contable.

Fase dos

¿Adivine qué? Tengo un cuarto favorito. Es un cuádruple empate. Una abuela puede tener diez nietos y que todos sean sus favoritos, ¿no es cierto? A mí me sucede lo mismo con *Curas Para Sus Deudas*. Me entusiasma darle *Curas Para Sus Deudas,* ¡y aún quedan muchas otras por explicar! ¿Usted tiene préstamos estudiantiles y/o hipotecarios? Toda persona que haya conocido quiere saber cómo cancelar esa deuda a treinta años en la mitad del tiempo. Quédese tranquilo, ya llegaré a esa parte. Lo que realmente me entusiasma no es sólo solucionar el problema de las deudas, sino también compartir los pasos que puede dar para generar riqueza.

Curas Para Sus Deudas presenta un proceso que consta de dos partes. Usted puede —y lo hará— librarse de los miedos y de las deudas que hoy por hoy le hacen sentir como si lo arrastraran hacia el fondo. Una vez que haya tomado el control de su deuda y aprendido las detestables tácticas de la industria que lo envolvieron en esa deuda en primer lugar, usted no querrá volver a caer en el mismo laberinto de ratas. Usted quiere seguir adelante. Y lo hará.

El camino que le espera es el de la creación de riqueza. Existen cientos de testimonios de personas como usted que superaron los problemas de deudas y continuaron con el paso siguiente, el de la generación de riqueza. ¿Usted quiere ser uno de ellos? Ya me lo imaginaba.

Usted se hizo cargo de la difícil tarea de enfrentar sus deudas. Ahora merece un premio. ¿Programas de dinero gratis, por ejemplo? ¿Le resulta interesante? Incluso más fascinante es el hecho de que esos programas de dinero gratis son subvenciones que usted no tiene que devolver. Puede ser tan simple como hacer un llamado telefónico y llenar una solicitud. Se entregaron miles de millones de dólares a personas que todo lo que necesitaron saber fue a quién, cuándo y cómo preguntar. Ahora usted también lo sabrá.

Venceremos

La manera de sobreponerse al crédito malo es construyendo crédito bueno. Lo de deuda mala y deuda buena puede sonar confuso, pero se lo explicaré y, si usted está preparado, le contaré cómo conseguir una nueva línea de crédito de hasta un millón de dólares. Quizás usted estuvo considerando la posibilidad de emprender su propio negocio. Lo ayudaremos a saber cómo empezar.

Usted habrá notado que los métodos de *Curas Para Sus Deudas* no son difíciles. No requieren que usted tenga un título universitario ni que contrate a un abogado ni que corte en pedazos sus tarjetas de crédito. Las *Curas Para Sus Deudas* son recursos simples para el ciudadano estadounidense que está harto de que le roben.

Leticia estaba enterrado en deudas hasta hace no mucho tiempo. Tenía préstamos estudiantiles, un préstamo automotor, un préstamo hipotecario y cuentas de tarjetas de crédito. ¿Le suena familiar? Iba al trabajo todos los días pensando que todos los días sería la misma rutina, tratando de sobrevivir, viviendo de sueldo a sueldo. Leticia es exactamente el tipo de persona que puede beneficiarse con los métodos de *Curas Para Sus Deudas*. Siguiendo los sencillos pasos que detallamos aquí, ¡él puede reducir su deuda significativamente! ¡O incluso eliminarla! ¡Casi de la noche a la mañana! Son tantas las personas que piensan que eso no es posible, pero lo es, y es mucho más fácil de lo que jamás haya imaginado. Usted no tiene que sentirse atado al trabajo, ni tiene que ser esclavo de los acreedores. ¡Lo mejor es que usted puede solucionar los problemas que le generan las deudas y encaminarse a ser una persona rica!

Los métodos de *Curas Para Sus Deudas* son un pasaje hacia su futuro —un futuro de riqueza, de estabilidad y de confianza en usted mismo. ¡Enfrente su antigua deuda y ponga en práctica las técnicas para crear su riqueza!

Capítulo 22

Reconstruir el crédito

"Me hacen caer, pero vuelvo a levantarme. Nunca
podrás evitar que me levante."
Chumbawamba

Es posible que usted haya caído. Probablemente sentía que sus deudas eran una carga pesada que nunca desaparecería. Sin embargo, se vuelve a levantar. Los bancos, las compañías de tarjetas de crédito y el gobierno no podrán evitar que se levante. Puede liberarse de la esclavitud de las deudas y construir una riqueza duradera.

La mentalidad propuesta en este libro es salir de las deudas y acumular fortuna, no ofrecer un plan mágico para enriquecerse de la noche a la mañana. No tiene que ver con tratar de aparecer en un *reality show* y esperar que sus quince minutos de fama lo hagan millonario. Salir de las deudas y acumular fortuna no ocurre por casualidad, y no es demasiado difícil. Los métodos que leyó en *Curas Para Sus Deudas* ayudaron a miles de personas. Usted puede ser una de ellas.

Hasta ahora, se ha tratado básicamente el tema de las deudas. Se explicaron varias técnicas y soluciones para salir de ellas. Muchos creen que la palabra "deuda" siempre está asociada con la palabra "mala". No es así. Existen deudas buenas y deudas malas.

Dos pasos

Curas Para Sus Deudas es un proceso que consta de dos partes. La primera es liberarse de las deudas malas. Una persona que conoce el sistema y lo que hace el gobierno, los banqueros y los grandes prestamistas es una persona que puede vencerlos en su propio juego. No sólo se libera de la esclavitud de las tasas de interés, las estafas y los depredadores, sino que también puede avanzar. La vida es algo más que un surco del que tenemos que desenterrarnos. ¡Es una aventura que hay que disfrutar!

¡Deshacerse de las deudas le da poder! Se educó a usted mismo. Ahora tiene el conocimiento. Comprende que el proceso para liberarse de las deudas y acumular fortuna está compuesto de dos partes entrelazadas. Los métodos de *Curas Para Sus Deudas* lo ayudan a construir una fortuna si hace todo lo que se expuso.

Me gusta usar la analogía de un albañil. Metódicamente, paso a paso, el albañil mezcla la argamasa y coloca los ladrillos. Mezcla más argamasa y coloca más y más ladrillos. Al mantener este ritmo constante, apila suficientes ladrillos para crear un muro, un muro muy fuerte. No apiló ladrillos sueltos rápidamente y sin parar, uno arriba del otro, que pudieran caer fácilmente. No mezcló un poco de argamasa y se quedó sin hacer nada con ella. El albañil utilizó sus técnicas simples y, al seguir estos pasos uno después del otro, creó algo sólido. Construyó algo que puede durar.

Construya su propio muro

No sólo está aprendiendo a salir de las deudas, sino que está aprendiendo a *mantenerse* sin deudas. Ésa es la argamasa que mantiene los ladrillos unidos. Los ladrillos son los bloques sobre los que se construye la fortuna. Construir una fortuna es un proceso compuesto de varias tácticas fáciles. Si sigue las técnicas explicadas, puede crear un muro de ladrillos de fortuna, y el gran lobo malo de los bancos no podrá derribarlo.

Una parte de las técnicas inherentes a crear una fortuna es utilizar crédito. Tal vez a alguien que estuvo hundido en deudas le lleve un tiempo convencerse de que el crédito puede ser algo bueno. Casi cualquier millonario en los Estados Unidos le dirá que utilizaron el buen crédito para apalancar su camino hacia la cima. Para llegar allí, debe reconstruir su crédito. No hay ninguna varita mágica, sólo tiene que poner en práctica todos los pasos que se describieron en este libro. Técnicas simples y fáciles que harán que usted diga: "Bien, hablemos de buen crédito".

Buen crédito

Según la especialista en crédito Hazel Valera, el crédito es la razón principal por la cual la gente no puede avanzar en sus vidas. Le enseñé cómo reducir o eliminar las deudas para que pueda seguir adelante. Puede avanzar con serenidad al saber que no terminará una vez más en esa situación. Sabe cómo funcionan las instituciones prestamistas y ya no volverá a caer en sus trampas.

Algunas personas creen que nunca tendrán problemas de crédito si nunca lo utilizan. Están en contra del *establishment*, del gobierno y de las empresas estadounidenses, y por eso no quieren darle ni un centavo a los grandes bancos. Comprendo esa actitud, pero pagar siempre en efectivo no es la respuesta. Puede evitarle problemas de mal crédito, pero usted también necesita buen crédito. La mejor manera de estar en contra de los grandes bancos es jugar su juego y utilizar el dinero de ellos en lugar de que ellos utilicen el suyo. Tiene que jugar con el crédito de ellos.

La señora Valera también señaló que no utilizar crédito es perjudicial. A veces la gente cae en la trampa del mal crédito, pero también puede ocurrir lo contrario. El buen crédito atrae al buen crédito. Claro, puede pagar en efectivo para evitar tener un puntaje de crédito, pero eso no lo impulsará

> El crédito no es algo "malo" en sí mismo.

hacia adelante. Se quedará justo donde está. Tendrá la argamasa, pero no los ladrillos. *Curas Para Sus Deudas* es un libro para aquellos que quieren avanzar.

Las compañías de tarjetas de crédito y los grandes bancos creen que son los únicos que pueden jugar según sus reglas. No tenemos que transformarnos en aves de rapiña avariciosas, pero podemos espabilarnos y aprender cómo funciona el mundo para que no vuelvan a aprovecharse de nosotros. Utilizaremos algunas tácticas para sacar ventaja de lo que está a nuestra disposición.

Imagine las posibilidades

Muchas personas se deprimen cuando tienen deudas porque piensan que nunca saldrán de ellas. ¡No es verdad! Usted puede deshacerse de sus deudas actuales y avanzar hacia una vida de abundante fortuna. Puede tener un comienzo totalmente nuevo, un perfil económico nuevo. Puede empezar de cero.

Si tiene un buen puntaje de crédito, podrá obtener las mejores tasas de interés en todos sus préstamos: para su casa, para su coche y para sus tarjetas de crédito. Una vez que recupere su buen crédito, sabrá cómo mantenerlo. No vendo polvos mágicos. Existen varias maneras para reconstruir el crédito y lograr nuevamente una buena posición.

Tener un buen reporte de crédito le abre la puerta para acceder a toda clase de posibles empresas. Ahora podrá lograr cosas que creía que estaban fuera de su alcance. Sonará el teléfono y no tendrá miedo de contestar. Las llamadas que le reclaman el pago de las deudas pertenecen al pasado. Puede pagar el campamento de béisbol de su hijo y los frenos para su hija. Ya no tendrá que preocuparse por las pequeñas cosas que antes lo inquietaban. Tendrá todas las cuentas pagas y sentirá que tiene el control.

Tal vez quiso comprar una casa o cambiar el coche. Con su antiguo puntaje de crédito, le ofrecían las peores tasas y condiciones. Aprendió a limpiar su reporte de crédito malo y ahora puede cosechar las recompensas y construir un buen crédito.

A caballo

Hay que marcar esta sección con un gran asterisco. Las cosas cambiaron desde que se envió a imprimir la primera edición de este libro, pero, en lugar de borrar esta sección, quiero que sepan lo que existía y lo que nos quitaron. Es otro ejemplo irritante de cómo los peces gordos no quieren que progrese. Esto es lo que dije sobre el método de subirse a caballo del crédito de otra persona cuando se escribió el libro por primera vez (¡y después ellos cambiaron las reglas!):

"Una de las maneras más fáciles de mejorar su crédito es, nuevamente, un secreto que los bancos no quieren que conozcas. Cuanta más gente aprenda estos trucos, más gente mejorará sus puntajes de crédito, y todos sabemos que eso es malo para el negocio —para el negocio de los bancos, por lo menos. Un mejor puntaje de crédito significa que los bancos y las compañías de tarjetas de crédito absorben menos intereses y comisiones. ¡Hagámoslo!

"Si tiene un crédito pobre y necesita mejorarlo rápidamente, pídale a alguno de sus padres, a un familiar o a un amigo íntimo en quien confíe que lo deje subirse a caballo de su crédito. Lo que esto quiere decir es que le permita ser parte de su buen puntaje de crédito. Que lo dejen aprovecharse de su crédito por un tiempo.

"Obviamente, si su mejor amigo no tiene un buen crédito, no le pida el favor a él. Seguramente conoce a alguien que tenga un buen historial crediticio y que lo dejará agregarse a su cuenta. Así es como funciona.

"No tienen que emitir una tarjeta a su nombre. No tiene que hacer ningún gasto en la cuenta. Simplemente recibe el beneficio de su buen crédito porque agregarán su nombre a la cuenta, y pronto eso aparecerá en su reporte de crédito como "cuenta solvente". Si está intentando mejorar su crédito o necesita establecer su crédito, ésta es una manera fantástica de lograrlo."

Ahora borre eso. Todas las cosas buenas en la vida terminan y ésta es una de ellas. Desde que se imprimió este libro por primera vez, se eliminó este método, otra puerta que se cierra en su cara. La compañía de puntaje de crédito FICO decidió que los "usuarios autorizados", cualquier nombre que se agrega a una cuenta, no son en realidad usuarios autorizados —¿quiénes son ellos para tomar esa decisión?— y ya no se incluirán a estas cuentas como parte del puntaje de crédito de esa persona. Una injusticia.

Para todas las cuentas que tienen usuarios adicionales, ahora es: "Lo lamento, amigo, sólo el primer nombre de la cuenta obtiene el puntaje de crédito". Todos los jóvenes universitarios cuyos padres querían darles un empujón para que tuvieran un buen crédito, lo siento mucho, se acabó la suerte. Todas las viudas cuyos hijos devotos querían ayudarlas a que tuvieran crédito en su propio nombre, lo siento mucho, se acabó la suerte. Todos los cónyuges, generalmente mujeres, que se agregaban a la cuenta de sus esposos y creían que también recibían el beneficio de un buen crédito, lo siento mucho, se acabó la suerte.

Una vez más la persona inocente, el hombre (o la mujer) pequeño es quien sale perjudicado.

Los poderosos de FICO creyeron que la gente estaba aprovechándose de este método y que algunas personas que tenían buen crédito permitían que otras con mal crédito aparecieran como usuarios autorizados en sus cuentas a cambio de una comisión. Los gurús del crédito querían cancelarlo y, al hacerlo, crearon un lío muy injusto. Además, en realidad, ¿por qué debería importarles si un consumidor le paga a alguien para tener el beneficio de su buen crédito? Los consumidores pagan para mejorar su puntaje de crédito de muchas maneras distintas. ¡BINGO! Eso es. ¡Los peces gordos no quieren que los puntajes de crédito mejoren! Quieren mantener los puntajes y a usted abajo, para poder mantener las comisiones y las ganancias altas. Apuesto a que si encontraran la manera de hacerlo, dirían que no puede leer libros sobre cómo mejorar su puntaje de crédito.

Se canceló el método de subirse a caballo, tanto para aquellos que se subían al crédito de un miembro de la familia en quien confiaban o de alguien desconocido. (Según FICO, pagar para aprovecharse del buen crédito de otra persona es fraude, así que si usted pagó por ese servicio, quite su nombre de las cuentas. Si tenía buen crédito y permitió que alguien le pague para aprovecharse de su crédito, es momento de concluir esa práctica.) Los funcionarios de FICO calculan que el treinta por ciento de las personas que forman parte de su sistema tienen un usuario adicional en sus cuentas. Eso significa más de sesenta millones de personas afectadas por este cambio. ¿Sinceramente creen que sesenta millones de personas están pagando para que alguien les permita el privilegio de su buen crédito? Seamos realistas. No quieren que los puntajes de crédito suban, así de sencillo.

Ahora, con la nueva regla, el segundo usuario de la cuenta no tendrá a esa cuenta en su puntaje de crédito y, por lo tanto, su puntaje bajará. Dentro de esas sesenta millones de personas hay toda una generación de mujeres que son usuarios adicionales de las cuentas de sus esposos. Cuando se casaron, pusieron todo junto y el nombre del esposo iba siempre primero. Así era cómo funcionaba la sociedad. Ahora, eso significa que dichas mujeres acaban de perder su buen puntaje de crédito. Así es cómo funciona nuestra sociedad de crédito. Si estas mujeres se divorcian o enviudan, todos esos años de pagos en término no les servirán de nada. El sistema está arreglado en contra del ciudadano estadounidense honesto.

Déjeme recordarle una vez más que el conocimiento es poder. Esto es un ejemplo más de lo que no quieren que usted sepa, pero, ahora que lo sabe, el momento es ya. ¿El momento para qué? Para defenderse. Si usted, o alguien que conoce, aparecen como el segundo nombre en una cuenta, es momento de tener crédito a su propio nombre. A los ojos de los que juzgan el crédito, cada hombre y cada mujer tiene que valerse por sí mismo.

Haga que su esposa o su estudiante universitario saquen una tarjeta de crédito a su nombre. Hagan algunas compras pequeñas y páguenlas rápidamente para establecer un buen historial de pagos. Abrir la cuenta no es suficiente, es necesario que haya movimientos en la cuenta para que ingrese al sistema de puntaje de crédito. La próxima vez que compren un coche debería estar a nombre de ella, aunque tenga que ser el cofirmante. O que saque un pequeño préstamo personal en el banco y, por supuesto, haga los pagos a tiempo. Esto establecerá un buen puntaje de crédito a su nombre y no a caballo del crédito de otro.

Estoy de acuerdo en que este cambio que hizo FICO y que los bancos y las compañías de tarjetas de crédito recibieron de brazos abiertos no es justo. Los peces gordos no juegan limpio. El sistema está armado a su favor y para mantener al público estadounidense bajo su control. Es todo parte de la gran estafa de nuestro país. Millones de personas, especialmente mujeres, se verán afectadas cuando sus puntajes de crédito caigan en picada, no por algo que hicieron, sino simplemente porque cambiaron las reglas.

Una agencia de crédito comenzó a usar los cálculos ajustados de FICO a fines de 2007, y las otras dos agencias comenzarán en 2008. Tome las riendas ahora y ayúdese a usted mismo y a los que conoce a establecer ya mismo un buen historial de crédito a su nombre.

¡Consigue quinientos dólares (o más) de crédito al instante!

¡HOY puede tener efectivo en sus manos!

Hablando de frustración... Le dije: "Si tiene deudas en su tarjeta de crédito, si no puede obtener una tarjeta de crédito, puedo decirle de qué manera obtenerla al instante. Podría tener una tarjeta de crédito y quinientos dólares en efectivo al instante".

Le dije cómo hacerlo. Lo podían agregar a la cuenta de alguien y en una semana tendría una tarjeta en las manos y podría conseguir efectivo y, por supuesto, gozar del beneficio de ese buen crédito que mejoraría su puntaje de crédito. No era magia, pero era algo tan bueno como un milagro: más allá de su situación de crédito, podía obtener crédito al instante si utilizaba el método de subirse a caballo del crédito de otro. Escribí: "Ayer le preocupaba su reporte de crédito. Hoy está dando los pasos para mejorar el puntaje de crédito, ¡y HOY mismo puede tener crédito instantáneo!". No sabía que iba a tener que decir: "Mañana este gran método no existirá más". Sé que las cosas cambian rápido, pero el momento que FICO eligió para hacer este cambio en los puntajes es, al menos, exasperante e irritante. Apenas se había secado la tinta de la primera impresión del libro cuando los pesos pesados tuvieron esta gran idea.

Cofirmar: ¡Efectivo y crédito al instante para usted!

Cofirmar un préstamo es un excelente contrarrestar a la desaparición del método de subirse a caballo del crédito de otro. Si su cónyuge era un usuario autorizado en su tarjeta de crédito, que ahora sea cotitular de su cuenta. Intente hacer esto también para su madre y el estudiante universitario o amigo si la compañía de tarjetas de crédito lo permite. Quitaron el método de subirse a caballo del crédito de otro, pero cofirmar cumple el mismo propósito. Este método es igual de fácil y rápido, y todo es posible si hablamos de dólares.

¿Creyó que nunca podría obtener un préstamo con el estado de su reporte de crédito actual? ¡Piénselo mejor! Si necesita diez mil dólares en efectivo ahora mismo, puede tenerlos. ¡Prácticamente de la noche a la mañana!

Puede obtener un préstamo, y tener quinientos, mil, cinco mil o hasta diez mil dólares en efectivo en las manos. No olvide que su reporte de crédito malo es algo temporal. Mientras lo mejora, no tiene que quedarse de brazos cruzados. Existen maneras de obtener efectivo al instante, y ésta es una manera fabulosa de lograrlo. El amigo íntimo o el familiar que iba a dejarlo subirse a caballo de su crédito puede cofirmar un préstamo con usted y ayudarlo a crear fortuna e independencia económica. Ellos —los bancos— no prohibieron cofirmar los préstamos.

Un consejo que ya conoce: sólo sea cofirmante con alguien responsable y que tenga un buen historial crediticio. Cuando cofirma con alguien, comparte la deuda. Si uno no paga, el otro es responsable. Esto implica más riesgos que simplemente agregar a alguien a una tarjeta de crédito. Se recibe dinero real que hay que devolver mientras que con la tarjeta de crédito no tiene que acceder a la cuenta si no lo desea.

Ya se lo advertí: pedirle a alguien que sea cofirmante en un préstamo no es algo que haría en una primera cita.

> —La pasé muy bien hoy. La cena estuvo fantástica. Muchas gracias. ¿Podemos volver a vernos?

> —Bueno, ¿qué te parece encontrarnos en el banco mañana? Firmamos unos papeles, eres cofirmante en un préstamo conmigo. Después vamos a almorzar.

No lo sé. Tal vez si ella dice que sí, estaban hechos el uno para el otro.

Actúe con inteligencia. Si alguien le pide que sea su cofirmante, hágalo sólo si sabe que puede confiar en que devolverá el préstamo. Si no paga, el banco o acreedor va a pedirle a usted que haga el pago. Por lo general, sólo hable de dinero con amigos íntimos y familiares, personas en las que confía. Estar juntos en un préstamo es una gran manera de ayudar a su estudiante universitario o a su madre que nunca tuvo un crédito a su propio nombre o a su mejor amigo que está pasando por dificultades económicas. Necesitan el préstamo a nombre de ellos, pero como no tienen historial crediticio, el banco no quiere darles un préstamo. Si no puede obtener un préstamo, una persona no puede establecer un historial crediticio. Es un gran círculo vicioso.

Que su cónyuge saque el préstamo para el coche a su nombre, aunque usted tenga que ser cofirmante y hacer todos los pagos. El juego consiste en que cada persona tenga crédito a su nombre, y el objetivo es tener buen crédito.

Cofirmar es una gran manera de construir crédito, y funciona en ambas direcciones. Por ejemplo, cuando Eduardo estaba comenzando y no tenía crédito, no podía sacar un préstamo. Su padre aceptó ser el cofirmante en el préstamo para el coche de Eduardo. El banco sabía que si Eduardo no pagaba, su padre lo haría. Eduardo pagó y, al hacerlo, construyó su historial crediticio. Y esto es lo que Eduardo logró.

Pasaron los años y los bancos y las compañías de tarjetas de crédito clavaron las garras en Eduardo, que ahora estaba casado, tenía una casa e hijos y todas las cuentas que eso implica. A veces la vida real puede meterse en el medio y se termina pagando tarde alguna cuenta. El puntaje de crédito se ve afectado. Esta vez, Eduardo tenía crédito establecido, pero quería mejorarlo. Su padre aceptó cofirmar otro préstamo para un coche, y con esta cuenta solvente Eduardo pudo reconstruir su puntaje de crédito. Cada cuenta solvente contrarresta la que necesita ayuda.

Actualizaciones frecuentes

Su reporte de crédito y, por lo tanto, su puntaje de crédito no se actualizan a menos que haya actividad. Usted no quiere que haya viejos datos malos allí. Póngase en movimiento y genere buenos datos. Que la cuenta se mueva todos los meses.

> Utilizar crédito ayuda a construir buen crédito.

Utilizar crédito ayuda a construir buen crédito. Para que se genere un puntaje de crédito, necesita tener actividades para encenderlo y necesita tener crédito, por lo menos, durante seis meses. Tiene que haber un período para mostrar un historial y un patrón de pagos. Esto creará un patrón de crédito que muestra pagos constantes y en término. Una tarjeta de crédito en la que no hay movimiento no genera esto. Solicite una tarjeta de crédito, haga una pequeña compra mensual y páguela en término todos los meses. ¡No quiere pagar intereses! Tener una actividad regular significa que el reporte de crédito se actualiza todos los meses.

Uno de los trucos para el reporte de crédito es pagar siempre en término. Es muy fácil que pase el tiempo y pague una cuenta tarde. A todos nos pasa. Dejamos las cuentas en la mesa de la cocina o del vestíbulo. La pila de "a pagar" termina enterrada bajo otras cartas o el proyecto de ciencias de su hijo, y para cuando se acuerda, hace un pago fuera de término. Así es cómo nos atrapan. Un pago fuera de término y todo el puntaje de crédito se va a la basura. Y las tasas de interés suben, suben, suben.

Préstamos en cuotas

Sí, me doy cuenta de que puede sonar raro decirle que saque un préstamo, pero los puntajes de créditos se computan según varios criterios. Uno de ellos es que tenga distintos tipos de préstamos, no sólo tarjetas de crédito. Una vez que tiene una tarjeta de crédito y un nuevo crédito encaminado, un pequeño préstamo en cuotas no es mala idea. Pida prestada una pequeña suma de dinero en su banco o cooperativa de crédito y mantenga el préstamo por uno o dos años. No quiere pagar muchos intereses, sólo quiere crear un nuevo patrón de pagos.

Éste puede ser un caso en el que necesite un cofirmante para obtener el préstamo, así que elíjalo con prudencia. Será como tener un reporte de crédito conjunto para este préstamo en particular, y nuestro objetivo aquí es lograr un reporte de crédito espectacular.

Tarjeta de crédito asegurada

Si no puede obtener una tarjeta de crédito común, puede pensar en una tarjeta asegurada. Es una opción si no tiene crédito o tiene mal crédito. La tarjeta de crédito asegurada está garantizada porque usted hace un depósito en el banco y, básicamente, el banco deja que lo pida prestado de vuelta. Como sólo las personas con mal crédito sacan este tipo de tarjeta, hay muchos sinvergüenzas que intentan dar estas tarjetas a las personas de las que piensan que pueden aprovecharse y cobrar intereses y comisiones muy altas. Vaya a una cooperativa de crédito conocida y de confianza. Utilice la tarjeta prudentemente y asegúrese de hacer los pagos mensuales en término.

Solicite una tarjeta que pueda transformarse en una tarjeta de crédito común si demuestra ser solvente después de un año de utilizar la tarjeta asegurada. Lo más importante: confirme con la cooperativa de crédito que presenten los datos a las agencias de reporte de crédito. Si no lo hacen, no saque la tarjeta. El único motivo por el cual quiere la tarjeta es para construir crédito. Si no va a aparecer en su reporte de crédito, no vale la pena.

Estudiantes universitarios

Ya me referí a las prácticas abusivas y depredadoras que utilizan las compañías de tarjetas de crédito y los grandes bancos, cuyo blanco principal son los estudiantes universitarios de la nación.

Podemos adelantarnos y ayudar a nuestros hijos a ser consumidores inteligentes. Tienen que saber cómo son las cosas en realidad; no podemos dejar que durante el fin de semana de orientación de la facultad los sujetos de los puestos los engañen y les ofrezcan pelotas de playa y mochilas. Los universitarios son el blanco número uno de estos depredadores que, literalmente, les arrojan las tarjetas en la mano. Crédito instantáneo significa reporte de crédito instantáneo. Enséñele al joven adulto a utilizarlo con prudencia y lo que esto significa para su futuro éxito económico.

Hay tarjetas de crédito para estudiantes universitarios que se llaman "tarjetas para estudiantes". No son como las que mencioné antes que permiten que los estudiantes gasten más de lo que pueden pagar y que terminen la universidad ya hundidos en deudas. Las tarjetas para estudiantes exigen que los padres sean cofirmantes, y suelen tener un límite de crédito de no más de mil dólares. La idea es que los estudiantes se acostumbren a tener una tarjeta de crédito, aprendan a ser consumidores responsables y todavía cuenten con una red de seguridad. Es como una tarjeta de crédito de práctica, y para aplicar, tienes que buscarla bien. Esta tarjeta puede ser una buena manera para que un estudiante establezca un reporte y un puntaje de crédito.

Entregue el regalo del buen crédito

Las tarjetas de crédito comunes que los estudiantes sacan en las escuelas pueden servir para lo mismo, si aprenden a usarlas con prudencia. Los padres hablan de muchas cosas con sus hijos durante el crecimiento, y explicarles la manera de utilizar el crédito es tan importante cómo contarles de dónde vienen los bebés y aconsejarles que le digan "no" a las drogas. Los padres deben aprender sobre la industria de las tarjetas de crédito y educar a sus hijos al respecto.

El regalo que sigue dando frutos

No hay mejor regalo que ayudar a alguien con su bienestar económico. Si les enseña a sus hijos la manera de evitar las trampas que les esperan en la industria de préstamos de consumo, pueden vivir sin deudas y construir una fortuna.

Para sus amigos y su familia, y para usted también, no hay mejor regalo. El dinero no crece en los árboles. Crece porque aprendimos a tomar decisiones inteligentes y a defendernos de las compañías de tarjetas de crédito, los bancos y las compañías hipotecarias. Son el veneno, las malas hierbas que quieren interrumpir la prosperidad. Sólo la quieren para ellos.

Los pasos y técnicas que se describen en *Curas Para Sus Deudas* son como el herbicida o como el antídoto para el veneno de la víbora. No estamos destinados a estar bajo su poder.

Estamos destinados a la fortuna.

Capítulo 23

Construir más fortuna

"Nadie está destinado a vivir una vida sin fortuna."
S. Ross Ingram

Ya conoce muchas técnicas para construir su fortuna. Cada paso que toma para reducir o eliminar sus deudas es un paso hacia la fortuna. Tome esas ideas y construya sobre ellas.

Aprendió que puede pagar la misma cantidad de dinero en la hipoteca de su casa todos los meses, pero si divide esos pagos en cuotas semanales, se ahorrará miles de dólares y reducirá notablemente el plazo de duración de la deuda. Es asombroso, sencillo y un gran paso para acumular fortuna. ¡Utilice la misma técnica para pagar sus préstamos estudiantiles! ¡Y sus préstamos automotores! ¡Y cualquier préstamo bancario! Sólo asegúrese de que no haya multas por pagar por adelantado y se encaminará hacia una vida sin deudas.

Utilice su poder para hacer el bien

La capacidad de pedir prestado es poder; y usted tiene el poder, no los bancos ni las compañías de tarjetas de crédito. Hágalos trabajar para usted. Ya se observó que están ansiosos por atacar, por lo que debe manejar su crédito con cuidado. Quieren que utilice mal su crédito. Quieren algo de usted todos los meses, mes tras mes tras mes. El

271

negocio de los prestamistas, las compañías de las tarjetas de crédito y los grandes bancos es aprovecharse, y buscan toda oportunidad para hacerlo. No se las dé.

Muchos estadounidenses utilizan el crédito para comprar cosas que no aumentan su valor. Si utiliza el crédito para comprar artículos que se deprecian, entonces paga durante varios meses por algo que tiene cada vez menos valor. Así no es como deben funcionar las inversiones.

A menos que compre uno de colección, la mayoría de los coches pierden valor apenas los empezamos a usar. Mi consejo es que compre un coche que tenga uno o dos años y, si no puede pagarlo inmediatamente, termine de pagarlo lo más pronto que pueda.

Inversiones inteligentes

Ropa, zapatos, muebles, vacaciones, restaurantes, todos estos productos suelen comprarse utilizando crédito, y termina pagando hoy por algo que comió el mes pasado. El mejor uso del crédito es utilizarlo para cosas que aumentan de valor: propiedades, acciones, bonos, obras de arte. Existe la posibilidad de ganar mucho cuando se compran artículos que se revalorizan. Por ese motivo, su casa es una magnífica inversión. Es su refugio en muchos sentidos. Con ella, crea recuerdos y, también, fortuna.

El autor de *"Padre rico, padre pobre"*, Richard Kiyosaki, dice que la mejor inversión que puede hacer es en usted mismo. Al leer y aprender hace exactamente eso. En qué invierte su tiempo es tan importante como en qué invierte su dinero.

Idea brillante

Una táctica poco conocida para acumular fortuna es utilizar una corporación. Puede liberarse de los problemas de las deudas y el mal crédito al empezar su propia corporación. Veo ese ceño fruncido. No me volví loco. Usted puede tener una corporación. Sí, usted.

¿Por qué formar una corporación? ¡Puede hacer borrón y cuenta nueva! Empieza un nuevo historial crediticio, tiene muchas ventajas impositivas y protege sus bienes personales. Además, ¡tiene la posibilidad de obtener una línea de crédito de un millón de dólares! ¿Cree que eso sería posible si fuera simplemente usted?

Si tiene mal crédito, puede empezar de nuevo en este mismo instante y encaminarse hacia la fortuna. Crear una compañía no es tan aterrador como algunas personas creen. Los beneficios valen la pena. Tener su propia compañía tiene muchos beneficios y lo mejor de todo es que puede acceder a una gran línea de crédito. Eso significa que no tendrá que hacer una gran inversión de su bolsillo.

No es difícil

Supongamos que actualmente está en el proceso de mejorar su puntaje de crédito personal. Un individuo y una empresa tienen historiales crediticios separados. Puede comenzar una compañía e inmediatamente tener un crédito excelente.

> ¡Si crea una compañía, obtendrá un nuevo historial crediticio!

Crear su propio negocio no tiene por qué ser un proceso largo y que requiera mucha mano de obra. Usted, como único dueño de su empresa, puede crear muy fácilmente una corporación o una sociedad de responsabilidad limitada (LLC, por su sigla en inglés). No necesita socios ni inversores.

Al constituir una sociedad, puede aprovechar las ventajas de las leyes de impuestos corporativos. Puede crear una sociedad sin un abogado, y el costo de los formularios y demás trámites suele ser menor a quinientos dólares. Sin embargo, es prudente tener un abogado o asesor financiero que le ayude.

Ideas

El primer paso para formar una corporación y comenzar a ganar dinero es obvio: necesita tener un negocio. Tal vez ya tiene uno, como paseador de perros o un salón de belleza. Tal vez hace arreglos en la casa o es pintor. Tal vez siempre soñó con empezar su propio negocio. Ahora es el momento perfecto. Hace años que Eduardo tiene el *hobby* de reconstruir relojes antiguos. Ahora decidió transformar su *hobby* en un negocio legal.

Creo que fue la escritora Joyce Carol Oates quien una vez dijo: "Las ideas vienen de los lugares más locos". Deje que sus ideas fluyan. Cuando está recién comenzando, pensar en todas las posibilidades puede parecer abrumador porque son infinitas. Con un negocio, puede expandirse en muchas direcciones y aun así disfrutar de la protección general de ser una corporación. Eduardo puede terminar poniendo en práctica toda clase de ideas brillantes. Si algún día empieza una nueva división de arreglo de relojes, no afectará su departamento de reconstrucción de relojes antiguos. Con una corporación, puede tener distintas actividades bajo un solo techo corporativo.

Historial crediticio corporativo

Su empresa tiene un número de identificación personal de contribuyente y no utiliza su número de seguro social. Si el historial crediticio que corresponde a su número de seguro social no es demasiado bueno, reconstruir un nuevo perfil de crédito es más fácil de lo que piensa. El historial crediticio corporativo utiliza el número de identificación de la empresa, y el puntaje de crédito está totalmente separado.

Los puntajes de crédito corporativo funcionan de la misma manera, pero tienen un sistema de numeración diferente. Un puntaje de ochenta se considera excelente —equivale a un puntaje de crédito personal de ochocientos. Se aplican las mismas tácticas de responsabilidad: pagar en término, no utilizar todo el crédito disponible, etcétera. Hay muchas agencias de puntaje de crédito corporativo. Dun & Bradstreet es probablemente la más conocida.

El comienzo

Una corporación nueva crea un nuevo historial crediticio al obtener crédito a su nombre. A veces los bancos dudan antes de prestar dinero a una compañía nueva. Como con los individuos, el banco quiere ver el registro de sus antecedentes de pago. Si recién comienza, aún no hay registro.

Hay compañías creadoras de crédito en Internet que ofrecen los datos de negocios que le dan crédito inmediatamente, así puede establecer crédito a nombre de su compañía rápidamente. Tal vez necesita insumos de oficina, una tarjeta de crédito corporativa o algún otro servicio; este tipo de creación de crédito lo conectará con compañías que pueden satisfacer estas necesidades básicas de los negocios a la vez que le permiten construir un historial crediticio. Todo lo que necesita es esa primera oportunidad para construir el crédito y el resto es una consecuencia de ello.

Sueñe en grande

Tal vez nunca se le había ocurrido tener su propia compañía hasta que lo leyó aquí. Deje que la idea se asiente. No piense automáticamente que es demasiado complicada. No lo es. Los métodos que son parte de las soluciones propuestas en este libro se centran en la idea subyacente de que usted tiene el control. Al tomar control de sus deudas y enfrentarse a las compañías de tarjetas de crédito, debería sentir una sensación de poder y lograr una actitud de "puedo hacerlo".

Esa misma actitud se traslada a la construcción de la fortuna. Al aprender los secretos que no quieren que sepa, no sólo sale de las deudas, sino que también tiene la capacidad de aprovechar el crédito, el dinero del banco, para construir su fortuna.

Todas las corporaciones comenzaron de cero sin crédito, sin historial. Prácticamente todas las corporaciones fuertes crearon un perfil crediticio sólido al poner en práctica los métodos que usted aprendió. Métodos fáciles como pagar sus cuentas en término, no utilizar todo el crédito disponible y los demás consejos que también sirven para los individuos. Lo bueno de tener una corporación es que tiene más potencial que un individuo.

> Una corporación con un perfil crediticio sólido tiene como recompensa líneas de crédito altas.

Una corporación con un perfil crediticio sólido tiene como recompensa líneas de crédito altas. No es una exageración que alguien que crea un registro crediticio nuevo por medio de una corporación puede obtener un millón de dólares en crédito o incluso mucho, mucho más.

Más beneficios

En general, las tasas de interés de las tarjetas de crédito corporativas son más bajas que las tasas de interés que paga en sus tarjetas de crédito personales. La empresa tiene, también, la ventaja de poder deducir los intereses en su declaración de impuestos como gastos corporativos. Además, cuando un negocio utiliza crédito para comprar algo, suele ser para algo que le dará dinero a la compañía y, al hacerlo, se paga solo.

Susana decidió abrir un salón de belleza para perros. Con una tarjeta de crédito corporativa o una línea de crédito, compró lavabo y rociador nuevos. Al tener mejores equipos, puede hacer el trabajo de una manera más eficiente y acicalar más perros. Gana más dinero y puede pagar el lavabo muy rápido.

Los primeros pasos

Solicite una cuenta corporativa en el banco. Muchas personas mezclan los fondos personales con los de negocios. Es una mala idea. Mantenga las cuentas separadas. Probablemente se pregunte cuáles son los primeros pasos que debe dar para empezar. Como dice una famosa empresa de calzado deportivo, simplemente hágalo.

Algo de esfuerzo puede transformarse en la capacidad de tener un millón de dólares a su disposición. Oigo su pregunta: "¿Por dónde comienzo?" Primero, busque bajo los almohadones del sofá y en los bolsillos de la chaqueta monedas o billetes perdidos. Deposite las monedas que guarda en la jarra de la cocina. Luego, abra su mente y sea creativo.

¡$10,000 EN 24 HORAS!

Pedir prestado

Pídase prestado a usted mismo. Si lo tiene, úselo. El efectivo que tenga en el banco, lo que tenga en acciones o cualquier inversión le servirá para comenzar su compañía.

Pídale prestado a amigos y familiares. A menudo hay algún amigo en quien confiamos que ve las posibilidades cuando los demás eligen sentir el miedo. Si esta persona cree en usted lo suficiente como para prestarle algo de dinero, ¡tiene que creer en ella! Como se mencionó anteriormente, el dinero que pide prestado a amigos y familiares no afecta su reporte de crédito y no le cobran intereses exorbitantes.

Pida prestado con algo que tenga. Si tiene algo de valor, puede ponerlo como garantía para obtener un préstamo. Puede obtener un préstamo personal utilizando su coche como garantía. Si no paga el préstamo, el banco le quita el coche.

Garantía hipotecaria

Pida prestado utilizando su casa como garantía. La casa suele ser su mayor inversión y su mayor bien. Puede obtener un préstamo o una línea de crédito con garantía hipotecaria y utilizar el efectivo para construir el capital contable de su negocio. Las tasas de interés suelen ser buenas y, una vez más, los intereses son deducibles de impuestos.

Utilizar su casa como garantía hipotecaria es rápido y fácil y puede significar una gran cantidad de efectivo. La mayoría de los prestamistas le permiten pedir prestado el monto del valor líquido que posee de su casa. Para calcular el valor líquido, tiene que conocer el valor actual de la casa, no el precio que pagó por ella. Averigüe el precio razonable de mercado de su casa y réstele lo que aún deba de la hipoteca. Si tiene una segunda hipoteca o algún otro préstamo sobre la casa, también réstelos. Si terminó de pagar la hipoteca, tendrá un cien por ciento del valor líquido de la casa, pero la mayoría de nosotros aún la está pagando.

La casa de Eduardo y Susana ahora vale 350 mil dólares. Tienen un saldo en la hipoteca de 225 mil dólares. El valor líquido que tienen es de 125 mil. El banco les permitirá sacar un préstamo por el 75 por ciento del valor estimado menos lo que aún deben. Algunos bancos permiten utilizar el cien por ciento del valor de la casa menos el saldo de la hipoteca.

Valor actual de la casa: $350 000 x 75% =	$262500
Saldo que aún deben de la hipoteca:	<u>$225000</u>
Límite de préstamo con garantía hipotecaria:	$ 37500

¡Es una buena suma de dinero para comenzar un negocio!

Otras opciones

Si tiene un certificado de depósito (CD) en el banco, puede volver a pedir prestado el dinero y devolverlo con una tasa de interés muy buena. Si tiene acciones, no es necesario que las venda. Puede pedir un préstamo por el cincuenta por ciento del valor de esas acciones. Si tiene pólizas de seguro de vida, puede pedir un préstamo por el valor en efectivo de la póliza.

Hay también otras opciones: capital de riesgo, la Agencia Federal para el Desarrollo de la Pequeña Empresa y los "ángeles". Llegaré a ellos en el capítulo sobre dinero gratis.

Utilice la creatividad

No me diga que no es creativo. Sé que sí. Tiene una veta creativa o no seguiría leyendo este libro. Está interesado. Sabe que puede hacerlo. A veces lo único que se necesita es un poco de aliento.

Cofirmantes

Tal como se explicó cuando hablamos de crédito personal, puede utilizar muchas de las mismas técnicas para obtener dinero en efectivo ahora mismo. ¡Consiga un cofirmante para un préstamo! Eso significa efectivo de inmediato. Con la ayuda de un cofirmante que tenga buen crédito, puede obtener buenas tasas de interés y mejores términos y comisiones. ¡Puede tener diez mil dólares hoy mismo!

Fondos no cobrados

Una manera poco conocida de conseguir efectivo rápido es encontrar fondos no cobrados que usted no sabía que tenía. En Internet hay bases de datos con listas de reembolsos que se deben. Oprah trató una vez este tema en su programa, y se calcula que a nueve de cada diez personas se les debe algo de dinero. Estos sitios web afirman que hay cuatrocientos mil millones de dólares en dinero no reclamado que pertenece a los estadounidenses.

Según estos sitios web, el estado de New York tiene cuentas de bancos y depósitos de seguridad sin reclamar por un total de más de cinco mil millones de dólares, y California tiene más de tres mil millones de dólares que pertenecen a otras personas. El Tesoro de los Estados Unidos tiene antiguos bonos de ahorros no canjeados que suman 1,3 mil millones de dólares. American Express tiene fondos extras de 3,8 mil millones de dólares por todos los cheques de viajero que se emitieron y no se cobraron. El Servicio de Impuestos Internos (IRS por sus siglas en inglés) emitió reembolsos de impuestos a través de los años por un total de 25,6 millones de dólares, y estas personas no cobraron sus cheques de reembolso.

Tal vez hay dinero que le pertenece. Muchas veces son pequeños reembolsos de fabricantes que no llegaron a sus manos, pero de todos modos es su dinero. Hay dinero gratis esperando ser cobrado. Tal vez una parte le pertenece a usted.

Susana buscó fondos no cobrados en Internet. Descubrió que Bed, Bath and Beyond le debía 230 dólares. Cobró el efectivo y lo agregó a su negocio de belleza para perros. Todos los cheques suman algo.

Empresario

Muchas personas ponen el carro delante del buey. Ofrecen un producto o servicio sin comprender si realmente existe la necesidad o deseo de ese producto o servicio. La oferta y la demanda tienen sentido, así que utilícelas a su favor. Lo que demande la gente, eso es lo que quieres ofrecer. Muchas veces algunas personas creen que tienen un artículo genial y luego tienen que gastar su energía tratando de que la gente lo quiera para crear la demanda. En realidad, debe funcionar al revés.

Hay una vieja historia sobre un arquero ruso. Era un hombre pequeño que no hablaba mucho, pero era conocido en el pueblo como el mejor tirador. Era increíblemente preciso con el arco y la flecha, siempre daba en el blanco. Los árboles del bosque estaban marcados con círculos de tiro al blanco, y sus flechas estaban siempre justo en el centro del círculo. El zar de Rusia pasó por esa pequeña aldea y vio los blancos con las flechas justo en el medio. Pidió hablar con ese arquero asombroso.

¡Puede conquistar la deuda y crear fortuna!

—¿Cómo puede ser que siempre des en el blanco?

—Es simple, —respondió el arquero—. Disparo la flecha y luego dibujo el círculo.

En el blanco

Hoy el mundo está lleno de gente que quiere ganar dinero rápidamente a través de eBay. Suelen tener un enfoque equivocado. La mayoría de las personas registran su casa, garaje, ático y sótano en busca de cosas de las que puedan deshacerse y se imaginan miles de dólares bailando a su alrededor. Nadie quiere su basura.

Algunos compran cantidades enormes de porquerías inútiles y esperan venderlas y ganar algo. Así, se quedan clavados con dos mil rascadores de espalda de plástico rosa cuando se dan cuenta de que no tienen demanda.

No caiga en esa trampa. Primero debe determinar cuál es la demanda y luego ser quien pueda satisfacerla. ¿Qué están buscando los compradores en eBay? Eso es lo que usted quiere vender. Encuentre qué es lo que buscan las personas. Encuéntrelo por ellas y obtendrá ganancias.

Puede tener la colección completa de los Bee Gees en vinilo en perfecto estado, pero, si no tiene demanda, su oferta se quedará ahí. Si lo que todos buscan son los discos de Joan Baez, encuéntrelos rápido y baratos y véndaselos al público que los demanda.

El éxito

Así es cómo trabajan las personas exitosas. Ven dónde hay una necesidad o un deseo y lo satisfacen. Puedo disfrutar al hacer bufandas, pero, si vivo en Miami, no habrá mucha demanda para mi oferta. Ahora, si llegan muchas personas con sus perritos, puedo ser inteligente como Susana y comenzar un negocio de belleza para perros.

El *hobby* de Eduardo de reparar relojes antiguos puede ser un negocio exitoso porque hay poca gente que sepa hacerlo. Hay una necesidad, una demanda. Eduardo puede satisfacerla. Para ser exitoso, necesita concentrarse en lo que buscan las personas, en lugar de tratar de convencerlos de que lo que realmente necesitan es una agarradera de lana que aprendió a hacer después de comprar mucha lana con descuento, esperando, sin éxito, poder venderla en eBay.

Usted puede hacerlo

Cuando comenzó a leer este libro, es posible que se sintiera algo deprimido. Es posible que se haya interesado en *Curas Para Sus Deudas* porque tenía deudas que necesitaba eliminar. Ahora puede ver que sus deudas se transformaron en una pesadilla porque el gobierno federal permitió que los bancos y las industrias de tarjetas de crédito jugaran. El problema no sólo es que les permiten hacer lo que quieren con nuestro dinero, sino que les permiten hacer lo que quieren con nuestras vidas.

No tenemos que dejar que eso ocurra. Los secretos sobre los que se apoya la industria ahora ya fueron revelados. Cuando la verdad sale a la luz, podemos aprovecharla y dejar de ser los peones en sus juegos de dinero.

Es liberador. ¡Ya no será esclavo de los bancos! ¡Ya no será esclavo de las deudas! Utilizando los conceptos expuestos en *Curas Para Sus Deudas*, usted tiene ventaja. Puede liberarse por completo de las deudas y puede construir su fortuna.

Apuesto a que cuando comenzó a leer la página uno, nunca soñó que esto sería posible. Ahora sabe que los acreedores no pueden controlarlo. Puede comenzar de nuevo con un crédito perfecto. Al utilizar el conocimiento y el poder, puede acceder a dinero y hacer realidad sueños que nunca se atrevió a soñar.

Usted puede hacerlo. Quiero saber todo sobre sus logros. Póngase en contacto con success@debtcures.com —y sé que ya ojeó el último capítulo, así que, sin más demoras, ¡quiero contarle sobre el DINERO GRATIS!

Capítulo 24

¡DINERO GRATIS!

"No cambiaría mis horas de ocio por toda la riqueza del mundo."
Conde de Mirabeau

¿Por qué deseamos tener fortuna? ¿Sólo para ser ricos? No.

Piénselo.

Queremos liberarnos de las presiones de la lucha de la vida diaria, en la que lo único que hacemos es levantarnos de la cama, ir a trabajar, pagar las cuentas y, al día siguiente, volver a levantarnos y hacer otra vez lo mismo. Queremos la libertad de no tener que preocuparnos por el dinero más de lo que queramos. ¿Tiene sentido?

Si tiene dinero para pagar las cosas básicas de la vida y además tiene ahorros y puede ahorrar para su retiro y pagar la educación de sus hijos, irse de vacaciones y tiene algo extra para invertir, es rico. Los signos de dólar y la cantidad de ceros no importan. No tiene que ponerse un objetivo de cuánto dinero quiere; el objetivo es vivir libre de las preocupaciones del dinero.

Encontrar la solución para sus deudas es lo mejor que puede hacer por su vida en general. Poder levantarse cada mañana y no sentirse inundado por el temor es una señal de que es rico. Además, es saludable. Cuando es libre para tomar decisiones según sus sueños y no según lo que le debe al banco o a la compañía de tarjeta de crédito, es rico. Cuando realmente tiene horas de ocio para disfrutar con su familia y sus amigos, perseguir los deseos de su corazón, realmente es rico.

283

Salir de las deudas y crear una fortuna es el objetivo de este libro. Los conceptos que se explicaron son fáciles de seguir. Miles de personas salieron de su rutina y ahora viven la vida de sus sueños. Usted también puede hacerlo.

Dinero gratis

Tiene que saber que hay dinero a su alcance y disponible para que usted lo use, dinero *gratis*. ¿Qué quiero decir con gratis? No tiene que devolverlo.

> ¿Qué quiero decir con gratis? No tiene que devolverlo.

No, no crece en los árboles, y no le digo que se ponga una máscara negra y robe una tienda. Tampoco que arrebate carteras. Los regalos son fantásticos, y una herencia sería maravilloso, pero la mayoría de nosotros no tenemos un tío viejo rico que nos dejará acomodados de por vida. Sin embargo, hay programas y subvenciones debajo de nuestras narices que podrían darnos dinero para pagar nuestros gastos o comenzar un negocio o pagar las cuentas de la tarjeta de crédito. Sólo tiene que saber dónde encontrarlos.

¿Por dónde debe comenzar?

El gobierno ofrece mil millones de dólares en subvenciones, y la mayoría de la gente ni siquiera sabe que existen. No es algo que anuncian en carteleras o que le cuentan cuando le envían sus impuestos. Las grandes empresas saben que existe este dinero. Usted también debe saberlo.

Lo bueno de las subvenciones es que no son préstamos y no son ayudas federales. Una subvención es dinero que se le otorga y que no tiene que devolver. Además, hay préstamos de bajo costo con intereses bajos, pero dinero gratis suena mucho más divertido.

El dinero puede otorgarse a cualquiera que califique y lo solicite. Algunos programas pueden tener límites de ingresos, pero no todos. Muchos millonarios y hasta grandes corporaciones aprovecharon estos programas, así que usted también debería.

Hay cientos y miles de programas disponibles. Algunos tienen restricciones específicas sobre cómo debe gastarse el dinero, otros no. Obtener el dinero podría ser más fácil de lo que usted piensa. Generalmente lo único que hay que hacer es llamar por teléfono y completar solicitudes. Para algunos hay que hacer mucho papeleo, pero puede encontrar subvenciones para las que sólo necesita completar formularios sencillos con datos que ya conoce. Los departamentos que otorgan las diferentes subvenciones pueden responder sus preguntas.

Oigo su pregunta: ¿hay más de un departamento que otorga dinero gratis? Sí. El gobierno es una red enorme de departamentos. No encontrará uno que diga "DINERO GRATIS" en grandes letras mayúsculas en la puerta. Si existiera un departamento así, me gustaría ser el sujeto que entrega los cheques. Es posible que tenga que buscar antes de encontrar el programa que se ajuste a sus necesidades, pero invertir algo de su tiempo bien vale la oportunidad de recibir dinero que no tendrá que devolver.

¡Tómelo!

Las grandes corporaciones y sus grupos de presión saben mucho sobre el dinero del gobierno y sobre cómo obtener estas subvenciones. Conocen el sistema porque trabajan dentro del sistema; básicamente lo crearon. Lo que usted necesita saber es que las subvenciones del gobierno no son sólo para los amigos y colaboradores. Aunque no sea demasiado conocido, es verdad: las subvenciones están disponibles para las organizaciones sin fines de lucro, las empresas pequeñas y usted, el individuo. Estos programas existen y usted tiene que aprovecharlos. El gobierno y las grandes corporaciones saben cómo aprovecharse de usted; usted debe saber que puede aprovechar el dinero del gobierno que está a su disposición.

Tal vez antes se sintió frustrado al buscar estas oportunidades de dinero gratis. Deje de golpearse la cabeza contra la pared y siga leyendo. Ya no tiene que solicitar préstamos sólo para romperse la cabeza pensando si podrá devolverlo una vez que se lo otorguen. No hablo de préstamos, hablo de *subvenciones*. Subvenciones que están a su disposición *ahora mismo*, tanto si quiere pagar sus cuentas, alimentar a sus hijos, comenzar su propio negocio, pagar los impuestos de su propiedad o llevar comida a la mesa.

Sí, hay varios programas de dinero gratis a los que puede acceder. Menciono algunos de ellos en este libro, pero ni siquiera estoy cerca de nombrarlos a todos; ¡son demasiados!

Cuando lea estas páginas, tenga en cuenta que algunos de estos datos pueden estar desactualizados. Puede haber habido cambios luego de la impresión de este libro. Muchas páginas web dejan de existir, y las agencias corrigen sus programas todo el tiempo; por lo tanto, usted debe informarse y hacer los cambios necesarios. Dicho esto, continuemos…

La parte más difícil ya está hecha por usted

Algunas personas no saben que existe el dinero gratis. Otras pueden estar al tanto, pero se sienten rápidamente abrumadas al tratar de encontrarlo. Uno de los mayores placeres para mí en todo este libro es ayudarlo a encontrar esas fuentes que pueden guiarlo en su camino hacia la riqueza. No sé cómo lo hacían antes de Internet, pero la tecnología que ahora damos por sentada es su nueva mejor amiga. Aunque no tenga una computadora en su casa, puede utilizar una gratuitamente en la biblioteca pública o ir a la casa de algún amigo. Con esta información, ¡sus amigos también querrán hacer sus propias búsquedas!

Según el dicho, "las mejores cosas en la vida son gratis". Me gustaría agregarle que "los mejores sitios en la vida son gratis". No pague para acceder a bases de datos en línea. Puede aprender dónde encontrar las mismas fuentes usted mismo; yo le diré cómo. Aquí mismo, ya mismo.

Un sitio que es fantástico, que me parece realmente increíble es: http://www.govbenefits.gov. Esta página web tiene información sobre miles de programas. Es fácil de navegar, algo que aprecio. Algunas páginas web parecen muy confusas. ¡Me gusta que me faciliten las cosas!

Hay dos maneras de manejarse en este sitio. Supongamos que no tiene idea para qué puede calificar o qué está buscando específicamente. Haga un clic en el botón "Empezar". Lo llevará a un cuestionario fácil de responder. Algunas preguntas son difíciles y según su velocidad de lectura, puede tardar entre cinco y diez minutos en completarlo. Las preguntas son sencillas y directas y totalmente anónimas. No tiene que dar su nombre o número de seguro social. Las únicas preguntas personales son la edad, el sexo y el nivel de ingresos.

Después de responder estas preguntas, aparece una lista de las subvenciones o los programas de beneficios posibles para los que podría ser elegible. ¡No podría ser más fácil! (Excepto, tal vez, que el Tío David golpee a su puerta con un puñado de dólares.)

Puede revisar la lista de agencias y programas para los que precalificó según las respuestas que dio a las preguntas. Esto no sólo puede ahorrarle días y semanas, sino meses y años que perdería buscando las fuentes de dinero gratis.

Si ya sabe en qué está interesado, por ejemplo, "servicios" o "educación", también puede usar la "Búsqueda Rápida" en http://www.govbenefits.gov. Elija el tema, entre los que se incluyen: Orientador/orientación; Asistencia en desastres; Asistencia para cuidados diarios; Subvenciones/Becas; Viviendas; Préstamos/Devolución de préstamos; Seguridad social; Pensiones por hijos menores/cuidado de hijos; Asistencia por discapacidad; Educación/Capacitación; Alimentos/Nutrición; Cuidados de salud; Seguros; Medicaid/Medicare; y Asistencia para energía. Aparece una lista de todos los programas dentro de esa categoría.

Haga clic en cada uno de los que le interesen o que estén en su estado. Allí puede ver los detalles de cada uno o hacer clic para determinar su elegibilidad. Responde unas preguntas y se limita la cantidad de programas para los que puede ser elegible. Los resultados aparecen en su pantalla antes de que pueda decir: "Guau, este sitio es asombroso". Hace el trabajo por usted. Algunas de estas fuentes de dinero gratis están limitadas según su nivel de ingresos, pero aun si tiene ingresos altos, en este sitio hay oportunidades de préstamos a bajo costo. Me saco el sombrero ante los creadores de http://www.govbenefits.gov. En lugar de buscar por siempre o preguntarse si una subvención aplica o no para usted, puede ir directamente al grano. Es fabuloso.

¿¿Gratis??

Sí, las mejores cosas en la vida a veces realmente son gratis. Otro recurso fantástico que está a su disposición muy fácilmente y que no se conoce ni publicita mucho es: http://www.grants.gov.

La mayoría de las agencias federales que ofrecen subvenciones las publican allí. Puede leer sobre la subvención, ver si califica y bajar y presentar su solicitud, todo en línea. En lugar de buscar en cientos de programas de las distintas agencias, este sitio le permite buscar para qué puede aplicar en un solo lugar. Hay más de mil programas de subvenciones de veintiséis agencias en esta página web; ¡más de cuatrocientos mil millones de dólares para otorgar!

El gobierno se hizo el distraído mientras las compañías de tarjetas de crédito y los bancos le quitaban el dinero de su bolsillo, y nadie va a ir a golpear a su puerta para decirle que ese dinero está a su disposición. Pero ahora usted lo sabe. Usted tiene que hacer el esfuerzo para conseguirlo.

Dinero encontrado

> El gobierno se hizo el distraído mientras las compañías de tarjetas de crédito y los bancos le quitaban el dinero de su bolsillo...

Con http://www.grants.gov, el proceso de búsqueda en el laberinto de las subvenciones federales se conecta en un gran sitio donde tiene que ingresar los datos sólo una vez. Un miembro del Congreso dijo: "Suelen preguntarme dónde puede ir la gente para obtener el dinero necesario en subvenciones federales. El recurso que siempre menciono primero es Grants.gov". Puede ver las subvenciones por el nombre de la agencia o por categoría. Es sorprendente la cantidad de dinero del gobierno que hay disponible y muy poca gente lo sabe.

Puede informarse sobre subvenciones y fuentes de las que no habría sabido. Si sólo quiere mirar las subvenciones, no tiene que registrarse. Si quiere aplicar para una subvención, tendrá que registrarse. Siga las instrucciones de la página web. También tiene una guía del usuario en: http://www.grants.gov/assets/GDG_AppUserGuide_0207.pdf.

Además, hay muchos programas disponibles a través de la Agencia Federal para el Desarrollo de la Pequeña Empresa que no debería pasar por alto. No todas son subvenciones, sino que también hay préstamos con muy buenas tasas de interés y plazos flexibles. Probablemente de los mejores préstamos que pueda obtener.

No pase por alto todas las fundaciones y fuentes privadas que ofrecen varios fondos. Visite: http://www.foundationcenter.org/getstarted/individuals/ o http://www.fundsnetservices.com/ o http://www.kn.pacbell.com/products/grants/locate.html. Hay cientos de posibilidades a su alcance.

Más páginas web geniales

Además del maravilloso poder de http://www.grants.gov y http://www.govbenefits.gov, hay más páginas web increíbles, valiosas y útiles que pueden ayudarlo a encontrar subvenciones fantásticas y préstamos de bajo costo. Hay mucha información disponible, gratis, y nadie lo sabe. La mayoría de la gente piensa que no existe o que tiene que pagarla. Ahora espero que pueda ver por qué me emociono tanto. Hay dinero gratis y oportunidades asombrosas para obtener préstamos, y quiero que usted las conozca.

La página web oficial del gobierno federal, USA.gov (http://www.usa.gov/), contiene información valiosa sobre todas las agencias del gobierno de los Estados Unidos. El segundo tema que aparece en la versión en español del sitio es Beneficios y ayuda financiera. Este vínculo le da muchísima información sobre subvenciones, préstamos, ayuda financiera y otros beneficios del gobierno de los Estados Unidos. Hasta puede inscribirse para que le notifiquen las actualizaciones de la página. ¡Es extraordinario!

Mire usted mismo y vea si entre las miles de subvenciones que ofrece el gobierno, tal vez hay una, dos o más que puedan ser adecuadas para usted. Mire, encuentre una subvención, verifique su elegibilidad. ¡Es sencillo, fácil y rápido! ¡Comience ahora! O tal vez quiera terminar el libro ya que está en la recta final y luego puede saltar a la computadora.

Govloans.gov (http://www.govloans.gov/) es su puerta de entrada a la información sobre préstamos del gobierno. Este sitio lo dirige a la información sobre préstamos que mejor se adaptan a sus necesidades y es una fuente excelente para encontrar préstamos para niños, agrícolas, empresariales, para alivio de desastre, educación, vivienda, veteranos o para casi cualquier cosa para la que podría necesitar un préstamo.

$$$

Mucha gente —un millón por año— obtiene dinero gratis y préstamos poco costosos del gobierno. Estos empresarios encuentran las subvenciones que no tienen que devolver y sacan préstamos con tasas de interés bajas para construir su riqueza. Hablan con la Agencia Federal para el Desarrollo de la Pequeña Empresa y buscan capital de riesgo — inversores privados dispuestos a invertir en sus negocios. También saben que hay "ángeles" a nuestro alrededor. A veces esos ángeles inversores están más que dispuestos a hacer donaciones para su negocio.

¿Por qué esperar cuando puede aprovechar ahora? La Agencia Federal para el Desarrollo de la Pequeña Empresa implementó programas que cambiaron drásticamente el futuro de los individuos y de las compañías que calificaron para ellos. Usted también puede calificar.

Está el Programa de Investigación Innovativa Para Negocios Pequeños, también conocido como el SBIR. En un esfuerzo por estimular los aspectos innovadores de los negocios pequeños que califican, el SBIR ofrece una gran cantidad de asignaciones monetarias, de las cuales algunas llegan a los cien mil dólares. Sí, leyó bien: cien mil dólares.

Durante los últimos veinticinco años, el SBIR otorgó dinero a toda clase de dueños de pequeños negocios. Y usted también merece ser uno de ellos.

Hay once agencias y gobiernos federales que cada año destinan fondos para otorgar a personas como usted. Y es sencillo. Está allí para ser tomado. Una vez que visite la página web (www.sba.gov/SBIR/indexsbir-sttr.html) para asegurarse de que cumple con todos los requisitos de elegibilidad, ya está a mitad de camino. Luego debe hacer una propuesta excelente para captar su atención.

Cuando revisan las propuestas, las agencias buscan negocios pequeños que puedan demostrar un nivel excepcional de desarrollo y destreza técnica. Si una compañía puede exhibir con éxito estas cualidades, tiene grandes posibilidades de calificar. Si cumple todos los requisitos de elegibilidad, vale la pena tomarse el tiempo para calificar. Si hablamos de sumas de dinero gratis que pueden llegar a los cien mil dólares, vale la pena intentarlo.

La Oficina de Tecnología de la SBA también tiene el Programa de Transferencia de Tecnología (STTR). Con este programa, cinco departamentos federales otorgan dos mil millones de dólares a pequeños negocios de alta tecnología. Si ése es su negocio y tiene menos de quinientos empleados, puede aplicar para obtener una parte de esos dos mil millones de dólares. Es emocionante saber que el Departamento de Energía, el Departamento de Defensa, el Departamento de Salud y Servicios Humanos, la Fundación Nacional de la Ciencia y la NASA destinan un porcentaje de su presupuesto de investigación y desarrollo a este programa. La SBA es la coordinadora entre los que solicitan las subvenciones y estas agencias. El dinero es mucho, el trabajo, importante; algo que se puede subir a la cabeza.

La Agencia Federal para el Desarrollo de la Pequeña Empresa ofrece otros programas de dinero gratis fabulosos. Puede obtener más información sobre ellos en: http://www.sba.gov. Este sitio esta disponible en español. No puedo comenzar a mencionar todo lo que hay, pero espero que comprenda que el dinero está ahí, y espero que vea que encontrarlo no es tan difícil como creía.

Hay programas federales de dinero, subvenciones y préstamos para todo lo que se le pueda ocurrir:

- ✔ $25000 "micro préstamos" para comenzar un negocio — http://www.sba.gov
- ✔ $200000 para administrar un rancho o una finca — http://www.fsa.usda.gov
- ✔ $200000 en línea de crédito para negocios pequeños — http://www.sba.gov/financing/loanprog/caplines.tml
- ✔ $500000 para comenzar un negocio — http://www.sba.gov
- ✔ $300000 para ayudarlo a obtener contratos del gobierno — http://www.dla.mil/db
- ✔ $500000 para mujeres y minorías para obtener contratos del gobierno — http://osdbuweb.dot.gov
- ✔ $3000000 en capital de riesgo — http://www.sba.gov/INV/venture.html

¡Guau!

¿Necesita dinero para ponerse en marcha?

Creo que ya puede hacerse una idea. Hay una cantidad increíble de ofertas allí. Sólo le ofrecí una pequeña muestra.

Además de las subvenciones, hay muchos préstamos disponibles que son rápidos y están garantizados por la Agencia Federal para el Desarrollo de la Pequeña Empresa. Completa una página y puede obtener 150 mil dólares. Vale la pena el tiempo que tarda en completar una sola hoja de papel. Encuentre información sobre el Programa de Préstamo Simplificado en: http://www.sba.gov/financing/lendinvest/lowdoc.html. Además, hay Centros de Desarrollo Empresarial en todos los estados. Contáctese en: http://www.sba.gov/services.

Como mencioné antes, muchas grandes empresas comenzaron con capital de riesgo del gobierno. Hay otro gran programa, que ofrece la Agencia Federal para el Desarrollo de la Pequeña Empresa, el cual existe hace años. Desde 1958, el Programa de Compañías de Inversión en Empresas Pequeñas (SBIC, por su sigla en inglés) ofrece programas que brindan capital de riesgo a las empresas pequeñas que quieren crecer. Sí, este programa tiene cerca de cincuenta años, y casi nadie sabe de él.

Las buenas noticias son que el programa no está destinado a alguna faceta específica del negocio. Por lo tanto, sin importar a lo que se dedique su empresa, puede ser elegible para aprovecharlo.

¿Necesita dinero para ponerse en marcha? No hay problema. ¿Por qué no busca ayuda experta en administración para seguir avanzando? Ya la tiene. El SBIC lo puede cubrir, así que no pierda tiempo en aplicar. Diríjase a: http://www.sba.gov/aboutsba/sbaprograms/inv/index.html. La cantidad de dólares que puede conseguir es alentadora. Los fondos del SBIC para empresas pequeñas incluyen diez mil millones de dólares del gobierno y fondos privados de más de doce mil millones de dólares.

Al sitio del SBIC le gusta compartir sus historias exitosas y leerlas es muy inspirador. Visite: http://www.sba.gov/aboutsba/sbaprograms/inv/INV_SUCCESS_STORIES.html y vea si se sorprende como yo. Lo dicen perfectamente: "El potencial más emocionante de una inversión de SBIC es cómo puede transformar una empresa pequeña en una gran historia exitosa". Su compañía podría unirse a las filas de grandes nombres (que alguna vez fueron pequeños) como America Online, Apple Computer, Federal Express, Gymboree, Jenny Craig Inc., Staples y muchos, muchos más. Hay dinero gratis para su negocio. Quién sabe, puede que hoy no sea nadie y, en el futuro, sea parte de la lista que contiene nombres como Outback Steakhouse, Restoration Hardware y Costco.

Hay cientos de agencias estatales con dinero para ayudar a su negocio. Todo lo que tiene que hacer es tratar de llegar a ellas. También hay programas locales a su disposición. Su ciudad, su condado, incluso las organizaciones locales ofrecen ayuda en forma de subvenciones, préstamos con intereses bajos y capital de riesgo.

Tomemos un estado como New York. Tener un negocio en New York puede ser difícil —sobre todo si es de tecnología. La competencia feroz puede desalentar a un empresario que espera transformar el mercado con tecnología de punta. Exactamente por este motivo es que existe el Small Business Technology Investment Fund Program, SBTIF [Programa de Fondos de Inversión para Pequeñas Empresas de Tecnología].

El dinero gratis puede cambiar todo. Vea cómo su negocio se eleva a alturas que nunca imaginó, todo por el capital de riesgo que obtuvo con el SBTIF. La agencia de desarrollo económico de New York, la Empire State Development, comenzó este fondo con la esperanza de nutrir a todas las empresas que se dedican a la tecnología. Lea aquí sobre esto y otras oportunidades de capital de riesgo en New York: http://www.nylovessmallbiz.com/growing_a_business/venture_capital.asp.

En un lugar como Rhode Island, la Workforce Development, un proyecto de la Corporación de Desarrollo Económico, tiene un gran valor. La agencia Governor's Workforce Board sabe exactamente la importancia que tiene para los empleados de cualquier negocio poseer las mejores habilidades y técnicas. Grandes empleados construyen grandes compañías; es un hecho.

Por este motivo la agencia Governor's Workforce ofrece una serie de subvenciones para desarrollar y capacitar un equipo que le traiga los mejores resultados posibles a su empresa. Con las subvenciones para capacitación (Comprehensive Worker Training Grants) puede obtener hasta cincuenta mil dólares en dinero gratis. Si lo que su compañía necesita es personal más capacitado, esta subvención será un gran beneficio para usted. Infórmese más al respecto en: http://www.rihric. com/awards.htm.

Además, en caso de que no lo supiera, las agencias adaptaron toda clase de programas para que se ajusten a toda clase de personas. Si es mujer, miembro de una minoría, veterano o discapacitado, tiene aún más oportunidades de obtener dinero gratis.

Si tiene alguna pregunta, como la mayoría de los empresarios nuevos, hay ayuda gratis esperándolo. Muchas comunidades tienen agencias que ofrecen asistencia legal gratuita. La Agencia Federal para el Desarrollo de la Pequeña Empresa también ofrece asistencia legal.

Mujeres empresarias

Hay muchas subvenciones increíbles si es mujer. El único objetivo de la Oficina de Mujeres Empresarias de la SBA es ayudar a las mujeres a cumplir sus sueños y mejorar sus comunidades ofreciéndoles asistencia para comenzar un negocio. Ofrecen capacitación sobre cómo empezar y mantener un negocio exitoso, y ofrecen también ayuda durante el camino. Visite la página web de la SBA para mayores detalles (http://www.sba.gov/aboutsba/sbaprograms/onlinewbc/index.html).

Entre los maravillosos recursos para mujeres están los Centros de Mujeres Empresarias de la SBA (WBC, por su sigla en inglés). Están disponibles para ofrecer orientación a cada paso del camino. También hay centros de recursos en toda la nación para ayudar a las mujeres a iniciar sus empresas. Hay subvenciones disponibles en estos Centros por cinco años, y hasta existe una opción para renovarlas por cinco años más. La misión del programa es "nivelar el campo de juego". Los Centros de Mujeres Empresarias ofrecen asistencia a empresas nuevas y a empresas existentes que quieren expandirse.

Para obtener una lista completa de las direcciones, páginas web y contactos de correo electrónico en cada estado, visite: http://www.sba. gov/idc/groups/public/documents/sba_program_office/sba_pr_wbc_ ed.pdf.

¡Docentes y directores, presten atención!

Sea el primero de la clase, o por lo menos el primero de la fila, cuando se trata de obtener dinero para su escuela o sus programas. La página web http://www.schoolgrants.org —a la que llaman "el sitio integral para encontrar subvenciones para la enseñanza anterior al jardín de infantes y hasta el 12º grado"— es un sitio excelente para educadores. Brindan consejos sobre cómo escribir las solicitudes de las subvenciones y, además, ofrecen talleres centrados solamente en enseñar la manera de escribir subvenciones exitosas en el área de educación. Además de ayudar a escribir las solicitudes, ofrecen una lista de subvenciones y lugares donde se puede encontrar más información y más oportunidades. Si está en el campo de la educación, esta página web es para usted.

En la variedad está el gusto

Si tiene cierta edad, como yo o más, recordará los anuncios que decían "deje que sus dedos caminen". La guía telefónica y las páginas amarillas eran la manera de encontrar información en el pasado. Hoy todo se encuentra en línea y en: http://www.foundations.org/, alguien ya hizo la búsqueda por usted. En esta fabulosa página web se compiló un directorio de fundaciones de beneficencia.

Ellos reunieron la información, usted sólo debe hacer clic. Seleccione "Directories" [Directorios] y elija "Community foundations" [Fundaciones comunitarias] o "Corporate/ Private Foundations" [Fundaciones corporativas/privadas]. Aparece una larga lista de personas y organizaciones que otorgan dinero gratis para que usted analice detenidamente. Puede seleccionar dentro de su área de interés o ubicación o una corporación en particular. Por ejemplo, hice clic en la corporación Eddie Bauer y me informé sobre todas las actividades de beneficencia de esa compañía, entre las que se encuentran las becas a través del Hispanic College Fund [Fondo para estudiantes universitarios hispanos], que ayudan a estudiantes universitarios en todo el país. Si usted es un estudiante universitario hispano, acaba de encontrar otra fuente para solicitar dinero que no conocía hasta hace dos minutos.

Tan sólo encontrar lo que hay disponible es recorrer más de la mitad del camino en la búsqueda de dinero gratis. Sitios como éste lo ayudan a comenzar más rápido, y es muy fácil. Sobre todo si está buscando becas, vea todas las fundaciones comunitarias que hay en su estado, condado y ciudad. Suele haber muchos donantes privados que ofrecen una amplia variedad de becas privadas. Diez minutos buscando en estos sitios pueden significarle diez mil dólares —una inversión muy sabia de tiempo y una inversión maravillosa para su futuro o el futuro de su estudiante.

Otro sitio para agregar a sus favoritos es http://www.grantsolutions. gov/. Es la página web del Grants Center of Excellence, COE [Centro de Excelencia de Becas]. Es una asociación de agencias dentro del Departamento de Salud y Servicios Humanos, el Departamento de Agricultura, la Comisión Denali y el Departamento del Tesoro. Según el COE, esta asociación de agencias distribuye cada año más de 250 mil millones de dólares en subvenciones. ¿Acabo de decir 250 mil millones de dólares? Sí, lo hice. Son muchas subvenciones. El COE ofreció más de 58 mil millones de dólares en esas subvenciones en el año fiscal 2006, lo que representa cerca del trece por ciento de todas las subvenciones de los Estados Unidos. Éste es otro sitio que vale la pena visitar.

El Catálogo de Ayuda Federal Nacional, CFDA, también es un recurso fantástico. En esta página web se puede acceder a una base de datos de todos los programas federales disponibles en los gobiernos estatales y locales. Puede buscar y encontrar para cuáles es elegible y ponerse en contacto con la agencia o programa para aplicar. El sitio se actualiza cada dos semanas a medida que se publican los programas nuevos en las agencias federales. Visite: http://12.46.245.173/pls/ portal30/CATALOG.FIRST_TIME_USER_DYN.show.

¡Hay tanta información disponible! ¿Se siente motivado y poderoso? Espero que sí.

Ahora, dé vuelta la página. Aún no terminamos.

(¿La secuela? ¿La parte 2? A quién le importa. ¡Es más dinero gratis!)

¡Más dinero gratis!

"La falta de dinero no es un obstáculo.
La falta de ideas es un obstáculo."

Ken Hakuta

Tengo que seguir contándole sobre el dinero gratis, pero aprendí que a la gente le gustan los capítulos cortos. Por eso decidí hacer una pausa, darle tiempo para recuperar el aliento y recuperarse del asombro. Apuesto a que ya le contó a alguien por lo menos una de las cosas que leyó en el Capítulo 24, "Dinero Gratis". Bueno, hay más. Ésta es la continuación del Capítulo 24. El resto de la historia. Hay aún muchos más lugares en los que puede encontrar dinero gratis.

Otras subvenciones

Además de las del gobierno (federal, estatal, del condado, de la ciudad; busque en todos), existen muchas otras subvenciones que se ofrecen a través de fundaciones privadas. Los fondos privados y los grupos comunitarios suelen otorgar la mayoría de sus subvenciones a agencias sin fines de lucro (hay muchas subvenciones disponibles para usted si es una organización sin fines de lucro), a minorías y a mujeres.

Se pueden obtener subvenciones a través del Women's Financial Fund [Fondo de Ayuda Financiera para Mujeres] (http://www.womens-businessgrants.com/who.shtml), y lo dicen en la misma página web que, como lo que otorgan es una subvención y no un préstamo, su

¡Hay muchas subvenciones disponibles para usted si es una organización sin fines de lucro!

capacidad de devolución no es importante. Ni siquiera mirarán su reporte de crédito y otorgan hasta cinco mil dólares.

Otra de las oportunidades es un programa de préstamos de hasta diez mil dólares para mujeres empresarias (www.count-me-in.org). Visite también: http://staff.lib.msu.edu/harris23/grants/3women.htm; http://www.fundsnetservices.com/women.htm; o http://www.womensnet.net; entre otros. Otro recurso útil es http://www.ehomebasedbusiness.com/articles que ofrece una lista de veinticinco números telefónicos importantes para quienes inician un negocio.

Pague las cuentas... y otros gastos

Sé lo que está pensando. Usted tomó este libro porque quería respuestas para encontrar la Curas Para Sus Deudas. Tal vez no necesita dinero para hacer crecer una empresa. Tal vez necesita dinero para cosas más inmediatas, como pagar algunas de sus cuentas. Si tiene deudas, probablemente eso le impide hacer las cosas que le gustaría hacer en el futuro. Quizás su voluntad de tener éxito en su propio negocio se ve entorpecida por las enormes deudas que lo aplastan. Bueno, ¡no se preocupe más! Hay grandes posibilidades de que haya "dinero gratis" disponible para usted. Pero tendrá que buscarlo realmente para encontrarlo, y yo lo ayudaré a hacerlo. Hay programas que ayudan a pagar las cuentas de los servicios, el cuidado de los hijos y hasta los alimentos. Hay organizaciones que otorgan dinero que les gusta llamar "dinero de emergencia". Puede usar este dinero para mantener los gastos mensuales y las deudas bajo control.

Los gastos de todos los días. Pagados.

Si es discapacitado o mayor, el Programa de Seguridad de Ingreso Suplementario (SSI, por su sigla en inglés) puede ayudarlo. Financiado por los ingresos de los impuestos generales, existe para ayudar a las personas mayores, ciegas y discapacitadas a pagar sus gastos diarios. Los niños ciegos y discapacitados pueden también solicitarlo. Cuanto menor sea su ingreso, mayores sus posibilidades de calificar. Todo lo que necesita es una solicitud, y puede estar un paso más cerca de pagar sus cuentas. El SSI envía cheques *todos los meses* para ayudar a las personas a pagar sus gastos. Usted puede recibir hasta miles de dólares por año.

Para poder solicitarlo, debe ser ciudadano de los Estados Unidos. Si no es ciudadano, puede ser elegible, siempre y cuando cumpla los criterios de elegibilidad de extranjeros según la legislación de 1996 y las enmiendas posteriores.

El SSI tiene en cuenta todos sus recursos, y lo que usted posea no debe exceder los dos mil dólares para un individuo y los tres mil dólares para una pareja. Tenga en cuenta que el SSI es justo sobre los recursos que tiene en cuenta. No tendrá en cuenta la casa que posee o su anillo de bodas. Sus objetos personales y los contenidos de su casa también quedarán fuera de la cuenta. Sin embargo, contará todo el efectivo, las cuentas de banco, acciones o bonos que pueda tener. Además, si recibió en el último tiempo algún tipo de subvención o beca, todo lo que tiene que hacer es esperar nueve meses para ser elegible para el SSI. A mí me parece bastante justo. Aparte de todo eso, debe tener ingresos muy bajos o ningún ingreso para calificar. Llame a Seguridad Social al 1-800-772-1213 para saber si cumple con los requisitos de ingresos actuales. También puede obtener más información y completar su solicitud en: http://www.socialsecurity.gov/ssi/text-understanding-ssi.htm.

Aunque cambia todos los años, el beneficio mensual promedio para un individuo es de 623 dólares, mientras que las parejas pueden recibir 934 dólares. Algunos estados hasta dan un paso más y *agregan* algo a los beneficios del SSI. Así que lo que recibe inicialmente podría incluso aumentar. No sólo eso, pero si califica para el SSI, también puede calificar para ciertos servicios en su Estado. Se pone cada vez mejor, ¿no es cierto? Si necesita ayuda para pagar Medicare, su estado puede pagar la cuenta. Tal vez necesita ayuda para capacitarse para un empleo. Su estado puede ocuparse de todo. Si tiene alguna pregunta, póngase en contacto con Seguridad Social.

Los servicios. Pagados.

¿Qué le parecería tener las cuentas de los servicios pagas? En Phoenix, Arizona, lo hacen realmente fácil. Hay una organización llamada Arizona Public Service, APS [Servicio Público de Arizona], y ellos tienen un programa que ayuda a los residentes de ingresos bajos a pagar sus cuentas de energía. Correcto: si califica, puede obtener un descuento de hasta el cuarenta por ciento. El programa tiene en cuenta los ingresos mensuales de su hogar y cuánta energía consume y hace que pagar las cuentas de energía sea pan comido. Con todo lo que se ahorra, puede utilizar el dinero para otras cosas, como pagar las cuentas de la tarjeta de crédito. Visite la página web de la APS en: http://www. aps.com. También puede llamar al 1-800-582-5706 para tener más información sobre los requisitos de elegibilidad.

El Programa de Asistencia para Hogares de Bajos Ingresos (LIHEAP, por su sigla en inglés) es un gran lugar para recurrir si necesita dinero para pagar sus cuentas de energía. Administrado por la División de Asistencia de Energía, el programa está financiado federalmente. La mejor parte es que todos los años, el dinero se distribuye entre los cincuenta Estados. Eso significa que tiene que verificar si califica dentro de su Estado. Busque más información en: http://www.acf.hhs.gov/ programs/liheap.

¿Tiene otros servicios, además de la energía, que pagar? Su Estado tal vez ofrezca algún programa que solucione sus penas económicas. ¿Cómo va a saberlo si no levanta el teléfono y pregunta? Preguntar nunca hizo daño a nadie. Lo peor que pueden decirle es "no". Y si eso ocurre, todo lo que tiene que hacer es llamar a la próxima organización o agencia. Hay muchas. Tome la guía telefónica y póngase en contacto con la oficina de servicios públicos de su estado. Nunca sabe, tal vez esté a un paso de obtener importantes descuentos en todos sus servicios.

> Por suerte para usted, hay muchísimos programas para niños.

Los gastos de sus hijos. Pagados.

Tal vez tiene hijos y está luchando para llegar a fin de mes. Por suerte para usted, hay muchísimos programas para niños. El cuidado de los hijos puede realmente acabar con usted cuando llega fin de mes. Muchas familias sentirían un gran impulso en sus ingresos si de repente no tuvieran que pagar los gastos de cuidados de sus hijos.

No parece justo que tengamos que batallar para pagar costos tan altos para que cuiden a nuestros hijos mientras luchamos por llevar comida a la mesa, entre otras cosas. Para eso existen lugares como la Oficina de Asistencia Familiar (OFA, por su sigla en inglés). La OFA dirige el programa de Asistencia Temporal para Familias Necesitadas (TANF, por su sigla en inglés), que está en funcionamiento desde 1997. El programa no sólo ofrece capacitación laboral y educación gratuitas, sino que también ayuda a encontrar subvenciones que paguen por el cuidado de los hijos. Al contactarse con agencias estatales, puede encontrar un programa que sea adecuado para usted. Puede encontrar más información en: http://www.acf.hhs.gov/programs/ofa/. Además, asegúrese de ver otras oportunidades en: http://www.childcareaware.org o http://www.workfamily.org.

Las Donaciones Globales de Asistencia y Desarrollo del Niño (CCDBG, por su sigla en inglés) también ofrecen fondos para el cuidado de niños. El Departamento de Salud y Servicios Humanos de los Estados Unidos es responsable de administrar esta organización increíble. Todos los años se facilita la carga económica ya que las familias reciben hasta miles de dólares para pagar sus costos de cuidados de niños. Los padres pueden elegir su propio proveedor de cuidado de niños, siempre y cuando estén trabajando legalmente y cumplan con todos los requisitos estatales de salud y seguridad. Puede encontrar más información en: http://www.naeyc.org/policy/federal/ccdbg o http://www.nccic.org.

¿Siente temor cada vez que escucha las palabras *Servicio de Impuestos Internos?* Cuando le cuente sobre los asombrosos beneficios de cuidado de niños que ofrece, tal vez cambie de opinión. Eche un vistazo a su Publicación 503, que se llama "Child and Dependent Care Expenses" [Gastos por el cuidado de menores y dependientes]. Tal vez sea elegible para recibir cientos, hasta miles de dólares para pagar el cuidado de niños. Para obtener más información al respecto, visite http://www.irs.gov o llame directamente al 1-800-829-1040.

Hay muchos empleadores que ofrecen un plan en el que puede pagar el cuidado de niños con dinero antes de los impuestos. Esto significa que habrá grandes ahorros al final del año. No pierda tiempo en contactar a su empleador para averiguar si puede disponer de ese beneficio. Recuerde, no sabe hasta que pregunta.

Además del cuidado de niños, hay otras cuestiones relacionadas con la crianza de un hijo. La educación es una pieza fundamental y es algo en lo que no debemos escatimar. "Inicio Adelantado" existe para ofrecerle a su hijo preescolar gratis. Orientado para ofrecer a las familias de bajos ingresos las herramientas para mejorar con éxito el desarrollo de sus hijos, este programa ofrece una variedad de servicios educativos, sociales y de salud. Dotados de las habilidades para ir al preescolar con confianza, los niños tienen un "inicio adelantado" en su camino al éxito. No puede equivocarse con este programa. Aquí puede obtener más información: http://www.acf.hhs.gov/programs/ohs/.

¿Conocía el crédito por adopción?

También hay un programa administrado por la Administración de Transporte Federal (FTA, por su sigla en inglés) que puede ser de gran ayuda para usted si tiene problemas para transportar a su hijo a un lugar específico. El programa está orientado para proveer transporte gratuito a las personas mayores y con discapacidades. Dentro del "documento guía" de la FTA (C9070) sobre el tema, se dice claramente que el transporte gratuito puede ser utilizado por otras personas si pueden demostrar que un suceso no planificado los dejó en apuros. Por lo tanto, si su hijo se encuentra, de repente, sin manera de ir a la escuela o al consultorio de su médico y no tiene a nadie más a quién recurrir, debería intentar aprovechar el transporte gratuito. La FTA entrega millones de dólares al año a grupos locales para financiar este servicio. Es mucho dinero, y si usted necesita la ayuda, no dude en aprovechar la oportunidad. Obtenga más información en http://www.fta.dot.gov o llame al 202-366-4020.

¿Qué piensa sobre adoptar? ¿Tiene pensado adoptar niños en el futuro? Si es así, probablemente ya sabe que la adopción puede ser costosa y tal vez necesite una ayuda extra. Organizaciones como la National Adoption Foundation [Fundación Nacional de Adopción] pueden darle la ayuda económica que está buscando. Esta fundación ofrece subvenciones no sólo para ayudar a adoptar a un niño, sino también para ayudar a criarlo. Encuentre más información en: http://www.nafadopt.org.

¿Conocía el crédito por adopción? Puede obtener hasta 10960 dólares de descuentos en impuestos. ¡Es un gran cambio! Hay una variedad de gastos de adopción que califican, y puede encontrar toda la información en: http://www.irs.gov/taxtopics/tc607.html.

Cada vez más compañías ofrecen beneficios por adopción a sus empleados. Se dan cuenta de que la adopción es más común cada año y quieren ayudarlo a aligerar la carga de sus gastos. Consulte con su empleador para saber qué es lo que ofrece su empresa y, si no le ofrece nada, hable con ellos para implementar beneficios por adopción. Tal vez sea necesario que alguien hable para poner las cosas en movimiento.

El transporte. Pagado.

Como empleado, puede recibir beneficios de transporte. Aprovechar esos beneficios puede significarle grandes ahorros. Cada mes, puede ser elegible para recibir 110 dólares por costos de transporte o 215 dólares por costos de estacionamiento. El dinero es suyo libre de impuestos y, a fin de año, tendrá más en el bolsillo. Para obtener más información sobre este beneficio adicional de transporte, visite: http://www.irs.gov/publications/p15b/ar02.html#d0e2081. Una vez que lo haya visto, hable con su empleador para averiguar cómo puede comenzar a recibir esos beneficios.

El seguro de salud. Pagado.

El seguro de salud puede ser costoso y, por este motivo, cada vez más gente elige no tenerlo. Pero no tiene que ser así. ¿Por qué correr el riesgo de quedar desprotegido frente a alguna emergencia imprevista que podría, finalmente, dejarlo sin nada? Si tiene más de 65 años, sin dudas necesita un programa de seguro de salud en el que pueda confiar. Y si es una de las muchas personas que luchan para pagar la cobertura de Medicare, tengo muy buenas noticias para usted…

El Beneficiario Cualificado de Medicare (QMB, por su sigla in inglés) es un programa orientado a aligerar los costos de los pagos de Medicare y es muy sencillo solicitarlo. Si usted califica, los beneficios son grandes: los pagos de Medicare Parte A y Medicare Parte B, junto con los coseguros y los deducibles, pueden quitar la presión de su bolsillo.

Si solicita como individuo, su ingreso mensual no puede ser superior a los 837 dólares y en el caso de las parejas, no puede exceder los 1120 dólares. Además, como individuo, sus activos no pueden sumar más de cuatro mil dólares; para las parejas el límite es de seis mil dólares. Pero no se preocupe, el QMB no tiene en cuenta cosas como su casa o su coche. No sólo eso, sino que en algunos estados no hay límites sobre los activos.

Puede contactarse con Medicare llamando al 1-800-MEDICARE (1-800-633-4227) o visitando su página web en: http://www.medicare.gov.

¡Y todavía más dinero gratis!

¿Necesita efectivo? En Arizona, la oficina local de Administración de Asistencia Familiar (FAA, por su sigla en inglés) puede ayudarlo. La FAA administra el programa de Arizona Cash Assistance [Asistencia Monetaria de Arizona], que otorga efectivo para servicios para niños, familias e individuos. Este programa emite tarjetas de débito que puede utilizar en los cajeros automáticos y en casi todas las tiendas. ¡Vaya si es conveniente! Busque en http://www.govbenefits.gov (escriba el nombre del programa en el cuadro de búsqueda) para saber si es elegible y para obtener más información sobre los requisitos del programa y los datos de contacto. Para bajar una solicitud, visite https://www.azdes.gov/cash_assistance/. Si tiene preguntas sobre este programa, llame a atención al cliente de la FAA al 800-325-8401. Si quiere encontrar la oficina de la FAA más cercana a su hogar, ingrese a https://www.azdes.gov/main.aspx?menu=358&id=5233. ¡Mirar no hace daño! ¡Es rápido, es fácil y, lo mejor de todo, es dinero GRATIS!

El programa de asistencia social de California denominado CalWORKs otorga ayuda en efectivo y servicios a las familias Californianas necesitadas. Las familias que aplican y califican para la asistencia continua reciben dinero todos los meses para ayudar a pagar la vivienda, la alimentación y otros gastos necesarios. Hay oficinas ubicadas en cada uno de los 58 condados y puede aplicar en cualquiera. Para su comodidad, el departamento de asistencia social del condado está incluido dentro de la sección de gobierno del condado en la guía telefónica. También puede visitar las páginas web de los condados en: http://www.cdss.ca.gov/calworks/default.htm. Para conocer los requisitos de elegibilidad y otros detalles, visite http://www.govbenefits.gov.

¡Refaccione gratis su hogar!

No lo estoy inventando. ¡Es absolutamente cierto! ¿Quiere refaccionar la cocina? ¿Y esas molestas refacciones que tiene que hacer en el baño? Bueno, ¡éste es el momento de hacer todo! El programa de préstamos y subvenciones para reparación de viviendas rurales puede otorgarle dinero gratis o préstamos a bajo costo para ayudarlo a mejorar su casa. A través de su programa, ¡puede recibir más de siete mil dólares en dinero gratis! Es mucho efectivo que puede invertir en su casa sin tener que preocuparse por devolverlo. Es un programa del Departamento de Agricultura de los Estados Unidos y puede obtener todos los detalles y más información sobre el proceso de solicitud en http://www.govbenefits.gov y en http://www.rurdev.usda.gov/rhs/.

¡Comidas gratis!

El Programa de asistencia alimentaria de emergencia (TEFAP, por su sigla en inglés), conocido comúnmente como el programa de cupones para alimentos, es un programa genial para ayudar con la asistencia alimentaria de emergencia sin costo. El TEFAP es un programa federal que ayuda a complementar las dietas de personas y familias. Para más información, visite la página web http://www.fns.usda.gov/fdd/programs/tefap. Administrado por el Departamento de Agricultura de los Estados Unidos, la información de contacto del programa es: Headquarters Office, Food Distribution Division, FNS, USDA, Room 502, Park Office Center, 3101 Park Center Drive, Alexandria VA 22302. Para más detalles sobre la elegibilidad y más información sobre el proceso de solicitud, no se olvide de visitar http://www.govbenefits.gov.

¿Qué piensa de reducir su renta?

¿Pagarle a su arrendador a término es una batalla constante? Aunque logre hacer los pagos en fecha, seguramente tiene que dar vuelta los cojines del sofá y juntar de donde pueda para pagar el resto de sus cuentas. Pagar la renta puede dejarnos secos y dificultar que tengamos dinero para otros gastos.

El Programa de la Sección 8 de Vales para el Alquiler de Viviendas existe para esas situaciones. A través de este programa, la Agencia de Vivienda Pública (PHA, por su sigla en inglés) se hace cargo y hace los pagos a su arrendador. Cuando eso ocurre, usted podría terminar pagando sólo el treinta por ciento de sus ingresos en renta. La unidad debe cumplir las normas de calidad establecidas en la Sección 8 y los hogares deben ser de bajos ingresos para calificar para el programa.

El Departamento de Vivienda y Desarrollo Urbano de los Estados Unidos puede orientarlo en la dirección correcta. Para más información, ingrese a http://www.hud.gov.

¿Qué pasa si no tiene empleo?

Cuando no tiene trabajo, es momento de aprovechar el seguro de desempleo. Todos los estados lo tienen. Si se encuentra sin trabajo y no es por su culpa, tiene todo el derecho de recoger los beneficios del dinero gratis. ¿Por qué no debería? Todos sabemos lo estresante que es buscar empleo mientras se intenta desesperadamente pagar las cuentas. No es una situación agradable. Quítese ese peso de los hombros y aplique en su estado. En lugares como California, puede obtener hasta 450 dólares por semana. Son 450 dólares por semana *que no tiene que devolver.* En el estado de New York, puede obtener hasta 405 dólares por semana. Cuánto reciba depende de sus sueldos anteriores y de la cantidad máxima que su estado permite. No sólo eso, sino que en la mayoría de los estados tiene derecho a continuar recibiendo ese dinero gratis durante veintiséis semanas. Son casi siete meses de cheques para usted. Y esos cheques no le generan ningún compromiso.

Póngase en contacto con su estado y usted también puede comenzar a recibir ese dinero. Encuentre más información en: http://workforce-security.doleta.gov/unemploy/uifactsheet.asp.

¿Y las emergencias?

A veces ocurre algo imprevisto que nos toma desprevenidos y nos obliga a recoger las piezas y, a veces, a comenzar todo otra vez. ¿Qué hay que hacer en estos casos? Si es como la mayoría de los estadounidenses, probablemente no tiene suficiente respaldo para los días de sequía. Si vive con lo justo, no tiene la capacidad de separar fondos para esas emergencias de último minuto que surgen de vez en cuando. Pero, por lo menos, hay lugares a los que se puede recurrir. Si observa, descubrirá que hay gran cantidad de agencias y organizaciones que tienen fondos apartados para ayudar a personas como usted. Si necesita dinero para pagar las cuentas o la renta o para capacitarse para un trabajo, estos lugares pueden ayudarlo.

El Departamento de Salud y Servicios Humanos de los Estados Unidos (DHHS, por su sigla en inglés) es un buen lugar para comenzar si está buscando fondos extra. Opera en diez regiones en todo el país y se esfuerza por cuidar la salud y el bienestar de nuestra nación. Ayudar en caso de emergencias es una de las maneras. Por supuesto, las oficinas del DHHS varían en las distintas regiones, por lo tanto, asegúrese de verificar qué hay disponible en la zona donde usted reside. Sé que en la región de Seattle el DHHS ofrece tres tipos de subvenciones de emergencia para distintas circunstancias. Trabajan junto con la Welfare Rights Organizing Coalition [Coalición por Derechos de Asistencia] para satisfacer las necesidades de vivienda, asistencia médica y ropa, entre otras cosas. Puede obtener más información en http://www.wroc. org. Si no está en la región de Seattle, visite la página web principal del DHHS: http://www.dhhs.gov.

Community Action Partnership es otro buen lugar al que puede recurrir. Lidera una red de Community Action Agencies presente en todo el país. Estas organizaciones sin fines de lucro ofrecen apoyo y ayuda económica a familias de bajos ingresos. Están decididos a atacar la pobreza en nuestro país y hace años lo demuestran por medio de programas de encuentros comunitarios, capacitación laboral, orientación, donaciones de comida y transporte a pedido. Encuentre más información sobre ellos en http://www.communityactionpartnership.com.

> Si observa, descubrirá que hay gran cantidad de agencias y organizaciones que tienen fondos apartados para ayudar a personas como usted.

Asimismo, puede visitar http://www.govbenefits.gov para obtener más información sobre distintas subvenciones de emergencia. Si busca en el directorio telefónico y llama a alguna organización de beneficencia local, le sorprenderá saber que pueden ayudarlo, por ejemplo, con la comida, el alojamiento y la educación. Llamar al Salvation Army de su comunidad puede marcar la diferencia si necesita ayuda económica. Para obtener más información, visite http://www.salvationarmy.org.

Finalmente, puede recurrir a la Oficina de Asistencia Pública local y solicitar los fondos que necesita. Algunos estados ofrecen dinero gratis a las personas que están esperando para recibir otras subvenciones. La cantidad varía según el estado, pero vale la pena llamar y averiguar qué tienen disponible.

Cuando una situación de emergencia altera su modo de vida, siempre hay recursos en los que puede confiar. ¡Aprovéchelos cuando los necesite!

¿Vacaciones gratis?

El Servicio Forestal (FS, por su sigla en inglés) del Departamento de Agricultura de los Estados Unidos (USDA, por su sigla en inglés) ofrece un muy buen programa de voluntariado que incluye viajes a varios sitios durante el año. Todo lo que necesita es un poco de sentido de la aventura, ya que participará de varios proyectos de conservación arqueológica e histórica.

El programa se llama "Passport in Time" [Pasaporte en el Tiempo] y no hay que pagar nada para unirse. Lo único que tiene que hacer es encontrar el sitio y, en algunos casos, el programa puede brindarle comida y un lugar donde alojarse. Si es curioso y desea explorar, éstas pueden ser las vacaciones que está buscando. Puede obtener información sobre los proyectos actuales en http://www.passportintime.com.

Estudie en el extranjero, sin cargo

¿Alguna vez fantaseó con estudiar en algún lugar exótico del extranjero? El Departamento de Educación de los Estados Unidos tiene toda clase de programas diseñados para que los estudiantes viajen al exterior. Entregan dinero gratis para alentar a los estudiantes y las instituciones educativas a involucrarse más en el estudio de idiomas extranjeros y otras áreas. Si es estudiante y desea viajar a otro país o si es docente y está interesado en liderar un grupo para estudiar en el extranjero, póngase en contacto con el Departamento de Educación. Ofrecen dinero gratis para financiar los gastos de traslado, manutención y alojamiento. Puede encontrar más información en http://www.ed.gov/programs/iegpsflasf/index.html.

Además, visite http://www.students.gov/STUGOVWebApp/Public?topicID=9&operation=topic para informarse sobre distintas becas que ofrecen veinte mil e incluso treinta mil dólares para estudiar tanto en los Estados Unidos como en el extranjero.

Los National Security Education Programs [Programas de Educación para la Seguridad Nacional] financian las becas Boren, que ofrecen a los estudiantes de grado la oportunidad de estudiar idiomas y culturas que se consideran importantes para la seguridad nacional de los Estados Unidos. Los estudiantes que deseen hacer carrera en el gobierno federal y estudiar en el extranjero deberían considerar esta oportunidad. Las becas son de hasta treinta mil dólares. Las solicitudes deben completarse en línea. Visite http://www.iie.org/en/Programs/The-Language-Flagship/About.

¿¿Eso existe??

Existen programas para todos. Por supuesto, no todos vamos a calificar para cada uno de ellos, pero si hacemos los llamados e investigamos, encontraremos el dinero gratis que buscamos. Hay programas para todo. Repito: para todo. Hay programas para cosas que ni siquiera se imagina.

El Programa de Nutrición del Mercado de Granjeros para Ancianos (SFMNP, por sus siglas en inglés) es muy bueno. A través de este programa, los ancianos reciben dinero para comprar frutas y verduras frescas cultivadas localmente en los mercados de granjeros y puestos de venta al aire libre. Es una manera fantástica no sólo de que los ancianos de bajos ingresos se alimenten, sino también de que se mantengan sanos y apoyen a los granjeros locales independientes. El SFMNP ha otorgado dinero a cientos de miles de ancianos, y usted puede ser uno de ellos. El Congreso le asignó quince millones de dólares para que utilice en el año 2007, y estoy seguro de que habrá más para el año siguiente. Puede obtener más información y averiguar para cuánto califica en http://www.fns.usda.gov/wic/SeniorFMNP/SFMNPmenu.htm.

Usted pagó sus impuestos y hay miles de millones de dólares en programas de ayuda si los necesita.

¿Y si está buscando trabajo y necesita un conjunto para ir a una entrevista, pero no tiene el dinero para comprarse ropa nueva? El ahorro es instantáneo cuando tiene ropa gratis. Hay un programa en casi todos los estados que puede ayudarle a obtener el trabajo y puede quedarse con la ropa. Póngase en contacto con http://www.dressforsuccess.org y http://www.bottomlesscloset.org.

No dude o sienta vergüenza de aprovechar la asistencia que provee el gobierno. Usted pagó sus impuestos y hay miles de millones de dólares en programas de ayuda si los necesita. Si está pasando por un momento difícil, no dude en utilizar la ayuda que está a su disposición. Las cosas mejorarán, pero, mientras tanto, si el gobierno puede ofrecerle almuerzos gratis o poco costosos para sus hijos en la escuela, que así sea. Significa grandes ahorros para que pueda pagar sus cuentas. Contáctese con http://www.fns.usda.gov/cnd/lunch/.

Si es una persona mayor y tiene problemas para llegar a fin de mes, puede obtener asistencia con las comidas y utilizar el dinero que ahorra para otra deuda más urgente, como la de la tarjeta de crédito. Póngase en contacto con el Centro Local para Adultos Mayores o visite http://www.fns.usda.gov/fdd/programs/nsip.

Si usted pertenece al grupo de "la tercera edad", hay infinitos consejos fáciles sobre dinero que puede llevar a la práctica. Pida su descuento en restaurantes, hoteles y boletos de avión. Puede obtener una tarifa de campamento más económica en los parques estatales y un descuento en sus lentes según la edad. Si tiene cien años, obtiene cien por ciento de descuento en Pearle Vision Centers. En muchos estados, puede tener un permiso de pesca gratis. Las oportunidades para ahorrar están en todas partes y se van sumando hasta llegar a ser mucho dinero gratis.

Interminables

Hay innumerables programas disponibles para usted. Abra una Cuenta de Desarrollo Individual (IDA, por su sigla en inglés), que es una clase especial de cuenta de ahorro. Por cada dólar que usted deposita, el gobierno deposita otro dólar, y un grupo privado deposita otro dólar. ¡Su inversión se triplica! Puede utilizar el dinero para comprar una casa, ir a la escuela o comenzar un negocio, lo que usted quiera. Visite http://www.idanetwork.org.

Si vive cerca de una universidad o facultad de medicina, por lo general puede hacerse los chequeos médicos y odontológicos y oftalmológicos gratis. Por lo menos, si no es gratis, será a un precio mucho menor. Para encontrar una facultad de odontología, visite http://www.adea.org. Para encontrar una facultad de oftalmología, visite http://www.aoa.org.

En su comunidad local puede haber programas para ayudarlo con el cuidado después de la escuela o con el cuidado de sus padres mayores o hasta con el consumo de drogas. Para obtener cuidado gratis y más información, visite http://www.salvationarmyusa.org o http://www.catholiccharitiesusa.org.

Para muchas personas, uno de los gastos más agobiantes que tienen que enfrentar son los medicamentos recetados. Existen programas de asistencia que pueden ahorrarle cientos, quizás miles de dólares. Por lo general, su médico tiene que involucrarse. Visite http://www.pparx.org/.

Eso no es todo, amigos

Muchas oficinas del gobierno en los condados ofrecen programas para quienes compran una casa por primera vez. Puede ahorrar literalmente miles de dólares. Los programas varían mucho, por lo que debe ponerse en contacto con su oficina local. También hay programas para dueños que se ven atrapados en una situación temporaria y no pueden hacer los pagos de su hipoteca. Para averiguar si ofrecen ayuda para salir de aprietos en su área, visite http://portal.hud.gov:80/hudportal/HUD?src=/localoffices. Si vive en una zona rural, hay programas para ayudarlo a refaccionar su casa, pagar la renta o incluso comprar una casa. Visite http://www.rurdev.usda.gov.

Tal vez el sueño americano sea ser dueño de una casa; el gobierno lanzó un programa de subvenciones en 2004 llamado American Dream Downpayment Act [Ley para el Pago Inicial del Sueño Americano]. Esto no es un préstamo reducido; es realmente su pago inicial. Para calificar, tiene que ser la primera vez que compra y no debe tener ingresos superiores a un límite establecido. Visite http://www.hud. gov/offices/cpd/affordablehousing/programs/home/addi/ para obtener más información.

Si es dueño de una casa y tiene por lo menos 62 años, puede sacar una hipoteca revertida por su casa. En lugar de hacer pagos por la casa, su casa le hace pagos todos los meses. Por lo general no tiene intereses y puede utilizar el dinero para lo que quiera. ¡Cancele las deudas de sus tarjetas de crédito! ¡Comience un negocio! ¡Viaje por el mundo! Póngase en contacto con su banco o visite http://www.ftc.gov.

Estudiantes

Los estudiantes universitarios que califiquen pueden obtener una subvención de hasta cuatro mil dólares al año para pagar sus cuentas. Visite http://www.ed.gov/about/offices/list/fsa/index.html. ¿Desea aprender un idioma extranjero? Obtenga una beca para pagar la matrícula. Visite http://www.ed.gov/about/offices/list/ope/iegps/index.html. Puede conseguir una subvención de hasta veintiocho mil dólares para obtener un doctorado en el extranjero y no tiene que devolverlo. Visite http://www.ed.gov/programs/iegpsirs/index.html. ¡Hay cientos de subvenciones para ayudarlo a estudiar! Póngase en contacto con su escuela o con la oficina de ayuda estatal o visite http://www.studentaid.ed.gov.

Tal vez nunca pensó que podía estudiar. Aunque ya no tenga veinte años, si su sueño es estudiar en la universidad, todavía está a tiempo. Existen programas que pueden ayudarlo a hacer su sueño realidad. Una fundación ofrece becas para mujeres mayores de 35 años con ingresos bajos. Si ése es su sueño, visite http://www.rankinfoundation.org.

¿Ya tiene su título y desea continuar estudiando? Hay muchas becas disponibles. Visite http://www.aauw.org/fga/fellowships_grants/, http://www.grants.gov o busque becas en su área. Las oportunidades abundan. Por ejemplo, los Institutos Nacionales de la Salud ofrecen programas para estudiantes de medicina y odontología (http://grants.nih.gov/grants/index.cfm). Visite también la página web del Departamento de Educación: http://www.ed.gov/about/offices/list/ocfo/grants/grants.html. Además, hay muchas fuentes de financiación privadas. Un programa ofrece becas y subvenciones para investigación en educación (http://www.spencer.org/content.cfm/how-to-apply). Las fundaciones privadas son una maravillosa fuente de dólares que no tiene que devolver.

Créditos fiscales

Además de todos los programas de dinero gratis que existen, también tiene que pensar cómo mantener el dinero en sus bolsillos. Para mí, es tan valioso como recibir un cheque gratis todos los meses. Recibir dinero siempre es magnífico, pero hacerlo durar es otro tema. Saber cómo conservar lo que se tiene es esencial. Por eso creo que es importante educarse sobre los créditos fiscales. Hay créditos fiscales que algunos de ustedes no conocen, y éste es un caso en el que no saber *definitivamente* lo perjudicará. Es un desperdicio gastar dólares y dólares del dinero que tanto le cuesta ganar en algo que no es necesario. ¡Podría estar usando ese dinero para saldar todas sus deudas!

Ésta es una mina de oro de la que nadie habla. Puede conservar sumas importantes de dinero a través de los créditos fiscales. Un crédito fiscal no es un gasto que disminuye sus ingresos sujetos a impuestos. Un crédito fiscal es, en realidad, dinero en impuestos que no paga, dólares en impuestos que permanecen en su bolsillo y que no tiene que enviar al Tío David.

> Hay créditos fiscales que algunos de ustedes no conocen...

Es algo fácil, y, sin embargo, mucha gente supone que los créditos fiscales sólo sirven para otras personas, para alguien con "conexiones". No es verdad. ¿Quiere quinientos dólares? Puede obtener dinero para hacer mejoras en su casa. Si hace que en su hogar el uso de la energía sea más eficiente —reemplazando las ventanas viejas, modernizando el horno o renovando el aislamiento térmico— puede obtener hasta quinientos dólares. No es un mal negocio. Ahorrar energía es bueno para el planeta y para su bolsillo.

Si implementa un sistema de energía solar para calentar el agua, puede obtener un crédito fiscal de hasta dos mil dólares. Es decir, dos mil dólares en impuestos que no tiene que pagar; o sea, ¡dinero gratis! Si se compra un coche híbrido —parte a gasolina y parte eléctrico o uno que funcione con un combustible alternativo como el etanol o incluso uno diesel— puede obtener un crédito fiscal de hasta cuatro mil dólares. Existe una fórmula que se utiliza para calcular el crédito que se otorga a quienes tienen coches que hacen un uso eficiente de la energía; el IRS o el concesionario pueden ayudarlo a determinar el crédito exacto que puede recibir por su coche.

Para más información sobre todos estos créditos de energía, visite http://www.energystar.gov.

Hay muchos créditos fiscales que la gente no conoce y, por lo tanto, no los reclama. ¡Si reclama todos los créditos a los que tiene derecho, podría eliminar hasta el ochenta por ciento de su cuenta de impuestos! Puede utilizar la ayuda de una compañía para encontrar y aprovechar estos créditos tributarios ocultos. Puede simplemente buscar en Internet "zonas de incentivos a empresas" o "créditos fiscales" y buscar una compañía que se ajuste a sus necesidades. Le daré más información sobre las zonas de incentivos a empresas en un momento. La mayoría de estas compañías ayuda a corporaciones de cualquier tamaño a reclamar los beneficios de todos los créditos fiscales estatales y federales disponibles. En realidad, una compañía pequeña de la que tengo conocimiento, durante los últimos diez años, ayudó a las empresas a documentar más de cien millones de dólares en créditos fiscales.

También puede reducir los impuestos federales sobre la renta si aprovecha el Crédito Fiscal por Hijos. ¡Puede rebajar mil dólares por cada uno de sus hijos! Es elegible para este crédito siempre y cuando su hijo sea…

…ciudadano de los Estados Unidos o residente extranjero.

…menor de diecisiete años a fines del año fiscal.

…su hijo, ya sea hijastro, adoptado, niño acogido elegible, hermano o hermanastro.

Además hay otros requisitos de elegibilidad. Si su ingreso bruto ajustado modificado es demasiado alto, tal vez no pueda cobrar el máximo permitido. La supresión progresiva de los beneficios comienza cuando se llega a alguno de estos límites de ingresos:

…Pareja casada que declara en conjunto	$110000
…Pareja casada que declara por separado	$55000
…Otros	$75000

Lo que deba pagar en concepto de impuestos sobre la renta también determina, en parte, el crédito que recibe. Si lo que paga de impuestos sobre la renta es menor que su Crédito Fiscal por Hijos, podría resultar fantástico para usted. Posiblemente podría tomar esa diferencia y reclamarla también. Sería un Crédito Fiscal por Hijos "adicional". Eso quiere decir que podría cobrar un reembolso, sin tener que pagar impuestos. Más dinero para usted. Ahora que está informado, ya no tiene que pagar ciegamente al gobierno todos los años; puede tomar el control económico y moldearlo a su gusto. Después de todo, es *su* dinero.

Observe el formulario 1040 o 1040A para reclamar su Crédito Fiscal por Hijos. Si necesita ayuda adicional, puede consultar la Publicación 972 del IRS. Allí encontrará todos los detalles sobre cómo completar los documentos y poner las cosas en marcha. Si necesita más ayuda, visite http://www.irs.gov. Si desea recibir estos formularios por correo, llame al 1-800-TAX-FORM (1-800-829-3676).

Ahora déjeme llamarle la atención sobre otro crédito excelente que mucha gente no conoce. Se llama Crédito por Ingreso del Trabajo (EITC, por su sigla en inglés) y se creó para los trabajadores de bajos ingresos que no tienen mucho dinero de más para pagar los impuestos sobre la renta. Si califica para el EITC, podría sorprenderle cómo se reducen sustancialmente sus impuestos sobre la renta. No sólo eso, sino que en algunos casos hasta podría recibir un reembolso. El monto total del crédito que recibe no sólo se relaciona con sus ingresos, sino que también se determina según el tamaño de su familia. Si está casado y declara en conjunto y tiene dos o más hijos que califican, puede recibir crédito de hasta $4716.

Para averiguar si califica, visite http://www.irs.gov. Allí, baje el formulario W-5 y la Publicación 96. También puede llamar al 1-800-TAX-FORM (1-800-829-3676) para solicitar que se los envíen por correo.

Zonas de incentivo a empresas

¿Alguna vez escuchó hablar de zonas de incentivo a empresas? Algunos estados las llaman "zonas de participación activa" o "comunidades para la renovación". Básicamente, si su empresa opera en una de las zonas indicadas y contrata empleados de un área o población específicas, podría obtener grandes descuentos en los impuestos. Al trabajar

316 | Capítulo 24.5

con su comunidad para desarrollar la economía local, está ayudando a revitalizar su zona y podría ser elegible para descuentos gigantescos en sus impuestos. Estos programas ofrecen miles de millones de dólares en esos descuentos.

Casi todos los cincuenta estados ofrecen estos programas. Por ejemplo, en el estado de California hay cuarenta y dos zonas de incentivo a empresas. En Florida hay cincuenta y seis y en Colorado hay dieciocho, que ofrecen diez créditos fiscales diferentes por hacer negocios en esas zonas. Si contrata sus trabajadores de la zona o población específicas o empieza o expande su empresa en ciertas áreas rurales o urbanas, su recompensa puede ascender a muchos dólares que se quedan con usted y su negocio en lugar de ir a los impuestos estatales.

Los Estados también ofrecen muchos créditos.

Busque en Internet las zonas de incentivo a empresas de su Estado para obtener información sobre las áreas que están incluidas, los documentos que necesita completar y los créditos fiscales que le ofrecen. Crear empleos e invertir en la comunidad es un trato con el que todos ganan.

El gobierno federal también puede ofrecer incentivos fiscales por hacer negocios en ciertas zonas. Para más información y para saber si su domicilio califica, visite http://portal.hud.gov:80/hudportal/HUD?src=/topics/economic_development.

No tiene que estar en una zona de incentivo a empresas para aprovechar otros créditos fiscales: hay muchos a su alcance. El Crédito Impositivo por Oportunidad de Trabajo federal permite que cualquier empresa en los Estados Unidos obtenga descuentos impositivos si contrata ciertos empleados, y los créditos pueden ser de hasta 2400 dólares por cada nuevo empleado. Existe el Crédito de Asistencia Pública al Trabajo, con el que puede obtener un crédito de hasta 8500 dólares si contrata a alguien que recibe asistencia federal. Si contrata a empleados de determinados grupos de indígenas estadounidenses puede recibir hasta cuatro mil dólares de crédito.

Los estados también ofrecen muchos créditos. Los salarios a empleados calificados pueden ahorrarle hasta diez mil dólares en impuestos. Por lo general, también hay créditos fiscales en impuestos sobre la

CURAS PARA SUS DEUDAS!

propiedad, sobre las ventas y sobre el uso. Le conviene visitar las páginas web de su condado y de su estado y de las empresas que se especializan en créditos fiscales (por ejemplo, http://www.taxcreditcompany.com o http://www.ntcgtax.com).

La lista de créditos fiscales es extensa. Muy extensa. Seguramente usted será elegible para algo. Puede visitar http://www.irs.gov o hablar con la persona que le hace los impuestos o buscar una empresa de créditos tributarios para que lo ayude a descubrir todo lo que puede obtener. Los créditos fiscales son una forma de obtener dinero gratis y pueden significar mucho dinero, y usted merece gozar de lo que por derecho es suyo. Si califica, aproveche los créditos fiscales.

Funciona

Es inteligente aprovechar todas las oportunidades que se cruzan en su camino, y si los programas del gobierno pueden ayudar a millonarios y multimillonarios conocidos y a empresas enormes como Chrysler, usted debería sentirse libre de tomar lo que pueda. No hace mucho tiempo Chrysler estaba por caer en la ruina. No quería declararse en quiebra y despedir a miles de trabajadores. Pidió prestada una suma considerable de dinero en préstamos garantizados por el gobierno y se recuperó. Si Chrysler puede pedir prestado más de mil millones de dólares al gobierno, usted también puede tomar su parte del pastel. Es un bufet enorme. Hay suficiente para todos.

Ahora, vaya y actúe

Puede ponerse en contacto con las páginas web y las agencias e investigar por su cuenta. Ahora puede darse cuenta de que las posibilidades son infinitas. Hay programas genéricos que ofrecen dinero para capacitar a sus empleados, y hay subvenciones específicas, por ejemplo, una para las bibliotecas indígenas de Hawai.

Ya le mostré dónde debe comenzar a buscar. No se sienta intimidado. Encontrar las subvenciones es la parte que más tiempo consume y *Curas Para Sus Deudas* lo ayudó a ponerse en camino. Cuando encuentre una subvención, verá que muchas de las solicitudes se hacen en línea. Siga las instrucciones paso a paso. Las distintas subvenciones requieren distintas cosas. Si tiene dudas, contáctese directamente con esa agencia. La

318 | Capítulo 24.5

mayoría tiene secciones de ayuda en sus sitios de Internet para guiarlo en el proceso.

Para acceder al directorio de agencias del gobierno federal, visite http://www.firstgov.gov o http://www.pueblo.gsa.gov o llame al 1-880-FED-INFO.

Si desea leer en papel, hay un libro gigante, tal vez para un período de hibernación. Tiene 2400 páginas. El Catálogo de Ayuda Federal Nacional contiene información detallada sobre las subvenciones. Cuesta 75 dólares. Puede ordenarlo en línea en la tienda de libros del gobierno de los Estados Unidos en http://bookstore.gpo.gov/actions/GeneralSearch.do.

Si tiene alguna pregunta para una agencia o departamento estatales, la oficina de información del Estado puede guiarlo. Los datos de contacto de cada Estado son los siguientes:

ALASKA	FLORIDA	KANSAS
www.state.ak.us	www.myflorida.com	www.kansas.gov
907-465-2111	850-488-1234	785-296-0111
ARIZONA	GEORGIA	KENTUCKY
http://az.gov	www.georgia.gov	www.kentucky.gov
602-542-4900	404-656-2000	502-564-3130
ARKANSAS	HAWAII	LOUISIANA
www.state.ar.us	www.ehawaii.gov	www.louisiana.gov
501-682-3000	808-548-5796	225-342-6600
CALIFORNIA	IDAHO	MAINE
www.ca.gov	www.state.id.us	www.state.me.us
916-322-9900	208-334-2411	207-624-9494
COLORADO	ILLINOIS	MARYLAND
www.colorado.gov	www.illinois.gov	www.maryland.gov
303-866-5000	217-782-2000	800-811-8336
CONNECTICUT	INDIANA	MASSACHUSETTS
www.ct.gov	www.state.in.us	www.mass.gov
860-240-0222	317-232-1000	617-722-2000
DELAWARE	IOWA	MICHIGAN
http://delaware.gov	www.iowa.gov	www.michigan.gov
302-739-4000	515-281-5011	517-373-1837

MINNESOTA
www.state.mn.us
651-296-3391

MISSISSIPPI
www.state.ms.us
601-359-1000

MISSOURI
www.state.mo.us
573-751-2000

MONTANA
mt.gov
406-444-2511

NEBRASKA
www.state.ne.us
402-471-2311

NEVADA
www.nv.gov
775-687-5000

NEW HAMPSHIRE
nh.gov
603-271-1110

NEW JERSEY
www.state.nj.us
609-292-2121

NEW MÉXICO
www.state.nm.us
800-825-6639

NEW YORK
www.state.ny.us
518-474-2121

NORTH CAROLINA
www.ncgov.com
919-733-1110

NORTH DAKOTA
nd.gov
701-328-2200

OHIO
http://ohio.gov
614-466-2000

OKLAHOMA
www.state.ok.us
405-521-2011

OREGON
www.oregon.gov
503-378-3111

PENNSYLVANIA
www.state.pa.us
717-787-2121

RHODE ISLAND
www.ri.gov
401-222-2000

SOUTH CAROLINA
www.sc.gov
803-896-0000

SOUTH DAKOTA
sd.gov
605-773-3011

TENNESSEE
www.state.tn.us
615-741-3011

TEXAS
www.texas.gov
512-463-4630

UTAH
www.utah.gov
801-538-1000

VERMONT
http://vermont.gov
802-828-1110

VIRGINIA
www.virginia.gov
804-786-0000

WASHINGTON
http://access.wa.gov
360-753-5000

WASHINGTON DC
www.dc.gov
202-727-1000

WEST VIRGINIA
www.wv.gov
304-558-3456

WISCONSIN
www.wisconsin.gov
608-266-2211

WYOMING
http://wyoming.gov
307-777-7011

Aplicar: pan comido

Una vez que determinó cuáles son las subvenciones adecuadas para usted, es momento de comenzar a solicitarlas. No es necesario que arrastre los pies porque le preocupa que el proceso sea muy largo y difícil. *No lo es.* No deje que nada lo haga desistir de obtener el dinero gratis que necesita. Ya está muy cerca. ¿Por qué no tomarse un poco de tiempo extra para sentarse a aplicar? Piénselo: una tarde (puede ser más o mucho menos, según la subvención) de completar solicitudes podría significar grandes cantidades de dinero gratis en el futuro cercano. Si eso no es tiempo bien gastado, entonces no sé qué lo es.

Todas las subvenciones son diferentes, por lo tanto, asegúrese de leer cuidadosamente todos los requisitos y las instrucciones para solicitarla. Si no entiende algo, puede llamar a la agencia o fundación para la que está aplicando.

Solicitar muchas de las subvenciones es un proceso fácil. Y, en realidad, se lo hice más fácil al darle buenos consejos que lo ayudarán en el proceso…

Sépalo

Asegúrese de comprender realmente qué es lo que quiere. Esto es importante sobre todo si está pensando en armar una organización o una empresa.

Siéntese y tome todo tipo de notas. Conozca sus objetivos. Escriba sobre sus calificaciones. Si hay más personas involucradas en su empresa, escriba también sobre sus calificaciones. Lo especial vende, así que cuénteles por qué usted y sus objetivos son únicos. Dígales que lo que tiene para ofrecer no se parece a nada. Sea honesto sobre los desafíos que anticipa para el futuro y explique las maneras en que enfrentará esos desafíos. Escriba todos los detalles, pero todavía no se preocupe porque parezcan brillantes. Por ahora, sólo tenga todo escrito. Una vez que lo haga, se sentirá realmente bien al avanzar. Ya sabe lo que dicen: el conocimiento es poder.

Enséñelo

Las personas que leen las solicitudes quieren saber por qué deberían darle un cheque a usted. Hágaselos fácil. Cuando se siente a escribir, tome una decisión. Decida llenar su solicitud de energía y entusiasmo. Sea apasionado sobre lo que desea, tanto si es dinero para servicio de cuidado de hijos o para comenzar su propio negocio. La pasión es algo excitante, ¡hace que la gente se interese en usted!

Escríbalo

Ahora viene la parte fácil: escribir. Como ya sabe de lo que está hablando y está preparado para mostrarlo con entusiasmo, escribirlo debería ser pan comido. No se preocupe de que quede perfecto la primera vez. Puede volver y corregir más tarde. Sé que algunas personas se sienten intimidadas ante la hoja en blanco, pero piénselo así: todo puede modificarse hasta que usted se sienta listo. Sabe lo que quiere. Vaya por eso. Escríbalo. Preocúpese por lo demás después. Estas fundaciones y agencias también hacen las cosas más fáciles, porque las solicitudes lo guían paso a paso. Dé un paso por vez y ¡hágalo!

Corríjalo

Una vez que terminó de escribir, llega la parte de la corrección. A veces es difícil ser objetivo sobre lo que uno mismo escribe, así que pídale a un amigo o al que está sentado cerca de usted en la cafetería que lea su propuesta. Pídales que busquen errores de escritura y gramaticales. Además, pídales que sean honestos y le digan lo que piensan. Si puede, enséñeselo a otras personas y logre un consenso. A la larga, eso lo ayudará. A las fundaciones y agencias les gustan las solicitudes bien escritas, así que pídales a sus amigos que la lean y reúna varias opiniones.

Envíela

Una vez que haya arreglado los problemas y esté contento con su solicitud, es momento de enviarla. Conozca con anticipación cuál es la fecha límite para presentarla; de este modo, no se sentirá desilusionado si de repente se entera de que ya es demasiado tarde. En ese caso, deberá esperar hasta el año siguiente. Sin embargo, no tiene que preocuparse: hay muchas subvenciones, y todas tienen fechas de vencimiento distintas

322 | Capítulo 24.5

para solicitarlas. Siempre puede encontrar alguna para la cual aplicar. Sólo tiene que emprender la búsqueda. Como ya le indiqué la dirección correcta, no debería ser muy difícil.

Celebre

Su solicitud ya está en camino, y eso es motivo para celebrar. La posibilidad de obtener dinero gratis ahora está más cerca que nunca. Algunas subvenciones le responden en semanas, otras tardan meses. No importa cuánto tarde, sea paciente. No piense en eso, y, si hay otras subvenciones para las que le gustaría aplicar, hágalo. Más vale hacerlo. El proceso es muy sencillo, ¿qué tiene que perder?

Si quiere más información sobre cómo escribir propuestas para solicitar subvenciones, aquí también hay mucha información: http://www.nonprofit.about.com/od/fundraising/ht/proposals.htm.

CAPÍTULO 25

Oh, Canadá

"Oh, Canadá, estamos en guardia por ti."
del himno nacional de Canadá

La mayor parte de lo que se discutió en *Curas Para Sus Deudas. Que "Ellos" no quieren que usted sepa* también sirve para los residentes de Canadá. Muchos de los métodos y técnicas son universales y pueden utilizarse para reducir o eliminar las deudas y ponerse en camino hacia la riqueza. No importa dónde viva: el interés es letal. Cuanto menos interés pague, mejor es la vida en general. Evitar comisiones es sensato, sin importar en qué estado o provincia viva. En este capítulo encontrará la información que es diferente para los residentes de Canadá.

Agencias de Reporte de Crédito

Los residentes de Canadá también pueden obtener un reporte de crédito gratis por año, pero la agencia con la que deben contactarse cambia según la provincia en la que residan. La dirección annualcredit-report.com sólo funciona dentro de los Estados Unidos. Y la palabra "gratis" es un nombre poco apropiado. Es gratis si se lo solicita por correo, pero si se lo pide inmediatamente en línea, hay que pagar una pequeña tarifa. No me pregunten por qué. Yo sólo soy el mensajero.

✔ TRANSUNION: *Para residentes de Québec*
TransUnion
1 Place Laval Ouest
Suite 370
Laval, Québec
H7N 1A1
1-877-713-3393
http://www.transunion.ca

✔ TRANSUNION: *Para las demás provincias, excepto Québec*
TransUnion
P.O. Box 338, LCD1
Hamilton, Ontario
L8L 7W2
1-800-663-9980
http://www.transunion.ca

✔ EQUIFAX
Equifax Canada Inc.
Consumer Relations Department
Box 190 Jean Talon Station
Montreal, Québec
H1S 2Z2
1-800-465-7166
http://www.equifax.ca

✔ NORTHERN CREDIT BUREAUS, INC
Northern Credit Bureaus, Inc
336 Rideau Boulevard
Rouyn, Noranda
No hay número de teléfono
http://www.creditbureau.ca

Northern Credit Bureaus, Inc. es una empresa de Experian. Esto le permite observar que las tres grandes agencias de reporte crédito de los Estados Unidos también están en Canadá. Los mismos consejos sirven. Obtenga su reporte de crédito y revise que esté correcto. Si hay errores, corríjalos de inmediato. Si tiene dudas o quiere disputar algún dato, utilice la información de contacto que ya se mencionó.

En Canadá es igual que en los Estados Unidos: si quiere su puntaje de crédito FICO, tiene que pagar una pequeña tarifa. Canadá también utiliza el puntaje de crédito FICO, y es importante saber cuál es su puntaje ya que es el número que determina el destino de su crédito.

Los mismos principios para obtener y revisar el reporte de crédito y disputar cualquier equivocación o dato erróneo sirven aquí. Puede haber datos antiguos, incorrectos o que simplemente no son suyos. La agencia tiene treinta días para verificar la exactitud del dato que usted está cuestionando o debe quitarlo del reporte de crédito. También puede contactarse directamente con el acreedor para modificar el error, y ellos pueden enviar la corrección a la agencia de reporte de crédito. Además, tiene derecho a agregar un "comentario personal" a su reporte de crédito para explicar un dato negativo correcto. Asimismo, la agencia de reporte de crédito debería enviar el reporte corregido a todos lo que lo hayan solicitado en los últimos seis meses.

Puntajes de crédito

Los métodos y técnicas para disminuir el puntaje de crédito sirven para cualquier lugar, no importa dónde viva. Lo que leyó en estos capítulos también funciona para usted si reside en Canadá. Los mismos consejos para mejorar el puntaje de crédito sirven. Por ejemplo, obtener una tarjeta de crédito asegurada de una institución financiera canadiense que informe a las agencias de reporte de crédito es una manera rápida de subir el puntaje de crédito. A los prestamistas canadienses también les gusta ver que usted tiene una cuenta corriente y una cuenta de ahorros, así que asegúrese de abrir estas dos cuentas. Es fácil trabajar con las cooperativas de crédito canadienses y son un buen lugar para comenzar a construir el crédito. Siga todos los consejos que se explicaron en los capítulos anteriores y su puntaje de crédito subirá.

Algo que hay que tener en cuenta es que algunas agencias de reporte de crédito también utilizan una calificación de crédito. A cada dato en el reporte de crédito se le otorga un puntaje del uno al nueve. En este caso, el número más alto no es el mejor. Un nueve significa que no paga sus cuentas en término a su acreedor o que está negociando un plan de pago para sus deudas. Cuanto menor sea el puntaje, mejor; un uno significa que paga todos los meses en término.

326 | Capítulo 25

La calificación también incluye una letra que indica el tipo de crédito de ese dato. **R** significa "crédito de renovación automática", como todas las tarjetas de crédito. **I** corresponde a los "préstamos en cuotas", como un préstamo automotor o un préstamo personal. **O** significa "abierto", por ejemplo, una línea de crédito. Se aprueba la línea de crédito hasta una determinada cantidad de dinero y puede hacer extracciones en cualquier momento. Esta última categoría también podría incluir préstamos estudiantiles, que no tiene que devolver hasta que se gradúe.

Las calificaciones son:

R1 = Pagada dentro de los treinta días

R2 = Pagada entre los treinta y los sesenta días; o un pago fuera de término

R3 = Pagada entre los sesenta y los noventa días; o dos pagos fuera de término

R4 = Pagada entre los noventa y los ciento veinte días; o tres pagos fuera de término

R5 = La cuenta tiene una demora en el pago de más de ciento veinte días

R7 = Pagada a través de asesoría para créditos o un programa de manejo de deudas

R8 = Embargada

R9 = Agencia de cobranzas o en quiebra o deuda incobrable

Hay una calificación R0 que significa que la cuenta es nueva y aún no se la utilizó. No hay una calificación R6.

Fuera lo viejo

La cantidad de tiempo que un dato permanece en el reporte de crédito es diferente en Canadá y en los Estados Unidos. En los Estados Unidos, el tiempo es igual en todo el país y para todas las agencias de reporte de crédito. En Canadá, depende de quién es su agencia de reporte de crédito y eso depende de dónde vive.

Si cree que un dato negativo viejo debería haber sido eliminado de su reporte de crédito, y aún aparece, primero verifique el cuadro.

La cantidad de tiempo varía según el tipo de dato y el territorio. Por ejemplo, la quiebra permanece durante seis años en su reporte de crédito si vive en British Columbia, pero permanece durante siete años si vive en Ontario.. Nadie dijo que la vida era justa o que los asuntos de dinero tenían sentido. Si ya pasó el tiempo y el dato debe ser eliminado, entonces debe ponerse en contacto con su agencia de reporte de crédito.

La tabla que aparece en la página siguiente es de la Financial Consumer Agency of Canada [Agencia del Consumidor Financiero de Canadá]:

TransUnion	BC	AB	SK	MB	ON	QC	NB	NS	PEI	NL	Terr.
						Años					
Operaciones de crédito (comercio) (desde la fecha del último movimiento o la fecha de apertura)	6	6	6	6	6	6	6	6	6	6	6
Sentencias (desde la fecha en la que se reportaron)	6	6	6	6	7	7	7	6	10	7	6
Cobranzas (desde la fecha en la que se reportaron)	6	6	6	6	6	6	6	6	6	6	6
Préstamos asegurados (datos registrados) (desde la fecha de apertura)	5	5	5	5	5	5	5	5	5	5	5
Quiebra (desde la fecha de declaración o en la que se reportó)	6	6	6	6	7	7	7	6	7	7	6
Propuesta registrada del consumidor, pago metódico de las deudas (desde la fecha en la que se saldaron o se reportaron, lo que haya ocurrido primero)	3	3	3	3	3	3	3	3	3	3	3
Asesorías de crédito (desde la fecha en la que se saldaron o se reportaron, lo que haya ocurrido primero)	2	2	2	2	2	2	2	2	2	2	2
	BC	AB	SK	MB	ON	QC	NB	NS	PEI	NL	Terr.

Equifax	BC	AB	SK	MB	ON	QC	NB	NS	PEI	NL	Terr.
						Años					
Operaciones de crédito (comercio) (desde la fecha del último movimiento)	6	6	6	6	6	6	6	6	6	6	6
Sentencias (desde la fecha en la que se canceló o se realizó el depósito)	6	6	6	6	6	6	6	6	7 to 10	6	6
Cobranzas (desde la fecha del último movimiento)	6	6	6	6	6	6	6	6	6	6	6
Préstamos asegurados (datos registrados) (desde la fecha de solicitud)	6	6	6	6	6	6	6	6	6	6	6
Quiebra (desde la fecha de declaración)	6	6	6	6	6	6	6	6	6	6	6
Propuesta registrada del consumidor, pago metódico de las deudas (desde la fecha de pago)	3	3	3	3	3	3	3	3	3	3	3
Asesorías de crédito (desde la fecha de pago)	3	3	3	3	3	3	3	3	3	3	3
	BC	AB	SK	MB	ON	QC	NB	NS	PEI	NL	Terr.

http://www.freecreditfixes.com/index.php/creditrepair/articles/length_of_reporting_canada/

Robo de identidad

Es triste decirlo, pero el robo de identidad es parte de la vida. No importa cuál sea su lugar de residencia, siempre tiene que ser precavido. Hay delincuentes en todos lados y cada día son más hábiles. Ponga en práctica todos los pasos analizados previamente para proteger su información financiera. Revise su reporte de crédito. El seguimiento del crédito también es una buena idea, y las agencias de reporte de crédito de Canadá ofrecen ese servicio.

Si es residente de Canadá y encuentra un dato sospechoso en su reporte de crédito o si sabe que ha sido víctima de robo de identidad, póngase en contacto con el departamento de fraudes de su oficina de créditos de inmediato.

TransUnion	
Todas las provincias excepto Québec: Fraud Victim Assistance Department [Departamento de asistencia a las víctimas de fraude] P.O. Box 338, LCD 1 Hamilton, Ontario L8L 7W2	Teléfono: 800-663-9980
Residentes de Québec: Centre De Relations Aux Consommateurs TransUnion 1 Place Laval, Suite 370 Laval, PQ H7N 1A1	Teléfono: 877-713-3393 514-335-0374 (en Montreal)
Equifax	
Consumer Fraud Division P.O. Box 190 Jean Talon Montreal, PQ H1S 2Z2	Teléfono: 800-465-7166 514-493-2314
Experian	
P.O. Box 727 Rouyn-Noranda, PQ J9X 5C6	Teléfono: 888-826-1718
Agencias de apoyo	
PhoneBusters P.O. Box 686 North Bay, Ontario P1B 8J8	Teléfono: 888-495-8501 705-494-3624

Fuente: http://www.transunion.ca/ca/personal/fraudidentitytheft/restoring/contacts_en.page

Protéjalo

En Canadá, el número de Seguro Social (SIN, por su sigla en inglés) es equivalente al de los Estados Unidos. Si sospecha que otra persona está utilizando su número SIN, para obtener un empleo o con otros fines, póngase en contacto de inmediato con la oficina de Desarrollo de Recursos Humanos de Canadá.

> Social Insurance Registration
> P.O. Box 7000
> Bathurst, NB E2A 4T1
> E-mail: sin-nas@hrdc-drhc.gc.ca

Todos valoran la privacidad

Canadá tiene leyes de protección de la privacidad, igual que los Estados Unidos. La Personal Information Protection and Electronic Documents Act, PIPEDA [Ley de Protección de Documentos Electrónicos e Información Personal] es la ley sobre privacidad que protege la información personal de los ciudadanos canadienses.

Si siente que una organización no maneja su información confidencial de manera apropiada o si quiere presentar una queja, hágalo a la siguiente dirección postal. La página web es sólo para información. Las quejas o cualquier información privada no deben enviarse por correo electrónico.

Además, si usted se pone en contacto con la agencia de reporte de crédito y no le responden en treinta días, se considera una "negación de solicitud" y puede enviar una queja formal al Comisionado de Privacidad.

> The Office of the Privacy Commissioner of Canada
> 112 Kent Street
> Ottawa, ON K1A 1H3
> Teléfono: (613) 995-8210
> Teléfono gratuito: 1-800-282-1376
> Fax: (613) 947-6850
> Página web: http://www.privcom.gc.ca

Los canadienses también reciben su parte de correo basura. Si quiere "borrarse" de las ofertas de mercadeo, póngase en contacto con el Servicio de Mercadeo Canadiense. Éste es el guardián de la versión canadiense de la lista "no llamar", pero no es una organización gubernamental. Es una asociación de comercio privada, financiada por miembros, y ofrece a los consumidores canadienses el servicio gratuito de "no llamar". Al registrarse con ellos, reducirá significativamente la cantidad de ofertas que recibe por correo y por teléfono. Cuando se registra, quita su nombre de las listas de mercadeo. Siga las instrucciones para registrarse en línea en https://cornerstonewebmedia.com/cma/submit.asp

El temido cobrador

Por supuesto, los cobradores de deudas también existen en Canadá. La legislación canadiense tiene la Collection Agencies Act [Ley de Agencias de Cobranzas] que determina lo que pueden y no pueden hacer los cobradores. No pueden contactarse con usted los días feriados, ni los domingos, excepto entre la 1 y las 5 p.m. No pueden contactarse con usted más que por correo común más de tres veces en un período de siete días. Algunas cosas nunca cambian, más allá del país al que se haga referencia. La mayoría de las quejas recibidas por el Ministerio de Gobierno y Asuntos del Consumidor de Ontario se relacionan con las agencias de cobranzas. Si necesita más información, póngase en contacto con el área de Protección al Consumidor al 1-800-889-9768.

Si tiene problemas específicos de su provincia o una pregunta sobre asuntos del consumidor, aquí le ofrezco la información de contacto.

Listado de organizaciones. Departamentos de Asuntos del Consumidor

El personal en estas oficinas puede ayudar al consumidor a solucionar sus problemas.

Gobierno federal
Office of Consumer Affairs
[Departamento de Asuntos del Consumidor]
Industry Canada
235 Queen Street
Ottawa ON K1A 0H5
Fax: (613) 952-6927
Correo electrónico: consumer.information@ic.gc.ca
Página web: http://www.consumer.ic.gc.ca

Competition Bureau
[Departamento de Competencia]
50 Victoria Street
Gatineau QC K1A 0C9
Teléfono: (819) 997-4282
Teléfono gratuito: 1-800-348-5358
TDD (teléfono para sordos): 1-800-642-3844
Fax: (819) 997-0324
Correo electrónico: compbureau@cb-bc.gc.ca
Página web: http://www.competitionbureau.gc.ca

Financial Consumer Agency of Canada, FCAC
[Agencia del Consumidor Financiero de Canadá]
427 Laurier Avenue West, 6th floor
Ottawa ON K1R 1B9
Teléfono: (613) 996-5454 o 1-866-461-FCAC (3222)
Fax: (613) 941-1436 o 1-866-814-2224
Página web: http://www.fcac-acfc.gc.ca

Gobiernos provinciales y territoriales
Alberta
Service Alberta [Servicio de Alberta]
Consumer Contact Centre [Centro de Atención al Consumidor]
17th Flr., TD Tower, 10888 – 102 Avenue
Edmonton AB T5J 2Z1
Teléfono: (780) 427-4088 (Edmonton y alrededores)
Teléfono gratuito: 1-877-427-4088 (sólo Alberta)
Correo electrónico: governmentservices@gov.ab.ca
Página web: http://www.servicealberta.gov.ab.ca

British Columbia
Business Practices & Consumer Protection Authority, BPCPA
[Autoridad de Protección al Consumidor y de Prácticas de Negocios]
PO Box 9244
Victoria BC V8W 9J2
Teléfono: 1-888-564-9963
Fax: (250) 920-7181
Correo electrónico: info@bpcpa.ca
Página web: http://www.consumerprotectionbc.ca/

Manitoba

Manitoba Finance
Consumer and Corporate Affairs
[Asuntos Corporativos y del Consumidor]
Consumers' Bureau [Oficina del Consumidor]
Suite 302, 258 Portage Avenue
Winnipeg MB R3C 0B6
Teléfono: (204) 945-3800
Teléfono gratuito: 1-800-782-0067
Fax: (204) 945-0728
Correo electrónico: consumersbureau@gov.mb.ca
Página web: http://www.gov.mb.ca/fs/cca/cpo/

New Brunswick

Rentalsman and Consumer Affairs
[Asuntos del Consumidor y Rentas]
Department of Justice [Departamento de Justicia]
Centennial Building
P.O. Box 6000
Fredericton NB E3B 5H1
Teléfono: (506) 453-2682
Fax: (506) 444-4494
Página web: http://www.gnb.ca/justice

Newfoundland y Labrador

Trade Practices Division
[División de Prácticas Comerciales]
Department of Government Services
[Departamento de Servicios Gubernamentales]
5 Mews Place
P.O. Box 8700
St. John's NL A1B 4J6
Teléfono: (709) 729-2600
Fax: (709) 729-6998
Correo electrónico: gslinfo@gov.nl.ca
Página web: http://www.gs.gov.nl.ca

Territorios del Noroeste

Consumer Affairs
[Asuntos del Consumidor]
Municipal and Community Affairs
[Asuntos Comunitarios y Municipales]
Suite 600, 5201 - 50th Avenue
Yellowknife NT X1A 3S9
Teléfono: (867) 873-7125
Fax: (867) 873-0609
Correo electrónico: michael-gagnon@gov.nt.ca
Página web: http://www.maca.gov.nt.ca

Nova Scotia

Service Nova Scotia and Municipal Relations
[Servicio de Nova Scotia y Relaciones Municipales]
P.O. Box 1003
Halifax NS B3J 2X1
Teléfono: (902) 424-5200
Teléfono gratuito: 1-800-670-4357
Fax: (902) 424-0720
Correo electrónico: askus@gov.ns.ca
Página web: http://www.gov.ns.ca/snsmr

Nunavut

Consumer Affairs
[Asuntos del Consumidor]
Community and Government Services
[Servicios Comunitarios y Gubernamentales]
P.O. Box 440
Baker Lake NU X0C 0A0
Teléfono: (867) 793-3303
Teléfono gratuito: 1-866-223-8139
Fax: (867) 793-3321
Página web: http://www.gov.nu.ca

Ontario
Ministry of Government Services
[Ministerio de Servicios Gubernamentales]
Consumer Protection Branch
[Área de Protección al Consumidor]
5775 Yonge Street, Suite 1500
Toronto ON M7A 2E5
Teléfono: (416) 326-6414
Teléfono gratuito: 1-800-889-9768
Fax: (416) 326-8665
TTY (teletipo): (416) 325-3408
TTY (teletipo) gratuito: 1-800-268-7095
Correo electrónico: info.MGS@ontario.ca
Página web: http://www.sse.gov.on.ca/mcs/en/Pages/default.aspx

Isla del Príncipe Eduardo
Consumer, Corporate and Insurance Division
[División de Consumidor, Corporativa y Seguros]
Office of the Attorney General
[Departamento del Procurador General]
4th Floor, 95 Rochford Street
P.O. Box 2000
Charlottetown PEI C1A 7N8
Teléfono: (902) 368-4550
Teléfono gratuito: 1-800-658-1799
Fax: (902) 368-5283
Página web: http://www.gov.pe.ca/oag/ccaidinfo/index.php3

Québec
Office de la Protection du Consommateur
Suite 450, 400 Jean-Lesage Boulevard
Québec QC G1K 8W4
Teléfono gratuito: 1-888-OPC-ALLO (1-888-672-2556)
Fax: (418) 528-0976
Página web: http://www.opc.gouv.qc.ca

Saskatchewan

Consumer Protection Branch
[Área de Protección al Consumidor]
Saskatchewan Department of Justice
[Departamento de Justicia de Saskatchewan]
Suite 500, 1919 Saskatchewan Drive
Regina SK S4P 4H2
Teléfono: (306) 787-5550
Teléfono gratuito: 1-888-374-4636 (sólo en Saskatchewan)
Fax: (306) 787-9779
Correo electrónico: consumerprotection@justice.gov.sk.ca
Página web: http://www.justice.gov.sk.ca

Yukon

Department of Community Services
[Departamento de Servicios Comunitarios]
Consumer and Safety Services
[Servicios al Consumidor y de Seguridad]
P.O. Box 2703
Whitehorse YK Y1A 2C6
Teléfono: (867) 667-5111
Fax: (867) 667-3609
Correo electrónico: consumer@gov.yk.ca
Página web: http://www.community.gov.yk.ca

The Andrew Philipson Law Centre
[Centro Legal Andrew Philipson]
2130 - 2nd Avenue
Whitehorse YT Y1A 5H6
Tel.: (867) 667-5111

Fuente: Oficina de Asuntos del Consumidor de Canadá
(OCA, por su sigla en inglés) http://www.ic.gc.ca/eic/site/oca-bc.nsf/eng/home

CAPÍTULO 26

¡Hemos terminado!

En estos capítulos absorbió una gran cantidad de información. Estas páginas contienen conocimiento y poder. Utilícelos y hágalo sabiamente. Comparta lo que aprendió con su familia y sus amigos. Cuanta más gente sepa lo que hacen los bancos y las compañías de tarjetas de crédito, más poder tendremos para defendernos de sus prácticas escandalosas.

Aprendió pasos sencillos que pueden ayudarlo a tener sus deudas bajo control y a recuperar su vida. Ésa es la verdadera libertad. Deshacerse de las deudas es el primer paso hacia la creación de la riqueza.

Puede poner en práctica estos conceptos y disfrutar una vida libre de deudas. ¡Puede vivir la vida de sus sueños! Es posible. Nunca piense que está fuera de su alcance. Muchas personas están hundidas en deudas y consumidas por los intereses y los gastos. Estas personas están estresadas, ansiosas y frustradas. No podían ver una salida. ¡Ahora pueden!

¡Hay una salida! Los métodos que aprendió aquí —las *Curas Para Sus Deudas* que "ellos" no quieren que usted sepa— ya están ayudando a gente como usted, y estos métodos pueden ayudarlo a usted también. Nunca piense que tiene que quedar encerrado en una vida repleta de deudas y ansiedad.

Todos los días recibo noticias de personas que me cuentan cómo mejoró su vida. Quiero escuchar su historia. Únase a las miles de personas que encontraron alivio y vencieron a sus acreedores. ¡Usted también puede triunfar! Envíe su historia exitosa a success@debtcures.com.

No olvide que el boletín informativo de *Curas Para Sus Deudas* ofrece información actualizada constantemente sobre la industria de los créditos y las oportunidades para obtener dinero gratis tan pronto como se ponen a su disposición.

Gracias por invertir el tiempo necesario para leer este libro. Está haciendo una inversión en usted mismo, y no hay mejor manera de gastar su tiempo. Le deseo sinceramente felicidad, salud y riqueza. Espero que escriba para contarme sus historias exitosas.

Kevin Trudeau

Fuentes citadas

(Citas disponibles en línea al 24 de julio de 2007. Algunas páginas web se actualizaron al 14 de febrero de 2008.)

Capítulo 1

"El abogado del distrito de California involucrado en el caso afirmó..."
www.commondreams.org/headlines02/0713-02.htm

"El periódico *The San Francisco Chronicle* informó que el fundador de Providian, Andrew Kahr, escribió..." www.commondreams.org/headlines02/0713-02.htm

"El hombre que el presidente Bush..." www.commondreams.org/headlines02/0713-02.htm

"...una historia de verdad que se imprimió en *The Houston Chronicle*..." Steffy, Loren. *Houston Chronicle*, 19 de octubre de 2005.http://consumersdefense.com/news.html#agg

"Aparentemente ellos hasta le dijeron a una niña de nueve años..." www.consumeraffairs.com/news04/2007/06/debt_horror.html

Capítulo 2

"Éste es el primer párrafo de la declaración de divulgación..." Disclosure Statement, Capital One, 2007.

Capítulo 3

"En 1995, el gobierno lanzó..." Morgenson, Gretchen. "Home Loans: A Nightmare Grows Darker". *New York Times*, 8 de abril de 2007.

"El director de asistencia financiera de la Universidad John Hopkins está acusado..." www.washingtonpost.com/wp-dyn/content/article/2007/05/21/AR2007052101622.html

"Según un artículo publicado el 7 de mayo de 2007 en el periódico *New York Times*..." http://select.nytimes.com/gst/abstract.html?res=F30E17F73F550C728DDDAC08 94DF404482

"El boletín electrónico *Chronicle of Higher Education* publicado en abril de 2007..." http://chronicle.com/news/article/1954/education-dept-puts-student-loanofficial-on-leave-as-controversy-widens

Capítulo 4

"...palabras inmortales del Dr. Seuss: "¡Felicitaciones!..."". Dr. Seuss. *Oh, the Places You'll Go!* New York: Random House, 1990. 1-2.

Capítulo 5

Capítulo 6

"Si el presidente de una importante compañía de tarjetas de crédito..."
www.opensecrets.org/2000elect/contrib/P00003335.htm

"En una entrevista para el documental de PBS (Servicio Público de Divulgación)
llamado "La historia secreta de las tarjetas de crédito", Elizabeth Warren, profesora
de leyes de la universidad de Harvard..." *Secret History of Credit Cards*. Dirección de
David Rummel. FRONTLINE, 2004.
www.pbs.org/wgbh/pages/frontline/shows/credit/interviews/warren.html

Capítulo 7

"...el prestamista los convenció para que firmaran los formularios..."
Maxed Out [película]. Dirección de James Scurlock. DVD. 2006.

"Duncan McDonald, el ex asesor general de Citibank..." *Secret History of Credit Cards*.
Dirección de David Rummel. FRONTLINE, 2004.
www.pbs.org/wgbh/pages/frontline/shows/credit/etc/script.html

"Según TransUnion, el puntaje de crédito de un individuo..."
https://www.transunioncs.com/TCSWeb/help/terminologyFAQ.do;jsession
id=Gm9QyPxDRb14lbJqJ1LvxRZTCbsQKDNNqLQdBhd1V7m06LQy9
NYF!463976471

Capítulo 8

"En un documental de *PBS* (Servicio Público de Divulgación) llamado "*Secret History of
the Credit Cards*" [La historia secreta de las tarjetas de crédito], Ben Stein, el autor,
actor y ex conductor del programa *Win Ben Stein's Money* [Gana el dinero de Ben
Stein]..." *Secret History of Credit Cards*. Dirección de David Rummel. FRONTLINE,
2004. www.pbs.org/wgbh/pages/frontline/shows/credit/etc/script.html

"Edward Yingling, el presidente de American Bankers Association [Asociación estadounidense de banqueros] llamó a "los que renuevan los préstamos"..." *Secret
History of Credit Cards*. Dirección de David Rummel. FRONTLINE, 2004.
www.pbs.org/wgbh/pages/frontline/shows/credit/interviews/yingling.html

"Según una encuesta realizada en julio de 2003 por la organización Consumer
Federation of America [Federación de Consumidores de los Estados Unidos]..."
www.consumerfed.org/releases2.cfm?filename=072803creditscores.txt

Capítulo 9

"Para obtener el modelo puede visitar..." www.debtcures.com/samplecreditreport

Capítulo 10

"Según About.com: Home buying, el puntaje se compone de los siguientes puntos..."
http://homebuying.about.com/cs/yourcreditrating/a/credit_score.htm

"Hazel Valera, experta en el sistema FICO..."
http://vids.myspace.com/index.cfm?fuseaction=vids.individual&videoid=10579847

Capítulo 11

"Según las observaciones que hizo Hazel Valera —la experta en créditos de Clear Credit
Exchange— en el Millionaire Real Estate Club de Las Vegas..."
http://vids.myspace.com/index.cfm?fuseaction=vids.individual&videoid=10579847

Capítulo 12

"...el mercado secundario del papel de bancarrota..."
www.businessweek.com/magazine/content/07_46/b4058001.htm

"Prisioneros de la deuda: grandes prestamistas exprimen los bolsillos de los consumido-res cuyas deudas fueron condonadas por los tribunales."
www.businessweek.com/magazine/content/07_46/b4058001.htm

Capítulo 13

"A partir de abril de 2007, seis reconocidas universidades (St. John's, Syracuse, Fordham, New York University [Universidad de Nueva York], University of Pennsylvania [Universidad de Pensilvania] y Long Island University [Universidad de Long Island]) aceptaron más de tres millones de dólares en reembolsos a los alumnos debido a los acuerdos de reparto de ingresos que ellas tenían con las agencias pri-vadas de préstamos estudiantiles. Está claro que a estos estudiantes no se les estaba dando la mejor oferta..." "College loan scandal "like peeling an onion"". Associated Press. 10 de abril de 2007. www.msnbc.msn.com/id/18040824/:...

"En Internet, cada año se procesan más de seis millones de solicitudes de asistencia federal que los estudiantes completan para intentar acceder a parte de los 67 mil millones de dólares..." http://usgovinfo.about.com/blstudentaid.htm

"A ambos se los considera préstamos Stafford, y tienen una tasa de interés fija (que actualmente es del 6,8 por ciento)..." www.finaid.org/loans/studentloan.phtml

"Como dijimos anteriormente, conseguir la mejor tasa de interés es muy importante..." www.finaid.org/loans/studentloan.phtml

"Sin embargo, algo que pocos saben es que a usted le pueden condonar la deuda en caso de incapacidad permanente..." http://studentaid.ed.gov/PORTALSWebApp/stu-dents/english/discharges.jsp?tab=repaying#content

"Una vez cumplido este período de prueba, su préstamo será devuelto al centro de administración de préstamos estudiantiles regular, y el hecho de que usted alguna vez estuvo en mora DESAPARECERÁ de su reporte de crédito..." www.ed.gov/offices/OSFAP/DCS/repaying.html

"Controle su reporte de crédito regularmente y revise siempre el resumen de cuenta mensual de su tarjeta de crédito" www.debtcures/monitoring

"Eso significa más de sesenta millones de personas afectadas por este cambio..." www.credit.com/credit_information/credit_report/Consumer-Alert-FICOFormula-Changes.jsp

Capítulo 14

"Usted tiene un crédito hipotecario a treinta años, por un total de 136 mil dólares y con una tasa de interés del 5,25 por ciento. Si usted pagara cuotas mensuales..." www.unitedfirstfinancial.com

Capítulo 15

"En el documental *Maxed Out* [Llegando al límite], a un juez de quiebras se le pre-guntó..." *Maxed Out*. Dirección de James Scurlock. DVD. 2006.

"Comenzamos robándole a Pedro para pagarle a Pablo..." *Secret History of Credit Cards*. Dirección de David Rummel. FRONTLINE, 2004.
www.pbs.org/wgbh/pages/frontline/shows/credit/etc/script.html

"Como dijo Jim: "Se olvidan del hecho..."" *Secret History of Credit Cards.* Dirección de David Rummel. FRONTLINE, 2004.
www.pbs.org/wgbh/pages/frontline/shows/credit/etc/script.html

Capítulo 16

"...pero de acuerdo con http://www.bcsalliance.com y el abogado Robert Hinsley de http://www.consumersdefense.com..." http://consumersdefense.com/bank-offenses. html y http://bcsalliance.com/x_creditcardtricks2.html

"De acuerdo con el abogado Robert Hinsley de ConsumersDefense.com..." http://consumersdefense.com/bank-offenses.html

"El periodista de MSNBC.com Bob Sullivan informó..." Sullivan, Bob. "Capital One Sued Over Marketing Practices", MSNBC.Com. 3 de enero de 2005. www.msnbc.msn.com/id/6781155/

"Según el abogado Robert Hinsley, de Houston, Texas..." http://consumersdefense.com/bank-offenses.html

"En un artículo publicado en reuters.com en el año 2007, Elizabeth Warren —profesora y experta en quiebras de la Harvard Law School [Facultad de Derecho de Harvard]..." Nicolaci Da Costa, Pedro. "U.S. Film Shows Despair Under Mountain of Debt", Reuters. 21 de febrero de 2007. www.reuters.com/article/idUSN1535741120070220

"Según Gabriel Stein, un economista..." "U.S. Film Shows Despair Under Mountain of Debt", Reuters. 20 de febrero de 2007. www.reuters.com/article/entertainment-News/idUSN1535741120070220?pageNumber=3

"Según una encuesta realizada en el año 2005 —la información más actual disponible..." Loeb, Marshall. "One late payment and rates can skyrocket", *Market Watch.* 6 de marzo de 2007.
www.marketwatch.com/news/story/how-one-late-credit-card-payment/story. aspx?guid=%7BA5BC6C3F-257F-4CB2-8839-FB193D263173%7D

"En el documental *Maxed Out* [Llegando al límite], realizado en 2006, el director James Scurlock..." Bennett, Jessica. "Q&A: The Hidden Dangers of Credit Card Debt", MSNBC.com. *Newsweek.* 14 de abril de 2006.
www.msnbc.msn.com/id/12306509/site/newsweek/

"En un artículo de Market Watch que salió publicado en Yahoo Finanzas en abril de 2007..." Openshaw, Jennifer. "Getting Back in the Black", *Market Watch.* 13 de abril de 2007. www.marketwatch.com/News/Story/Story. aspx?guid=%7BAE50CE51-44F2-4CEA-B4C2-71A01645C7BA%7D

"De acuerdo con la página web CNNMoney.com..." Laurier, Joanne. "US consumer debt reaches record levels", *World Socialist Web Site.* 15 de enero de 2004. www.wsws.org/articles/2004/jan2004/debt-j15_prn.shtml

"David Wyss, uno de los economistas más importantes..." Laurier, Joanne. "US consumer debt reaches record levels", *World Socialist Web Site.* 15 de enero de 2004. www.wsws.org/articles/2004/jan2004/debt-j15_prn.shtml

Capítulo 17

"La noticia principal del periódico *Wall Street Journal*..." Malkin, Michelle. "Bank of Illegal Aliens in America", 13 de febrero de 2007.
http://michellemalkin.com/2007/02/13/bank-of-illegal-aliens-in-america/

"Un artículo publicado en BusinessWeek.com..." "Embracing Illegals", 18 de julio de 2005. www.businessweek.com/magazine/content/05_29/b3943001_mz001.htm

"James Scurlock, el creador del largometraje *Maxed Out* [Llegando al límite], explica..."

Bennett, Jessica. "Q&A: The Hidden Dangers of Credit Card Debt", MSNBC.com. Newsweek. 14 de abril de 2006. www.msnbc.msn.com/id/12306509/site/newsweek/

"En un artículo escrito por Jessica Bennett y publicado en MSNBC.com..." Bennett, Jessica. "Q&A: The Hidden Dangers of Credit Card Debt", MSNBC.com. Newsweek. 14 de abril de 2006. www.msnbc.msn.com/id/12306509/site/newsweek/

"En la película *Maxed Out* [Llegando al límite], dos madres contaron..." *Maxed Out*. Dirección de James Scurlock. DVD. 2006.

"Elizabeth Warren..." *Secret History of Credit Cards*. Dirección de David Rummel. FRONTLINE, 2004. www.pbs.org/wgbh/pages/frontline/shows/credit/interviews/warren.html

"En el largometraje *Maxed Out* [Llegando al límite]..." *Maxed Out*. Dirección de James Scurlock. DVD. 2006.

"En *Secret History of Credit Cards* [La historia secreta de las tarjetas de crédito], la profesora de Harvard Elizabeth Warren..." *Secret History of Credit Cards*. Dirección de David Rummel. FRONTLINE, 2004. www.pbs.org/wgbh/pages/frontline/shows/credit/etc/script.html

Capítulo 18

"En el documental *Secret History of Credit Cards* [La historia secreta de las tarjetas de crédito] se entrevistó al presidente de la American Bankers Association [Asociación de Banqueros Estadounidenses], Edward Yingling..." *Secret History of Credit Cards*. Dirección de David Rummel. FRONTLINE, 2004. www.pbs.org/wgbh/pages/frontline/shows/credit/interviews/yingling.html

"Cuando Yingling se refirió a..." *Secret History of Credit Cards*. Dirección de David Rummel. FRONTLINE, 2004. www.pbs.org/wgbh/pages/frontline/shows/credit/etc/script.html

"La profesora Elizabeth Warren sostiene..." *Secret History of Credit Cards*. Dirección de David Rummel. FRONTLINE, 2004. www.pbs.org/wgbh/pages/frontline/shows/credit/etc/script.html

"Volvamos a la entrevista del señor Edward Yingling." *Secret History of Credit Cards*. Dirección de David Rummel. FRONTLINE, 2004. www.pbs.org/wgbh/pages/frontline/shows/credit/interviews/yingling.html

Capítulo 19

Capítulo 20

"En la película *Maxed Out* [Llegando al límite]..." *Maxed Out*. Dirección de James Scurlock. DVD. 2006.

"El abogado Richard DiMaggio señala que..." DiMaggio, Richard L. *Collection Agency Harassment*, Archimedes Press, Inc., 2002. 21.

"Quieres obligarlos a llegar al borde de la plancha..." Nicolaci Da Costa, Pedro. "U.S. Film Shows Despair Under Mountain of Debt", Reuters. 21 de febrero de 2007. www.reuters.com/article/idUSN1535741120070220.

"Otro cobrador le dijo a una mujer..." DiMaggio, Richard L. *Collection Agency Harassment,* Archimedes Press, Inc., 2002. 10.

"Un agente de cobranzas de San Diego fue a prisión..." Yuravich, Albie. "Keeping your debt collectors in check", *Register Citizen.* 23 de mayo de 2007. www.registercitizen.com/site/news.cfm?newsid=18374513&BRD=1652&PAG=46 1&dept_id=12530&rfi=6

"El procurador general de New York..." y "La Comisión Federal de Comercio..." Chan, Sewell. "An outcry rises as debt collectors play rough", *New York Times.* 5 de julio de 2006. http://consumersdefense.com/news.html#Outcry

"El periódico *New York Times* publicó un artículo..." Chan, Sewell. "An outcry rises as debt collectors play rough", *New York Times.* 5 de julio de 2006. http://consumersdefense.com/news.html#Outcry

Capítulo 21

Capítulo 22

"Según la especialista en crédito Hazel Valera..." http://vids.myspace.com/index.cfm?fuseaction=vids. individual&videoid=10579847.

"La señora Valera también señaló que..." http://vids.myspace.com/index.cfm?fuseaction=vids.individual&videoid=10579847

Capítulo 23

"El autor de "Padre rico, padre pobre", Richard Kiyosaki..." *The Millonaire Inside: Debt Free.* CNBC.

Capítulo 24

"Un miembro del Congreso dijo..." www.grants.gov/aboutgrants/testimonials.jsp

"Al sitio del SBIC le gusta compartir sus historias exitosas y leerlas es muy inspirador." www.sba.gov/aboutsba/sbaprograms/inv/INV_SUCCESS_STORIES.html

"La misión del programa es "nivelar el campo de juego"." www.sba.gov/idc/groups/public/documents/sba_homepage/wbc.pdf

"...el sitio integral para encontrar subvenciones para la enseñanza anterior al jardín de infantes y hasta el 12º grado..." www.schoolgrants.org

Capítulo 24.5

Capítulo 25

Capítulo 26

Modelos

Carta Modelo de Capital Contable

Fecha

Su nombre
Su dirección

Nombre del cobrador
Dirección del cobrador

Estimado (nombre del cobrador o acreedor):

Nuestra empresa ha representado a [su nombre] durante los últimos años. Según mi leal saber y entender, a la fecha, [insertar fecha], [su nombre] es insolvente.

[Su nombre] no tiene bienes materiales. [Él/Ella] *[arrienda un coche y alquila un departamento.]* De acuerdo al reporte de crédito emitido por [Experian] a nombre de [su nombre] el día [introduzca la fecha del reporte de crédito], hay aproximadamente [$xx,xxx] por causa de las compañías de tarjetas de crédito. Estamos también al tanto de préstamos personales superiores a [$x,xxx]

Como se mencionó anteriormente, [su nombre] es insolvente.

Si necesita alguna información adicional, no dude en contactarse conmigo.

Saludos cordiales,

Nombre del contador

{**Nota al lector:** envíe la carta con pedido de acuse de recibo y guarde una copia para su archivo. Complete con sus datos correctos. Si usted es dueño de su casa y/o coche, por supuesto, cambie u omita la oración correspondiente. Adapte la carta a su situación personal. Utilice su reporte de crédito a su favor. Exponga sus pasivos. Sea breve. La clave es, sencillamente, exponer que usted es insolvente.}

Sample Letter of Net Worth

Date

Your Name
Your Address

Collector's Name
Collector's Address

Dear (name of collector or creditor):

Our firm has represented [your name] for the last several years. To the best of my knowledge, as of today's date, [insert date], [your name] is insolvent.

[Your name] does not have any material assets. [He/she] [*leases a car* and is *renting an apartment.*] According to the [Experian] credit report for [your name] as of [insert date of credit report], there is approximately [$xx,xxx] due to credit card companies. We are also aware of personal loans in excess of [$x,xxx].

As previously stated, [your name] is insolvent.

If you need any further information, please contact me.

Sincerely,

Name of Accountant

{**Note to Reader**: Send letter with return receipt requested and keep a copy for your records. Insert your appropriate information. If you own your home and/or car, of course, change or omit that sentence. Customize the letter to your situation. Use your credit report to your benefit. State your liabilities. Keep the letter brief. The key is to simply state that you are insolvent.}

Carta Modelo para el Cobrador de Deuda

Fecha

Su nombre
Su dirección

Nombre del cobrador
Dirección del cobrador

Estimado (nombre del cobrador o acreedor):

Le escribo en respuesta a su [llamada telefónica/carta] del día [introduzca la fecha]. A mi leal saber y entender, no tengo esa deuda.

Nadie me ha contactado por esta supuesta deuda, y le pido que me envíe todos y cada uno de los datos que posea sobre la misma: el monto, el acreedor y la prueba de que usted está autorizado para cobrar deudas dentro de mi estado.

Cuestiono esta supuesta deuda. Si usted no es el acreedor directo de la misma, por favor envíe mi carta a quien realmente lo sea, de manera que estén notificados de que cuestiono esta deuda.

Saludos cordiales,

Su nombre

{**Nota al lector:** Envíe la carta con pedido de acuse de recibo y guarde una copia para su archivo. Complete con sus datos correctos. Conserve un registro detallado de todas las comunicaciones (llamadas telefónicas y cartas) con los cobradores de deudas.}

Sample Letter to Debt Collector

Date

Your Name
Your Address

Collector's Name
Collector's Address

Dear (name of collector or creditor):

I'm writing in response to your [phone call/letter] of [insert date]. To the best of my knowledge, I do not owe that debt.

I have not been contacted by anyone about this alleged debt, and I ask you that you send me any and all information that you have on this debt: the amount, the creditor, and proof that you are licensed to collect debts in my state.

I am disputing this alleged debt. If you are not the party who owns this debt, please send my letter to the creditor who does, so that they are notified that I dispute this debt.

Sincerely,

Your Name

{**Note to Reader:** Send letter with return receipt requested and keep a copy for your records. Insert your appropriate information. Keep detailed records of all communications (telephone and letters) with debt collectors.}

Balance General

Activos	Pasivos
Ahorros:	Hipoteca de la vivienda:
Acciones/Fondos Comunes de Inversión/ Plazos Fijos:	Préstamos automotrices:
	Tarjetas de crédito:
	Préstamos estudiantiles:
Bienes Raíces:	Otros préstamos bancarios:
	Hipoteca con la propiedad de inversión como garantía:
Ventas:	Préstamos comerciales:
Autos:	Otros préstamos bancarios:

Estado de Resultados

Ingresos mensuales	Gastos mensuales
Salario:	Impuestos:
Interés:	Hipoteca de la vivienda:
Dividendos en acciones:	Pago del coche:
	Pago de la tarjeta de crédito:
Bienes Raíces:	Pago del préstamo escolar:
	Otros pagos por préstamos:
	Gastos por hijos:
	Seguro (Casa/Auto/Salud)
Ventas:	Servicios Públicos:
Otros:	Otros gastos:

Ingreso mensual total _____

– (menos)Gastos mensuales totales   (_____)

Flujo mensual de fondos _____